Der Führer und Reichskanzler Adolf Hitler

Reichsarbeitsführer Konstantin Hierl

Kamerad!

Der Arbeitsdienst hat Dich durch seine straffe Erziehung zum
Nationalsozialisten geformt und in die junge Mannschaft Deutschlands eingereiht. Du hast in der Arbeit am deutschen Boden
erfahren, welche Freude und innere Befriedigung es bedeutet,
als dienendes Glied einem starken Staate anzugehören.

Vor Dir steht die Aufgabe, Dich dieses Ehrendienstes wert zu
erweisen und alle Deine Kräfte in den Aufbau der Nation zu stellen.
Bekenne Dich, wo Du später auch stehen magst, immer zu den
Zielen und zu dem Geiste des Arbeitsdienstes und trage diesen
Geist weiter in das deutsche Volk hinein. Pflege und bewahre
die Erinnerung an die große und schöne Kameradschaft. Sei immer
ein Kämpfer für Deutschland und seinen Führer.

Vergiß nicht diese Forderungen, die der Arbeitsdienst Dir mit auf
den Weg gibt und bleibe mit ihm in steter, lebendiger Verbindung!

Heil Hitler!

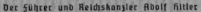

Oberstarbeitsführer und Führer des Arbeitsgaues XVII

Frank Grube/Gerhard Richter

Alltag im Dritten Reich

So lebten die Deutschen 1933-1945

Hoffmann und Campe

Inhalt

Vorwort 6

Machtergreifung und Gleichschaltung 25

30. Januar 1933 – Hitler ist Reichskanzler – Notverordnung vom 4. Februar 1933 – Reichstagsbrand
Verhaftung von Kommunisten – Wahl vom 5. März 1933 – Der »Tag von Potsdam«
Ermächtigungsgesetz – Boykott aller jüdischen Kaufleute, Ärzte, Rechtsanwälte – Verbot aller
Parteien – Gleichschaltung von Gewerkschaften und anderen Organisationen – Bücherverbrennung
Verhalten der Kirchen – Einrichtung von KZs im März 1933

Freie Bahn dem Tüchtigen 57

Über sechs Millionen Arbeitslose – Situation vor 1933 – Arbeitsbeschaffungsprogramme
»Arbeitsschlacht« – Autobahnbau – Volkswagensparer – Arbeitsdienst – Wirtschaftspolitische
Erfolge – Aufrüstung – Winterhilfswerk – Deutsche Arbeitsfront – Vierjahresplan
Das Bauerntum – Erbhofgesetz – Reichsnährstand

Generation im Gleichschritt 81

Hitler-Jugend – Bund Deutscher Mädel – Gleichschaltung der Jugendorganisationen – Glaube und
Schönheit – Körperertüchtigung – Pimpfe – Reichssportwettkampf – Ernteeinsätze

Frauenehre, Frauenwürde, Mutterglück 105

Rolle der Frau – Ehestandsdarlehen – Hilfswerk für Schwangere – Die Frau als billige und fleißige
Arbeitskraft – Frauen keine Beamtinnen – »Arteigene« Berufe – Pflichtjahr – Frauen im Krieg
Arbeitsbuchpflichtige – 60-Stunden-Woche – »Volksnotehen« – Lebensborn – Muttertag
Ehrenkreuz der Deutschen Mutter

Die organisierte Freizeit 121

Totale Erfassung des Menschen – Sammlungen – Spenden – Kraft durch Freude – »Volkstum und Heimat« – Deutsches Volksbildungswerk – »Sportamt« – Das Deutsche »Amt für Reisen, Wandern und Urlaub« – Volkswagen – NS-Feier- und Gedenktage – Sommer- und Wintersonnenwende Erntedankfest

»Es wird einmal ein Wunder geschehn« 153

Innere Emigration – Sport – Theater – Film – Olympische Spiele 1936 – Fußball – Automobilsport Reichskulturkammer – Reichsschrifttumskammer – Bücher – Musik – Unterhaltung

Kanonen statt Butter 169

Heimatfront – Kinderlandverschickung – Wehrertüchtigungslager – Wohnverhältnisse – Versorgung Löhne – Arbeitszeit – Fremdarbeiter – Kriegsgefangene – Erste Bombenangriffe

»Wollt ihr den totalen Krieg?« 185

Goebbels-Rede – Großangriff auf Köln – Die Katastrophe von Hamburg – Schüler als Luftwaffenhelfer – Moral der Bevölkerung – Evakuierungen – »Sauckelfrauen« – Frauen als Flakhelfer – Das Leben auf dem Lande – Verluste der Zivilbevölkerung – Rüstungsproduktion Letztes Aufgebot – Volkssturm – Flucht und Vertreibung – Hitlers Nerobefehl

Anhang 217

Chronik – Abkürzungsverzeichnis – Literatur – Dokumente – Bildnachweis – Impressum

Vorwort

Hitlers totalitärer Staat begnügte sich nicht mit der Besitzergreifung der offiziellen Machtpositionen, sondern verlangte von jedem zu jeder Zeit Gefolgschaft und aktive Mitarbeit. Freizeit und Freiheit, wie wir sie verstehen, gab es zwischen 1933 und 1945 kaum. Wenn die Menschen von der Arbeit nach Hause kamen, konnten sie nicht immer tun und lassen, was sie wollten. Eine Fülle von Parteiveranstaltungen, Unterhaltungsangeboten, Gruppen- und Schulungsabenden »organisierten« den Feierabend und die Wochenenden. Der totalitäre Staat nahm nicht nur von dem politischen Bürger Besitz. Er kontrollierte, so weit als möglich, auch das Privatleben jedes einzelnen. Natürlich vermochte es auch dieser Staat nicht, jede Lebenssphäre des Bürgers zu organisieren und gar zu überwachen. Das war auch gar nicht nötig, denn die Mehrheit der Deutschen war für Hitler und für den Nationalsozialismus. Nur die politisch Andersdenkenden, die gläubigen Christen und die verfolgten Minderheiten lebten in der »ständigen Furcht vor dem Klopfen an der Tür in den frühen Morgenstunden«, der bevorzugten Einsatzzeit der Geheimen Staatspolizei (Gestapo).
Für die überwiegende Mehrzahl der Menschen blieb zumindest bis zum Ausbruch des Krieges das Leben innerhalb ihrer vier Wände im wesentlichen unverändert. Das Freizeit- und Konsum-angebot war vielfältig und der Nachfrage des Marktes unterworfen. Kühlschränke und Personenwagen, Kosmetika und Fotoapparate wurden bis zum Kriegsausbruch in ausreichender Zahl produziert; die Angebotspalette der Unterhaltungsindustrie vergrößerte sich ständig. Ausländische Tanzorchester gastierten in vielen Großstädten, und wer Streifen mit der offiziell verfemten Marlene Dietrich, mit Greta Garbo oder Clark Gable sehen wollte, konnte dies tun. Coca-Cola und die Swing-Musik Teddy Stauffers gehörten ebenso zum Alltag der Deutschen wie der Bestseller »Vom Winde verweht«.

Stark vereinfacht können wir fünf Phasen des »Alltagslebens im Dritten Reich« unterscheiden:
1. Die Zeit von der Machtergreifung am 30. Januar 1933 bis zur Gleichschaltung aller politischen Organisationen, die im wesentlichen mit dem Gesetz vom 14. Juli 1933, in dem die Nationalsozialistische Deutsche Arbeiterpartei zur einzigen politischen Partei erklärt und jede Wieder- oder Neugründung von Parteien verboten wurde, abgeschlossen war. In diesen nicht ganz sechs Monaten veränderte sich für die politisch engagierten Deutschen das Leben fundamental. Viele wurden verhaftet, in Zuchthäuser verbracht und ab März 1933 in Konzentrationslagern festgesetzt.
Das NS-Regime hatte seit der Machtübernahme

6

ganze Arbeit geleistet. Schon am 4. Februar wurden die ersten »Notverordnungen« erlassen und Grundrechte der Weimarer Verfassung aufgehoben. Bis zum 23. März, an dem das »Ermächtigungsgesetz« beschlossen wurde, gelang es Hitler, eine Diktatur zu errichten, die nun praktisch mit unbegrenzten Vollmachten ausgestattet war.

Den Alltag der meisten Deutschen berührte indes der NS-Terror in den Großstädten und die Abrechnung mit dem verhaßten politischen Gegner nur wenig. Erst als die Gleichschaltungspraxis auch auf die Gewerkschaften und andere politische und gesellschaftliche Organisationen ausgedehnt wurde, bekam der einzelne die »Kraft der Bewegung« sowie die Entschlossenheit und Brutalität der Nazis zu spüren.

Gewaltige Aufmärsche, erhabene Feiern und kultische Begegnungen waren die Begleitmusik dieser neuen Ordnung. Als einige Deutsche, die der »Bewegung« zunächst abwartend-positiv gegenüberstanden, merkten, in welche Richtung Hitlers Terrorsystem steuerte, war es zu spät.

2. Die Jahre von Mitte 1933 bis zum Beginn des Zweiten Weltkrieges, am 1. September 1939, sehen einen NS-Staat, der innenpolitisch äußerst stabil ist und außenpolitische Erfolge vorweisen kann, die allerdings konsequent – auch auf Kosten eines möglichen Krieges – erkämpft werden. Für diejenigen, die nicht hinter die Kulissen schauen konnten oder wollten, waren es die »Golden Thirties«. Es ging wirtschaftlich bergauf, die Arbeitslosigkeit nahm rapide ab, und bald konnte in Deutschland wieder von Vollbeschäftigung gesprochen werden, ab Ende 1938 gab es sogar einen Arbeitskräftemangel.

Vor allem diese Erfolge auf dem Gebiet der Wirtschaft waren es, die dem Nationalsozialismus breite Anerkennung verschafften. Nach den mageren Jahren, die gleichzeitig auch das Ende der Weimarer Republik markierten, kam mit den neuen Machthabern wieder Arbeit und Brot. Diese »fetten Jahre« des NS-Regimes hatten auch ihre Schattenseiten: Tausende von politischen Gegnern des Regimes wanderten in die Gefängnisse und Konzentrationslager, viele wurden dort ermordet; Zehntausende von Juden emigrierten ins Ausland oder wurden als Menschen zweiter Klasse verfolgt. Ihre Situation spitzte sich mit dem »Gesetz zum Schutz des deutschen Blutes und der deutschen Ehre« sowie mit der »Reichskristallnacht« vom 8. bis 10. November 1938 dramatisch zu. Rund 7500 jüdische Geschäftshäuser wurden in diesen Tagen demoliert und geplündert, 190 Synagogen in Brand gesteckt und über 25 000 Juden verhaftet. Das Massenpogrom von 1938 markierte den Beginn der »großen Abrechnung«, die Göring angekündigt hatte und die ab Sommer 1941 den »Holocaust« von Millionen von Juden bedeuten sollte.

In diesen sechs Jahren werden aber nicht nur Menschen verfolgt, gefoltert und getötet. Es wird auch der Grundstein für das gelegt, was die Nationalsozialisten als den »Aufbruch in eine neue Zeit« bezeichneten. Eine ganze Jugend wird – meist freiwillig – auf das System eingeschworen. Bis zu 95 Prozent eines Jahrgangs werden in der Hitler-Jugend oder im »Bund Deutscher Mädel« mit den Zielen des Nationalsozialismus vertraut gemacht und paramilitärisch für den Ernstfall vorbereitet. Den Erwachsenen geht es nicht anders. Vielen bleibt nur die »Innere Emigration«.

3. Als Hitlers Truppen am 1. September 1939 in Polen einmarschierten, war das zugleich der Beginn des Zweiten Weltkrieges, der sechs Jahre danach mit dem völligen Zusammenbruch Deutschlands enden sollte. Während der »Blitzsiege« über Polen und Frankreich, der Besetzungen Norwegens, Dänemarks und des Balkans lief das Alltagsleben verhältnismäßig normal weiter. Erst mit dem Angriff auf die Sowjetunion und den seit 1942 einsetzenden Bombenangriffen auf den Westen Deutschlands änderte sich das. Bis dahin war vom eigentlichen Krieg in der Heimat

wenig zu spüren. Noch beherrschte Görings Luftwaffe den deutschen Luftraum, nur die Heranziehung der Jugendlichen für kriegswichtige Aufgaben wurde verstärkt, weil durch die Einberufungen zur Wehrmacht viele Arbeitsplätze unbesetzt blieben.

An Konsumgütern mangelte es zunächst nicht, auch die Rüstungsindustrie ersetzte ohne größere Anstrengungen den Materialverschleiß der Truppe. Da die Mobilisierung der Frauen als zusätzliche Kräfte für die Wirtschaft (»Ehrendienst«) gescheitert war, griff man vorwiegend auf ausländische Zwangsarbeiter zurück, die meist unter schlechtesten Bedingungen in eigens errichteten Barackenlagern untergebracht waren. Auf dem Land hausten die zwangsrekrutierten Polen und Russen oft in Ställen und Erdlöchern, jeglicher Kontakt zwischen Deutschen und diesen »slawischen Untermenschen« war verboten.

4. Mit der sich abzeichnenden Niederlage bei Stalingrad zu Beginn des Jahres 1943 sowie den nunmehr pausenlosen Bombenangriffen auf die deutschen Großstädte beginnt die Phase des »Totalen Krieges«. Ein Viertel der deutschen Bevölkerung war vom Luftkrieg unmittelbar betroffen. Schüler wurden als Flakhelfer eingesetzt, der Krieg war zu den Kindern gekommen. Nacht für Nacht wurden die Menschen aus dem Schlaf gerissen und stürzten in die Bunker und Luftschutzkeller. Nach Waren des täglichen Bedarfs mußte man nun Schlange stehen, seit Ende 1943 waren Grundnahrungsmittel zumindest in den Städten schwer zu bekommen. In den Rüstungsbetrieben stieg die Arbeitszeit auf bis zu zwölf Stunden täglich. Hunderttausende flüchteten aus den durch Luftangriffe gefährdeten Städten aufs Land, auch die Frauen wurden nun verstärkt in der Wirtschaft untergebracht, Theater und Restaurants geschlossen.

5. Mit dem Angriff der Roten Armee auf Ostpreußen im Oktober 1944 und dem Vorrücken der alliierten Truppen im Westen erreicht der Krieg das »Reichsgebiet«. Ältere Männer werden in den »Volkssturm« und die ganz Jungen in das »Letzte Aufgebot« abkommandiert. In Ostpreußen, später auch in Westpreußen, Schlesien und Pommern kommt es zu grausamen Übergriffen von Soldaten der Roten Armee auf die Zivilbevölkerung. Wenige Jahre zuvor haben unzählige Polen und Russen das erlebt, was nun Deutsche durchmachen müssen. Es ist eine furchtbare Abrechnung.

In den Großstädten geht indes der Luftterror weiter. Von den 500 000 deutschen Luftkriegstoten sterben die meisten in den letzten Kriegsmonaten. Der Angriff auf Dresden gehört zu den sinnlosesten Grausamkeiten dieses Krieges, denn die Toten verbitterten die Menschen mehr, als daß sie Kampfmoral und Durchhaltewillen untergruben.

Am 8. Mai 1945 kapituliert Deutschland bedingungslos. Die Waffen schweigen. Doch die Leiden gehen weiter. Abertausende verhungern, erfrieren oder kommen in den nächsten Jahren in Gefangenenlagern um. Über 50 Millionen Tote hat der Zweite Weltkrieg auf seinen Kriegsschauplätzen gefordert. Deutschland wird von den Besatzungsmächten regiert und geteilt.

Über drei Jahrzehnte nach seinem Untergang sind uns die politischen Ereignisse der Zeit des Dritten Reiches, die Persönlichkeit seiner Führer und die einzelnen innen- und außenpolitischen Schritte, die zum Kriege geführt haben, wohlbekannt. All das ist in vielen historischen Studien niedergelegt worden.

Wie jedoch die Machthaber den Alltag der Deutschen manipulierten und organisierten und wie diese zwölf Jahre aus der Sicht der damals lebenden Deutschen abgelaufen sind, wird weitgehend erst in jüngster Zeit erforscht. Dieses Buch erhebt nicht den Anspruch darauf, wissenschaftlich neue Erkenntnisse zu liefern, es will allgemein verständlich und durch seltenes Bildmaterial anschaulich beschreiben, wie die Deutschen zwischen 1933 und 1945 lebten.

8

Mit der »Machtergreifung« der Nationalsozialisten am 30. Januar 1933 beginnt das, was man später die »braune Revolution« genannt hat. Nach und nach werden die demokratischen Grundrechte außer Kraft gesetzt, die politischen Gegner verhaftet oder abgeschoben und der Führerstaat installiert. Im Sommer 1933 haben die Nazis das Heft fest in der Hand. Alle anderen politischen Parteien sind verboten, die Gewerkschaften gleichgeschaltet und die Parlamente der einzelnen Länder entmachtet. Propagandistisch geschickt erheben die Nationalsozialisten den 1. Mai zum gesetzlichen »Feiertag der nationalen Arbeit«. Mit Massenveranstaltungen in allen Großstädten und beeindruckenden Aufmärschen, wie hier am 1. Mai 1936 im Lustgarten von Berlin (1, 4), demonstrieren »alte Kämpfer«, SS-Angehörige und Mitläufer der »Bewegung« ihre Stärke.
Das »Deutsche Turn- und Sportfest« von 1938 in Breslau (2) wird mit parteioffiziellen Massenaufmärschen und Umzügen ebenso pompös begangen wie die Siegesparade heimkehrender Truppen nach der Niederlage Frankreichs im Juli 1940 (3).

5

Die Kontrolle jedes einzelnen zu jeder Zeit, auch in Freizeit und Urlaub, ist das Ziel jedes auf totale Herrschaft abzielenden Staates. Robert Ley, der Führer der Deutschen Arbeitsfront, brachte es auf den Nenner: »Wir dürfen nicht nur fragen, was tut der Mensch bei der Arbeit, sondern wir haben auch die Pflicht, uns um ihn zu kümmern, wenn der Feierabend kommt...« Nur wenige konnten sich diesem ständigen Druck entziehen und von den Veranstaltungen der »Jungmädel« oder des »Bundes deutscher Mädel« bei Hausmusik (7) erholen. Selbst an den Badestränden von Nord- und Ostsee zierte der eine oder andere seine Sandburg mit der Hakenkreuzfahne (5). Und auch in den »Heim ins Reich« geholten Gebieten, wie zuerst in Österreich und später in Böhmen und Mähren (6), das Hitler vom 13. bis 15. Mai 1939 von deutschen Truppen besetzen ließ, wurden die Uniformierten von »deutschen Mädels« freudig begrüßt.

6

9

Auch das kulturelle Leben blieb von der Gleichschaltungspraxis der Nationalsozialisten nicht verschont. Im Gegenteil: Traditionell gelten Kunst, Presse oder andere Bereiche des geistigen Lebens als Vorreiter neuer Ideen, als weltoffen und daher dem engen Lebensbild des Nationalsozialismus feindlich gesonnen. Von Anfang an versuchten Propagandaminister Goebbels und seine Epigonen Wissenschaft und Kunst im Sinne ihrer Ideologie auszurichten und alle anderen Kunstrichtungen und Wissenschaftszweige als »entartet« oder »undeutsch« zu diffamieren. Gefördert wurden jene Maler, Bildhauer und Schriftsteller, die »heroischem Monumentalismus« und »arteigenem und rassebewußtem Kunstschaffen« positiv gegenüberstanden.

Was Künstler unter »dem reinen deutschen Wesen« zu verstehen hatten, wurde seit dem 17. Juli 1937 im »Haus der deutschen Kunst« in München gezeigt. 884 Gemälde und Skulpturen konnte das Premierenpublikum, unter ihm Hitler, Goebbels, Hess und viele andere Nazi-Größen (8), bewundern. Bis 1943 wurden acht Ausstellungen gezeigt; die Besucherzahl stieg zwischen 1937 und 1943 von 480 000 auf rund 720 000.

»In meinen Ordensburgen wird eine Jugend heranwachsen, vor der sich die Welt erschrecken wird. Eine gewalttätige, herrische, unerschrockene, grausame Jugend will ich«, so eine Vision Hitlers. Viele seiner Vorstellungen konnten in der Kürze der Zeit – zum Glück – nicht verwirklicht werden. Ein beträchtlicher Teil der Jugendlichen wurde jedoch paramilitärisch ausgebildet, besonders jene Schüler, die in den »Napolas« (Nationalpolitische Erziehungsanstalten) im Sinne des Systems erzogen wurden (9).

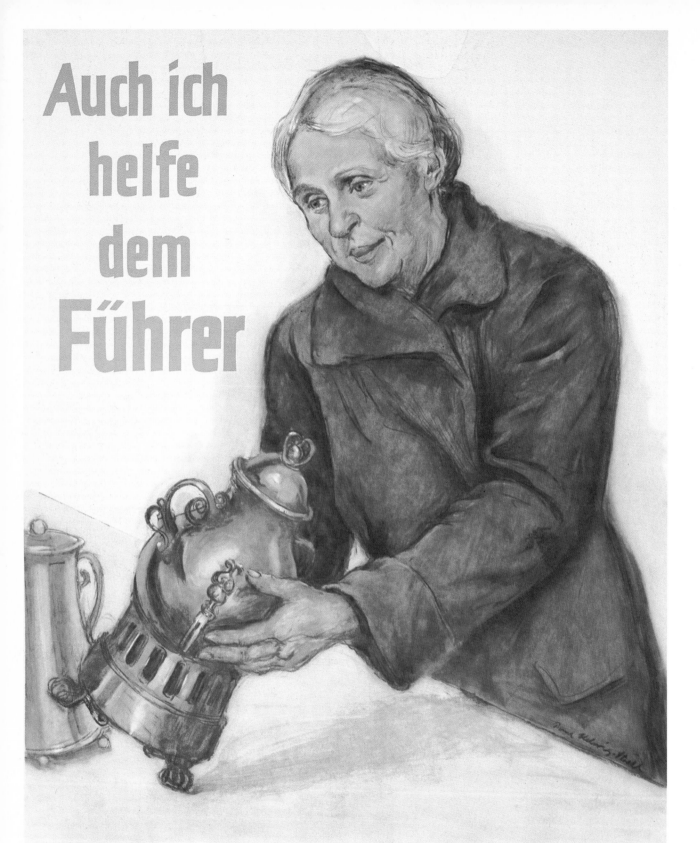

Auch ich helfe dem Führer

Metallspende des Deutschen Volkes
zum 20. April 1940

12

14

Diese kleine Auswahl von Plakaten hat vor allem zwei Komplexe zum Thema, die für die Zeit zwischen 1933 und 1945 typisch sind: Immer wieder wurde das Volk zu Spenden oder Sammlungen aufgefordert, sei es zu einem Beitrag zum Winterhilfswerk (10), der oft direkt vom Lohn abgezogen wurde, oder einer Metallspende (12). Der am 1. September 1939 vom Zaun gebrochene Krieg fordert seinen Tribut; Grundstoffe werden knapp und nach der Niederlage von Stalingrad (Anfang 1943) Spinnstoffe und Schuhe (13). Auch gegen Spione werden zahlreiche Plakate entworfen und in Lokalen und öffentlichen Gebäuden ausgehängt (11). Dieses sah man im Jahr 1940.

Seit dem 23. Dezember 1938 wurde das »Pflichtjahr« für Mädchen obligatorisch. Bereits ein Jahr danach leisteten mehr als 210 000 Arbeitspflichtige Hilfe in kinderreichen Familien oder überlasteten Bauernhöfen (14). Doch so konsequent waren die Nazis, wenn es um die Frauen ging, nicht immer. Selbst im Krieg konnten sich viele Frauen und Mädchen, vor allem die aus »gutem« Hause, vor einer Arbeitsverpflichtung drücken. Eine Generalmobilisierung der Frauen fand nicht statt. Auch in der Rüstungsindustrie (15) setzte das Regime mehr auf den Einsatz von Kriegsgefangenen, Deportierten und KZ-Insassen.

Der Diktator (16). Der Mann, der mit dem Röhm-Putsch von 1934 den Befehl zur Beseitigung von Dutzenden ehemaliger politischer Freunde gab, der seit 1936 systematisch den Krieg vorbereitete, der den Tod von Millionen Juden befahl und den Zweiten Weltkrieg begann, durch dessen Verschulden mehr als 50 Millionen Menschen den Tod fanden, der zahlreiche innenpolitische Gegner in KZs schickte oder ermorden ließ, posiert als jovialer Landesvater mit zwei Kindern vor der Kamera.

Machtergreifung und Gleichschaltung

Aus dem Aufruf der Kommunistischen Partei Deutschlands (KPD) zum Generalstreik vom 30. Januar 1933: »Hitler Reichskanzler – Papen Vizekanzler – Hugenberg Wirtschaftsdiktator – die Frick und Göring an der Spitze der Polizei – Stahlhelm-Seldte Arbeitsminister! Dies neue Kabinett der offenen, faschistischen Diktatur ist die brutalste, unverhüllteste Kriegserklärung an die Werktätigen, die deutsche Arbeiterklasse!« Während Kommunisten und große Teile der Sozialdemokratie über die Ernennung Hitlers zum Reichskanzler bestürzt waren, nutzte der Propagandaleiter der Nationalsozialistischen Deutschen Arbeiterpartei (NSDAP), Joseph Goebbels, den Tag geschickt: Schon am späten Nachmittag mobilisierte er in Berlin die national-sozialistischen Kampfverbände zu gewaltigen Fackelzügen und Siegesfeiern. Zehntausende von SA- und SS-Männern sowie Mitglieder des Stahlhelm zogen sieben Stunden lang durch das Brandenburger Tor und die Wilhelmstraße. Ihre Jubel- und Heilrufe galten dem »Führer« Adolf Hitler, der vom Fenster seines Amtssitzes den Vorbeimarsch der Braunhemden beobachtete. Der Rundfunk berichtete ausführlich. Reichsmi-nister Hermann Göring nutzte die Gunst der Stunde, um über alle Kanäle zu verkünden, daß mit diesem Tag ein Kapitel deutscher Schmach und Schande, deutscher Not und deutschen Elends geschlossen und ein neues Kapitel aufge-schlagen werde, über dem mit ehernen Lettern die Worte stünden: »Freiheit und Ehre sind die Unterlagen des neuen Reiches! Geben wir dem Volk, geben wir dem einzelnen Volksgenossen wieder Arbeit, worauf er ein sittliches Recht hat! Geben wir ihm Brot statt Almosen, und stellen wir für Reich und Nation wieder her Würde, Freiheit und Ehre!« Im Hämmern der Schritte von SA- und SS-Marschkolonnen in der düsteren Feierlichkeit roter und schwarzer Fahnen, im zuckenden Widerschein der Fackeln und beglei-tet von den aufpeitschenden Liedern und Sprech-chören aus der Kampfzeit der NSDAP ging die Weimarer Republik – oder das, was von ihr übriggeblieben war – sang- und klanglos unter. Hitler »ergriff« an diesem 30. Januar 1933 nicht die Macht, wie fälschlicherweise allenthalben noch zu lesen ist; sie war ihm vielmehr vom Reichspräsidenten Hindenburg gemäß den Vor-schriften der Verfassung angetragen worden. Noch am 21. Januar notierte Goebbels: »Wir stellen uns nicht zu stark auf den Erfolg ein, um keinesfalls am Ende wieder getäuscht zu wer-den.« Am 28. Januar waren »alle noch sehr skeptisch und freuen sich nicht zu früh«. Und als Hindenburg den »böhmischen Gefreiten« zwei Tage darauf zum Reichskanzler berief, bedeutete das keinesfalls, daß Hitler und die NSDAP von nun an mit diktatorischen Vollmachten ausgestattet waren.

Weder die internationale Presse, die sich vorwiegend mit den Vorbereitungen zur Weltwirtschaftskonferenz in London beschäftigte, noch Hitlers konservative Gegenspieler hatten offenbar eine Vorahnung von dem, was die Zukunft bringen sollte. Die Tatsache, daß die Nazis nur drei Posten im neuen Kabinett erhalten hatten, sowie die von vielen vertretene Meinung, Hitler würde sich bei all seinem revolutionären Gehabe im Alltag des Amtes die Zähne ausbeißen, beruhigte selbst kritische Gemüter.

Hugenberg und Papen behaupteten voller Stolz, daß die wichtigsten Ämter in den Händen der Konservativen seien und daß man Hitler sicher »umklammert« hätte. »Wir haben ihn uns engagiert«, soll damals Papen großspurig einem seiner Freunde erklärt haben. Und einem anderen, der Zweifel anmeldete, warf er entgegen: »Was wollen Sie denn? Ich habe das Vertrauen Hindenburgs. In zwei Monaten haben wir Hitler in die Ecke gedrückt, daß er quietscht.«

Mit Hitler wurde ein Mann Reichskanzler, der zuvor laut und deutlich verkündet hatte, er werde die Verfassung außer Kraft setzen, sobald er an den Hebeln der Macht sei. Die Vorstellung, dieser Mann ließe sich durch eine konservative »Einrahmung« bändigen, bestehend aus dem reaktionären Monarchisten Franz von Papen und seinen deutschnationalen Koalitionspartnern, die auf ihren Einfluß beim Reichspräsidenten, bei Wirtschaft, Armee und Beamtenkorps vertrauten, diese Vorstellung erwies sich binnen weniger Wochen als politisch naives Wunschdenken, als Schimäre. Den ersten Sieg über seine Kabinettskollegen hatte Hitler bereits errungen, bevor er den Amtseid leistete. Mit Erfolg hatte er auf die sofortige Auflösung des Reichstages und die Ansetzung von Neuwahlen im März 1933 gedrängt.

In seinen programmatischen Erklärungen vermittelte Hitler immer wieder den Eindruck, je früher er und seine Partei die Möglichkeit bekämen, eine Politik eigener Prägung zu realisieren, desto besser für Deutschland. Parallel dazu wurde die Welle der Begeisterung und Zustimmung über das »nationale Einigungswerk« planmäßig gesteuert und propagandistisch aufbereitet. Die dilettantischen Versuche der konservativen Bündnispartner mitzureden, mitzufeiern, mitzulenken, kamen allein den Nationalsozialisten zugute. Selbst erste Anzeichen des Terrors vermochten den Jubel im bürgerlich-konservativen Lager nicht zu dämpfen. Nur diejenigen Deutschen, die sich in linksgerichteten oder kirchlichen Organisationen engagiert hatten, waren sensibel für die Veränderungen, die ebenso geschickt wie konsequent eingeleitet wurden. Zudem lichtete die »braune Revolution« auch die Reihen der Sozialdemokratie und der Kommunisten. Die Minderheit, die dem Neuen nicht verfiel, schmolz rasch und geriet zunehmend in die Isolation.

Schon am 4. Februar 1933 wurde die erste Notverordnung erlassen. Die Anwendung des Artikels 48 (»Notstandsartikel«) der Weimarer Verfassung gab Hitler die Möglichkeit, auf legalem Wege eine Reihe von Grundrechten außer Kraft zu setzen. Mit der Einschränkung der Versammlungs- und Pressefreiheit begann die lange Liste von Verordnungen, mit denen das alte System ausgehöhlt und letztlich beseitigt wurde, so daß eine Diktatur an seine Stelle treten konnte. Nur zwei Tage nach Erlaß der ersten Notverordnung schaltete Hitler einen weiteren möglichen innenpolitischen Gegenspieler aus, nämlich das Land Preußen mit seinem sozialdemokratischen Ministerpräsidenten Otto Braun. Er übertrug die Macht Franz von Papen sowie dem preußischen Innenminister und früheren Kampfgenossen Hermann Göring, der seine Polizeibeamten sofort ermunterte, im Einsatz gegen »freche Elemente« von ihren Schußwaffen Gebrauch zu machen. Noch im Februar verpflichtete Göring seine Polizei zur Unterstützung der nationalen Verbände und erklärte SS (Schutzstaffel), SA (Sturmabteilung) und den Stahlhelm zur Hilfspolizei.

Am 27. Februar brannte der Reichstag. Bis heute ist nicht eindeutig geklärt, wer die Hintermänner der Brandstiftung waren. Am Schauplatz festgenommen wurde ein ehemaliger Kommunist, der Holländer Martinus van der Lubbe. Während die Nationalsozialisten alle Schuld an dem Brand den Kommunisten zuschoben und van der Lubbe im Dezember 1933 zum Tode verurteilen ließen, ist anzunehmen, daß die Nationalsozialisten selber die Täter gewesen sind. Die politische Bedeutung liegt jedoch in der Art und Weise, wie der Brand von den neuen Machthabern für ihre Zwecke genutzt wurde. Noch in der Brandnacht ordnete Göring die Verhaftung der Abgeordneten und führenden Funktionäre der KPD an; ihre sämtlichen Publikationen wurden verboten, die Parteibüros geschlossen. Den Sozialdemokraten entzog er für zwei Wochen die Erlaubnis jeglicher Pressearbeit, was angesichts der bevorstehenden Wahl darauf hinauslief, daß sie de facto mundtot gemacht wurden.

Am 28. Februar wurde die »Verordnung zum Schutz von Volk und Staat« im Kabinett eilig beschlossen und am selben Tag von Hindenburg unterzeichnet. Die sogenannte »Reichstagsbrandverordnung« war derart abgefaßt, daß sie praktisch alle Grundrechte »bis auf weiteres« außer Kraft setzte und der Reichsregierung die Möglichkeit gab, die Länderregierungen gegen Reichskommissare auszutauschen. Mit der schon am Vortage beschlossenen »Verordnung gegen Verrat am deutschen Volke und hochverräterische Umtriebe« konnten die Polizeiorgane ohne richterliche Kontrolle Personen auf unbeschränkte Zeit inhaftieren, Haussuchungen durchführen, Briefe öffnen, Telefongespräche abhören, Zeitungen verbieten oder zensieren, Vereine und Organisationen auflösen und Eigentum beschlagnahmen. Der offenen Willkür waren damit Tür und Tor geöffnet.

Der Terror richtete sich zunächst vor allem gegen die Kommunisten. Ihr Parteiapparat wurde zerschlagen, Tausende von Funktionären verhaftet; allein in Preußen sind im März und April 1933 rund 25 000 Personen festgenommen worden. Mit diesen beiden Verordnungen, und nicht erst mit dem »Ermächtigungsgesetz«, wurde die Basis des Rechtsstaates verlassen und das Instrumentarium für die Willkürherrschaft der Partei geschaffen. Parallel zu den Terrormaßnahmen inszenierte die NSDAP eine geschickt angelegte Kampagne, die sich vor allem an die Gefühle der Bürger wendete. Der Aufbruch in eine stolze Zukunft wurde prophezeit, Deutschland werde bald wieder internationales Ansehen genießen; vor allem wurden die Nationalsozialisten nicht müde, »Arbeit und Brot« zu versprechen – eine Aussage, die angesichts der Zahl von etwa sechs Millionen Arbeitslosen zu Beginn des Jahres 1933 wohl am meisten Anklang bei den Massen fand.

In dieser Atmosphäre wurde am 5. März 1933 die Wahl zum 8. Deutschen Reichstag abgehalten. Die Nationalsozialisten waren sich des Sieges so sicher, daß sie bereits Vorbereitungen für die Feier zum »Tag der erwachenden Nation« trafen. Der Wahlsonntag verlief im ganzen Reich friedlich. Überall flatterten Hakenkreuzfahnen. Durch viele Straßen marschierten SA- und SS-Verbände. Autos fuhren gehbehinderte oder kranke Wahlberechtigte in die Wahllokale, und mit über 88 Prozent wurde eine Rekordwahlbeteiligung erreicht. Trotzdem blieb der ganz große Sieg aus, den Goebbels prophezeit hatte. Nur wenig mehr als die Hälfte aller Deutschen stimmte in diesen Wahlen, die für lange Zeit die letzten halbwegs demokratischen sein sollten, für die NSDAP und die »Kampffront Schwarz-Weiß-Rot«. Die NSDAP allein erhielt nur 43,9 Prozent der Stimmen, die Sozialdemokraten erreichten 18,2 Prozent und die Kommunisten immerhin noch 12,2 Prozent. Auch die Zentrumspartei und die Bayerische Volkspartei hatten sich behaupten können. Nur die bürgerlichen Mittelparteien verschwanden fast völlig. Entscheidend war jedoch, daß diese Wahl der Regierung eine plebiszitäre Legitimation gab und der NSDAP auch in Süddeutschland ähnlich hohe Stimmenanteile bescherte, wie im Reichsdurchschnitt.

Doch selbst dieses nicht gerade schmeichelhafte Ergebnis wußten die Nationalsozialisten für sich zu nutzen. »Was bedeuten jetzt noch Zahlen?« schrieb Goebbels damals in sein Tagebuch. »Wir sind die Herren im Reich und in Preußen!« Folgerichtig fand unter dem Vorwand, die Länderregierungen von Bayern, Württemberg, Baden, Hessen, Sachsen sowie der Hansestädte seien nicht in der Lage, die öffentliche Sicherheit zu garantieren, die Machtergreifung der NSDAP auch in diesen Ländern statt, nachdem die Nationalsozialisten in einigen kleineren Ländern bereits die Regierungsgewalt übernommen hatten.

Aber Hitler forderte noch mehr. Er gab sich mit der einfachen Mehrheit, mit der er den Reichstag hätte führen können, nicht zufrieden. Zielstrebig steuerte er auf ein »Ermächtigungsgesetz« hin, für das allerdings eine Zweidrittelmehrheit im Reichstag erforderlich war. »Es gehört zu den merkwürdigsten, verhängnisvollsten und umstrittensten Geschehnissen der jüngsten deutschen Geschichte, daß es Hitler tatsächlich gelang, über die Deutschnationalen hinaus das Zentrum und die bürgerlichen Mittelparteien zu gewinnen«, schreibt der Historiker Karl Dietrich Erdmann.

Am 21. März 1933 organisierte Goebbels zur feierlichen Eröffnung des Reichstags den »Tag von Potsdam«, ein Schauspiel, das zum Markstein auf Hitlers Weg in die Diktatur werden sollte. Nach feierlichen Gottesdiensten besuchte Hitler mit dem betagten Reichspräsidenten Hindenburg die Potsdamer Garnisonskirche. Die dort inszenierte Feier fiel nicht zufällig auf Tag und Ort der Eröffnung des ersten deutschen

Reichstags durch Bismarck. Mit ihren Kranzniederlegungen an den Gräbern Friedrichs des Großen und Friedrich Wilhelms I., mit der Teilnahme von Prinzen und Prinzessinnen des Hauses Hohenzollern, mit der abschließenden gemeinsamen Parade von Reichswehr und braunen Verbänden sollte diese Feier aller Welt zeigen, in wessen Nachfolge der Nationalsozialismus sich sah. Hitler gelobte, sich den Werten und Traditionen der preußischen Vergangenheit verpflichtet zu fühlen.

Zwei Tage später verlangte er von dem in der Kroll-Oper versammelten Reichstag die Zustimmung zum Ermächtigungsgesetz. SA- und SS-Horden riegelten alle Zugänge zum Opernhaus ab und skandierten lautstark: »Wir fordern das Ermächtigungsgesetz – sonst gibt's Zunder.« Hitler war jedoch in seiner Rede ganz darauf bedacht, die bürgerlich-konservativen Kreise und die katholische Zentrumspartei von der Lauterkeit seiner Absichten zu überzeugen. Er versprach, von diesem Gesetz »nur insoweit Gebrauch zu machen, als es zur Durchführung der lebensnotwendigen Maßnahmen erforderlich ist. Weder die Existenz des Reichstags noch des Reichsrats soll dadurch bedroht sein... Der Bestand der Länder wird nicht beseitigt, die Rechte der Kirchen werden nicht geschmälert...«

Am Ende stimmten nur die noch verbliebenen 94 Sozialdemokraten – etwa 20 sozialdemokratische Abgeordnete waren bereits verhaftet oder in die Emigration gegangen – gegen das »Gesetz zur Behebung der Not von Volk und Reich«. Den kommunistischen Abgeordneten war ihr Mandat ohnehin längst aberkannt worden. Und die Sprechchöre vor der Kroll-Oper: »Wir wollen das Gesetz, sonst gibt's Mord und Totschlag« gaben einen Vorgeschmack davon, was denen bevorstand, die sich den nationalsozialistischen Organisationen in den Weg zu stellen versuchten. Am Nachmittag des 23. März 1933 war Hitler zum »von der Demokratie großgezogenen und vom Parlament gewählten« Diktator geworden. Der totalitäre Staat begnügt sich nicht mit der Besetzung der offiziellen Machtpositionen. Er ist nicht bereit, den Bürgern auch nur relative Freiheit zu gewähren, sondern verlangt von jedem zu jeder Zeit Gefolgschaft und aktive Mitarbeit. Für den unpolitischen Zeitgenossen hatte sich der Alltag vor dem 23. März 1933 zunächst nur insoweit verändert, als noch häufiger als sonst Paraden, Aufmärsche und Massendemonstrationen stattfanden. Die Feiern anläßlich des Wahlsieges am 5. März 1933 erstreckten sich über eine Woche. In kleineren Ortschaften blieben sie auf das Wochenende beschränkt. Marschkolonnen, Aufmärsche, Reden und Kampflieder – »Die Fahne hoch! Die Reihen fest geschlossen!« – bestimmten das Bild auf den Straßen. Millionen verfolgten den Tag von Potsdam im Rundfunk. In den Schulen wurden Radioapparate aufgestellt, Geschäftsleute machten früher Feierabend, sämtliche öffentlichen Dienststellen hatten geschlossen. Nach Einbruch der Dunkelheit wurden allerorten die obligatorischen Fackelumzüge veranstaltet, an denen auch Sportvereine, Schützengesellschaften und Feuerwehren teilnahmen. Durch den Propagandatrick des Tages von Potsdam ließen sich viele Deutsche von den wahren Absichten der Nazis hinters Licht führen.

Mit dem »Gesetz zur Behebung der Not von Volk und Reich« und der »Verordnung zum Schutz von Volk und Staat« waren den Nationalsozialisten Instrumente an die Hand gegeben, mittels derer sie umgehend die Veränderung von Staat, Wirtschaft und Gesellschaft in Angriff nehmen konnten. Daß sie sich in vielen Bereichen zunächst noch abwartend verhielten, war zum Teil auf innerparteiliche Schwierigkeiten, in erster Linie jedoch auf taktische Überlegungen zurückzuführen. Das deutsche Volk sollte nicht durch Gewaltmaßnahmen vor den Kopf gestoßen werden. Nur gegen erklärte Gegner ging man daher radikal vor. Anfangs waren es, wie bereits erwähnt, vor allem Kommunisten und Sozialdemokraten, die man verhaftete und in die bereits seit März 1933 bestehenden Konzentrationslager (KZ) verschleppte. Ursprünglich als »wilde Lager« von der SA eingerichtet und überwacht, wurden die KZs seit 1934 von der SS geleitet und systematisch ausgebaut.

Eine weitere Etappe auf dem Weg zum Terrorstaat markierte der 1. April 1933, als zum Boykott gegen alle jüdischen Kaufleute, Ärzte und Rechtsanwälte aufgerufen wurde. Vor den Geschäften, Warenhäusern, Arzt- und Anwaltspraxen patrouillierten uniformierte Mitglieder von SA und SS. Wenige Tage darauf wurde ein Gesetz verabschiedet, das es erlaubte, Beamte nichtarischer Abstammung in den Ruhestand zu versetzen. Das war der Beginn der Verbannung der Juden aus dem öffentlichen Leben.

Die zunächst nur für Beamte geltende Forderung nach einem »Ariernachweis« wurde bald auch auf andere Berufsgruppen ausgedehnt. Ein wesentlicher Schritt auf dem Wege zum »Holocaust« der etwa 500 000 in Deutschland lebenden Juden war das »Gesetz zum Schutz des deutschen Blutes und der deutschen Ehre«, das die Eheschließung zwischen Juden und Nichtjuden unter hohe Strafen stellte.

»Vor Juden und Taschendieben wird gewarnt«, prangte seit 1936 von großformatigen Schildern. Viele Juden zogen es vor, angesichts der Verleumdungskampagnen in der Presse und im Rundfunk aus Deutschland zu emigrieren – bis zum Oktober 1941 waren es etwa 270 000.

Seit November 1938 hatte sich die Lage der Juden dramatisch verschlechtert. Mit der sogenannten »Reichskristallnacht« vom 8. bis 10. November begann ihre systematische Verfolgung. Rund 7500 jüdische Geschäftshäuser wurden in jenen Tagen geplündert oder demoliert, 190 Synagogen in Brand gesteckt und rund 25 000 Juden verhaftet. Einen Monat darauf wurde allen Juden der Führerschein entzogen und ihre Bewegungsfreiheit durch Bannmeilen und Ausgangsbeschränkungen drastisch begrenzt. Trotzdem blieben viele Juden in Deutschland. Als am 1. Oktober 1941 die Auswanderung verboten wurde, war ihr Schicksal besiegelt. Es begann die »große Abrechnung«, die Hermann Göring schon nach der Kristallnacht angekündigt hatte. Im Januar 1942 fand in Berlin am Großen Wannsee die Besprechung über die »Endlösung der Judenfrage« statt. Etwa elf Millionen Juden lebten mittlerweile im Machtbereich des Dritten Reiches. Die genaue Zahl der getöteten Juden ist heute nicht mehr festzustellen. Die Schätzungen schwanken zwischen vier und sechs Millionen.

Was am 1. April 1933 mit dem Boykott jüdischer Geschäfte noch relativ harmlos begonnen hatte, endete mit einem der größten Völkermorde in der Geschichte der Menschheit. Hitlers Satz in »Mein Kampf«: »...Indem ich mich des Juden erwehre, kämpfe ich für das Werk des Herrn...« war grausame Wirklichkeit geworden.

Die erste Etappe auf dem Weg zum »Führerstaat« war gekennzeichnet durch die Ausschaltung der Länder als Gegenspieler des Reiches – sie galt mit dem Inkrafttreten des »Zweiten Gesetzes zur Gleichschaltung der Länder mit dem Reich« vorläufig als abgeschlossen. Zunächst wurden die Länderparlamente sowie alle Provinz-, Stadt- und Gemeinderäte aufgelöst und gemäß den Ergebnissen der Reichstagswahl vom 5. März neu gebildet – die für die KPD abgegebenen Stimmen wurden nicht berücksichtigt. Dann setzte die Regierung Reichsstatthalter ein, deren Aufgabenbereich sich darauf beschränkte, die Durchführung der von Hitler erlassenen Anordnungen zu überwachen. Am 30. Januar 1934 wurden die Länderparlamente auch formell aufgelöst.

Die Beseitigung aller politischen Organisationen kennzeichnet die zweite Etappe. Nachdem es den Nazis gelungen war, mit Hilfe des brutalen Straßenterrors der SA und des Verbots durch die Reichsregierung die Kommunisten in die Illegalität oder die Emigration zu treiben, machten sie

auch vor den anderen Parteien nicht Halt. Obwohl die Sozialdemokraten sich als loyale Opposition zur Regierung zu profilieren versuchten, blieben auch sie nicht verschont. Am 22. Juni 1933 wurde die SPD unter dem Vorwand verboten, sich nicht vom »landesverräterischen Verhalten« einiger ihrer Mitglieder im Ausland distanziert zu haben. Wenige Tage darauf drohte den noch verbliebenen Parteien ein ähnliches Schicksal, dem sie sich freilich durch Selbstauflösung zu entziehen suchten: am 28. Juni die Deutsche Staatspartei, am 4. Juli die Deutsche Volkspartei sowie die Bayerische Volkspartei und am 5. Juli das Zentrum, alles Parteien, die Hitlers Ermächtigungsgesetz noch mitgetragen hatten.

Bereits am 2. Mai wurden die Gewerkschaften als größte Massenorganisation »gleichgeschaltet«. Nach der Ernennung Hitlers zum Reichskanzler hatten die Gewerkschaften mehr taktiert als agiert. Zum Generalstreik fehlte der Mut, vor allem aber ein klarer Kopf, um die Gefährlichkeit der Situation überhaupt zu erkennen. Sogar auf ihre Verbindungen zur Sozialdemokratie waren die Gewerkschaften bereit zu verzichten. Und auch Hitler schien zunächst zu Zugeständnissen bereit. Der 1. Mai 1933 wurde zum »Tag der nationalen Arbeit« erklärt. Dieser Tag sollte festlich begangen werden und die Einheit des ganzen Volkes demonstrieren. Betriebsleiter, Eigentümer und Arbeiter nahmen gemeinsam an den Umzügen teil. Die großartige Schau mag bei vielen Arbeitern nicht ohne Wirkung geblieben sein. Als am nächsten Morgen die SA in ganz Deutschland sämtliche Büros, Banken und Redaktionen der freien Gewerkschaften besetzte, regte sich kaum Widerstand. Viele Funktionäre wurden festgenommen und in Konzentrationslager verbracht. Nicht übersehen werden darf dabei, daß die Kraft der Gewerkschaften durch die schon seit Jahren anhaltende Wirtschaftskrise geschwächt war und daß viele ehemalige Mitglieder sich an den Nationalsozialis-

Der Stürmer

Deutsches Wochenblatt zum Kampfe um die Wahrheit

HERAUSGEBER: JULIUS STREICHER

| Nummer **48** | Erscheint wöchentl. Einzel-Nr. **20 Pfg.** Bezugspreis monatlich **84 Pfg.** zuzüglich Postbestellgeld. Bestellungen bei dem Briefträger oder der zuständ. Postanstalt. Nachbestellungen a. d. Verlag. Schluß der Anzeigenannahme 14 Tage vor Erscheinen. Preis für Geschäfts-Anz.: Die ca. 22 mm breite, 1 mm hohe Raum-Zeile im Anzeigenteil —.75 RM. | Nürnberg, im Dezember 1938 | Verlag: Der Stürmer, Julius Streicher, Nürnberg-A, Pfannenschmiedsgasse 19. Verlagsleitung: Max Fink, Nürnberg-A, Pfannenschmiedsgasse 19. Fernsprecher 21830. Postscheckkonto Amt Nürnberg Nr. 105. Schriftleitung Nürnberg-A, Pfannenschmiedsgasse 19. Fernsprecher 21872. Schriftleitungsschluß: Freitag (nachmittags). Briefanschrift: Nürnberg 2, Schließfach 303. | 17. Jahr **1938** |

Ist die Judenfrage gelöst?

Die Vergeltungsmaßnahmen gegen die Juden / Die weltgeschichtliche Aufgabe Deutschlands / Der Kampf geht weiter

Am 7. November 1938 wurde Botschaftsrat Ernst vom Rath in Paris durch den Juden Grünspan meuchlings niedergeschossen. Am 9. November, dem Schicksalstage der nationalsozialistischen Bewegung, starb er. Des deutschen Volkes bemächtigte sich eine ungeheure Erregung. Noch in der Nacht vom 9. auf 10. November demonstrierten die Massen vor jüdischen Geschäften und den Prunkwohnungen jüdischer Volksaussauger. Es war unvermeidlich, daß dabei etliche Schaufensterscheiben zerbrochen wurden und die eine oder andere jüdische Herrschaftswohnung an ihrem strahlenden Glanze Einbuße erleiden mußte.

Daß die jüdische Auslandspresse aus diesen Geschehnissen die „grauenhaftesten Judenverfolgungen“ konstruierte, war vorauszusehen. Solche Greuelmärchen nimmt aber heute kein vernünftiger Mensch mehr ernst. Wer sind denn die „Dichterlinge“, die solche Fantasieprodukte nach altbewährtem Rezepte seit Jahren zusammenreimen? Es sind jüdische Emigranten. Es sind jüdische Gauner, die aus Angst vor Vergeltung ins Ausland flüchteten. Es sind jüdische Verbrecher, die nur deswegen über die Grenzen gingen, weil sie den Staatsanwalt fürchteten. Es sind jüdische Untermenschen, die überall, ganz gleich, wo sie auch weilen, immer nur Hader und Zwietracht säen. Das sind die Schöpfer jener schändlichen Lügenmeldungen, die heute über die ganze Welt gehen.

Aus dem Inhalt

Jüdischer Mädchenhandel

Der Jude Viktor Stark

Die Wahrheit über die Synagogen

Wie die Wiener Juden das Versöhnungsfest feierten

Der Jude in der Geschichte der deutschen Apotheke

Der Bergbau und der Jude

Rechtsanwalt Dörzbacher in Mosbach

Mordjude

Verruchte Judentat beschmutzt das Land,
In dem der Mörderjude Gastrecht fand.
Ihr schafft dem Mördervolk nur freie Bahn,
Seid Ihr mit dem Verbrecher zu human!

Die Juden sind unser Unglück!

So begründete das antisemitische Hetzblatt »Der Stürmer« die »Reichskristallnacht« vom 8. – 10. Nov. 1938.

mus klammerten wie Ertrinkende an einen Strohhalm. Hitlers SA fand eine zwar noch intakte, aber nicht zum äußersten Widerstand entschlossene Organisation vor.

Am selben Tag gab Robert Ley, der die Aktionen am 2. Mai geleitet hatte, die Bildung einer »Deutschen Arbeitsfront« (DAF) bekannt, die eine Woche später in Berlin gegründet wurde. In dieser Organisation faßte man zunächst die gleichgeschalteten Verbände der Arbeiter und Angestellten zusammen. Nachdem am 19. Mai staatliche »Treuhänder der Arbeit« eingesetzt wurden, die »rechtsverbindlich für die beteiligten Personen die Bedingungen für den Abschluß von Arbeitsverträgen« aushandelten, degenerierte die »Gewerkschaft« zum politischen Schulungsklub, und ihre Arbeit beschränkte sich auf die soziale Betreuung in den Betrieben, die Sorge für die hygienische und ästhetische Verbesserung der Arbeitsstätten sowie die Freizeit- und Reisebetreuung durch die NS-Gemeinschaft »Kraft durch Freude« (KdF).

Den Bauern erging es nicht anders als den Arbeitern. Dem von Hitler eingesetzten Agrarspezialisten Walter Darré gelang es schon im Mai 1933, die Leitung des größten Bauernverbandes, des Reichslandbundes, unter nationalsozialistischen Einfluß zu bringen. Als Darré nach dem Rücktritt Hugenbergs Ende Juni Landwirtschaftsminister wurde, vereinigte er im »Reichsnährstand« kurzerhand die Verbände der Klein- und Großbauern, die sich zum Teil schon vorher selbst aufgelöst hatten. Im Januar 1934 erfolgte die Ernennung Darrés zum Reichsbauernführer. Auch Handel, Handwerk und Industrie wurden gleichgeschaltet. Während jedoch dem »Reichsstand der deutschen Industrie« eine gewisse Unabhängigkeit erhalten blieb, wurden die kleinen Betriebe weit weniger bevorzugt behandelt. Als die im »Reichsstand des deutschen Handwerks« zusammengeschlossenen Gruppen die so oft versprochene Abschaffung von Warenhäusern und Konsumgenossenschaften forderten, ließ Hitler die Organisationen des Mittelstandes, deren Mitglieder zu den eifrigsten Anhängern Hitlers gehörten, durch Robert Ley kurzerhand auflösen und in die Deutsche Arbeitsfront eingliedern.

Bis zum Sommer 1933 hatten die Nationalsozialisten das ganze Volk »gleichgeschaltet«. Die politischen Parteien waren aufgelöst, Verbände verschmolzen und Vereine und Innungen verboten – doch damit nicht genug: Selbst Sportklubs und Kegelvereine blieben nicht verschont. Ohne viel Aufhebens wurde das deutsche Volk Parteigänger Hitlers.

Mit besonderer Intensität wurde die Gleichschaltung auf dem kulturellen Sektor betrieben. Neben der von Beginn an überwachten Presse und dem für damalige Zeiten perfekt eingesetzten Medium Rundfunk wollten die Nationalsozialisten ihren Einfluß auch in den Bereichen Kunst und Wissenschaft geltend machen. Alle modernen Kunstrichtungen und zahlreiche Gebiete der modernen Wissenschaft wurden als »entartet« und »undeutsch« diffamiert, unterdrückt und verboten.

Mit dem symbolischen Akt einer öffentlichen Bücherverbrennung am 10. Mai 1933 auf dem Opernplatz in Berlin fanden die Aktionen gegen andersdenkende und -schreibende Literaten ihren ersten Höhepunkt. Berliner Studenten warfen »zersetzendes Schrifttum« auf einen Scheiterhaufen und übergaben es, begleitet von »Feuersprüchen«, den Flammen: »Deutsche Studenten, wir haben unser Handeln gegen den undeutschen Geist gerichtet. Übergebt alles Undeutsche dem Feuer! Gegen Klassenkampf und Materialismus, für Volksgemeinschaft und idealistische Lebensauffassung. – Ich übergebe dem Feuer die Schriften von Karl Marx und Trotzki... Gegen Dekadenz und moralischen Verfall, für Zucht und Sitte in Familie und Staat. – Ich übergebe dem Feuer die Schriften von Heinrich Mann, Ernst Gläser, Erich Kästner... Gegen seelenzersetzende Überschätzung des

Berliner Ausgabe

123. Ausg. • 46. Jahrg. • Einzelpreis 15 Pf.

Berliner Ausgabe

Berlin, Mittwoch, 3. Mai 1933

VÖLKISCHER BEOBACHTER

Kampfblatt der national-sozialistischen Bewegung Großdeutschlands

Der 2. Abschnitt der nationalsozialistischen Revolution:

Säuberung der Freien Gewerkschaften
und Aufbau einer Arbeiterorganisation

Besetzung sämtlicher Gewerkschaftshäuser durch S.A. — 50 Gewerkschaftsführer verhaftet

Der zweite Teil der »Braunen Revolution« ist abgeschlossen. Der »Völkische Beobachter«, das offizielle Organ der Nationalsozialisten, meldet am 3. Mai 1933 die Gleichschaltung der Gewerkschaften.

Trieblebens, für den Adel der menschlichen Seele. – Ich übergebe dem Feuer die Schriften der Schule Sigmund Freud... Gegen literarischen Verrat am Soldaten des Weltkrieges, für Erziehung des Volkes im Geiste der Wehrhaftigkeit. – Ich übergebe dem Feuer die Schriften des Erich Maria Remarque... Gegen Frechheit und Anmaßung, für Achtung und Ehrfurcht vor dem unsterblichen deutschen Volksgeist. – Verschlinge, Flamme, auch die Schriften der Tucholsky und Ossietzky.«

Für die Nazis waren »Künstler« nur diejenigen, »die wirklich etwas können und deren außerhalb der Kunst liegendes Wirken nicht gegen die elementaren Normen von Staat, Politik und Gesellschaft verstößt«. Diese »wahren Künstler« würden, so Goebbels am 10. April, auch in Zukunft Unterstützung und Förderung finden. Doch was Kunst war und wer als Künstler arbeiten, ausstellen und veröffentlichen durfte, bestimmten die Reichskulturkammer und der Minister für Volksaufklärung und Propaganda, Joseph Goebbels.

Nachdem aus der Sektion für Dichtung der Preußischen Akademie der Künste so bedeutende Schriftsteller wie Alfred Döblin, Thomas Mann, Jakob Wassermann und Franz Werfel ausgeschlossen worden waren, legte am 7. Mai der 86jährige Max Liebermann das Ehrenpräsidium nieder. Über den Geist der »neuen« Zeit prägte er den berühmt gewordenen Ausspruch: »Ich kann gar nicht so viel essen, wie ich kotzen möchte.«

Doch alle bitteren Bemerkungen und engagierten Proteste bleiben ohne Erfolg. Tausende von Künstlern werden ihrer materiellen Grundlagen beraubt. Sie können in Deutschland nicht mehr schreiben, malen, musizieren – jedenfalls nicht öffentlich. Viele gehen ins Ausland, viele bleiben. Denen, die bleiben, stehen schwere Zeiten bevor. Für nicht wenige ist das KZ die Endstation.

33

Auch die Hochschulen bleiben nicht verschont, sie geraten zunehmend unter den Einfluß gesinnungstreuer Professoren. Nach und nach wird die Wissenschaft von der Nazi-Ideologie absorbiert. Wer sich zum Beispiel habilitieren will, muß nicht nur sein Treuebekenntnis zum neuen Staat ablegen, sondern darüber hinaus seit dem 21. Oktober 1933 u. a. längere Zeit Geländesport getrieben und am Reichsarbeitsdienst teilgenommen haben. Wer den neuen Geist nicht akzeptieren und praktizieren will, wird gezwungen, seinen Lehrstuhl zu räumen.

Bei der rücksichtslosen Ausdehnung ihres Einflusses auf alle Bereiche des öffentlichen und auf viele Bereiche des privaten Lebens stießen die Nationalsozialisten nur bei der Gleichschaltung der christlichen Kirchen auf nennenswerten Widerstand. Zwar gelang es ihnen, einen Teil der Protestanten in die »Glaubensbewegung Deutsche Christen« und damit auf ihre Seite zu locken, doch viele Gläubige schlossen sich nicht dem zum »Reichsbischof« beförderten Pfarrer Ludwig Müller an, sondern scharten sich immer enger um den von Pastor Niemöller geführten »Pfarrernotbund«. Aus ihm entwickelte sich später eine Gemeinschaft, die als »Bekennende Kirche« dem Nationalsozialismus konsequenten Widerstand entgegensetzte.

Die katholische Kirche hatte vor 1933 dem Nationalsozialismus ablehnend gegenübergestanden. Sie verbot ihren Mitgliedern den Eintritt in die NSDAP, verurteilte die Rassenideologie und verwarf die einschlägigen Punkte des Parteiprogramms als Irrlehre. Da jedoch Hitler scheinbar großzügig auf Belange der Kirche einging und da sich im Frühjahr 1933 die Machtverhältnisse grundsätzlich verändert hatten, begannen die Bischöfe allmählich, sich mit Führer und Staat zu arrangieren. Der Abt des Benediktinerklosters Maria Laach, Idefons Herwegen, ließ sich sogar zu positiven Urteilen über den autoritären Staat hinreißen: »Auf den Glauben des Führers an das Volk antwortet die Gefolgschaft des Volkes. Die treue Gefolgschaft aller gegenüber dem einen schafft ein neues Gemeinschaftserlebnis, das unser Volk zurückfinden läßt zu den letzten Wurzeln seiner Gemeinsamkeit: zu Blut, Boden und Schicksal.« Mit dem Konkordat, das am 20. Juli 1933 zwischen der Reichsregierung und dem Vatikan abgeschlossen wurde, sicherte sich die Kirche bedeutende Rechte im Schulwesen und im kirchlichen Gemeinde- und Vereinsleben. Dafür mußte der Vatikan das Hitler-Regime öffentlich anerkennen. Von dieser neuen Regelung profitierte in erster Linie Hitler. Er hatte nicht nur einen außenpolitischen Prestigeerfolg errungen, sondern setzte sich in den folgenden Monaten auch rücksichtslos über bestimmte Zusicherungen hinweg, die er gegeben hatte; so löste er die kirchlichen Jugendverbände kurzerhand auf, ohne daß die Katholiken etwas dagegen hätten ausrichten können. Alle Appelle an den Reichskanzler und Führer fruchteten nun nicht mehr. Der Kirche blieb nur noch ein zähes Ringen um ihren Einfluß in den Gemeinden und Schulen.

Im Spätsommer 1933, als vielen Deutschen erst langsam dämmerte, was eigentlich vor sich ging, war die »braune Revolution« bereits eine vollendete Tatsache. Alle politischen Organisationen der Weimarer Republik hatten ihre Handlungsfähigkeit verloren. An organisierten Widerstand auf breiter Basis war nun nicht mehr zu denken. Anläßlich der Eröffnung der Reichskulturkammer am 1. November 1933 beschrieb Goebbels treffend die politische und gesellschaftliche Landschaft im nationalsozialistischen Deutschland: »Die Revolution, die wir gemacht haben, ist eine totale. Sie hat alle Gebiete des öffentlichen Lebens erfaßt und von Grund auf umgestaltet. Sie hat die Beziehungen der Menschen zum Staat und zu den Fragen des Daseins vollkommen geändert und neugestaltet ...« In Deutschland gab es von nun an nach den Worten Robert Leys, des Führers der Deutschen Arbeitsfront, »keine Privatsache mehr«.

Während zu Beginn des Jahres 1933 der größte Teil des deutschen Volkes der nationalsozialistischen »Machtergreifung« noch eher gleichgültig gegenüberstand und allenfalls auf eine positive Veränderung der miserablen Situation auf dem Arbeitsmarkt hoffte, kam es hinter den Kulissen bereits zu Verhaftungen von Regimegegnern.

Von Anfang an trieb die NSDAP ein Doppelspiel: Für die Bevölkerung war sie eine um Vertrauen werbende Partei, die eine bessere Zukunft für Volk und Vaterland versprach und die Mehrheit der Deutschen nicht durch leere Worte, sondern durch Taten überzeugen wollte. Die Kehrseite war ein weitverzweigter Apparat von SA- und SS-Leuten, von Mitgliedern der Geheimen Staatspolizei (Gestapo) und von Teilen der Polizei, die mit äußerster Skrupellosigkeit zu Werke ging, und für den die Ausschaltung des politischen Gegners, mit welchen Mitteln auch immer, oberstes Gebot war. Die gesetzlichen Voraussetzungen hatte Hitler sofort nach seinem Amtsantritt und in den darauffolgenden Wochen und Monaten geschaffen. Für die innenpolitische Verunglimpfung des Gegners sorgte die nationalsozialistische Propagandamaschinerie.

Bereits in seinem Buch »Mein Kampf« hatte Hitler auf die Bedeutung der Propaganda hingewiesen: »Der größte Erfolg einer Revolution des Weltbildes wird sich immer dann einstellen, wenn diese neue Weisheit soweit wie möglich allen Leuten nahegebracht wird und später, falls notwendig, ihnen aufgezwungen wird, während die Organisierung der Idee – nämlich die Bewegung – nur jeweils so viele Leute erfassen muß, wie absolut notwendig sind, um die Schaltstellen des Staates zu besetzen.«

Getreu dieser Erkenntnis ihres Führers ließen die Nationalsozialisten während der zwölf Jahre ihrer Herrschaft nichts unversucht, um die Massen in ihrem Sinne zu beeinflussen. Direkt nach der Machtübernahme erwarb Propagandaminister Goebbels alle Rechte an der Reichsrundfunkgesellschaft und kontrollierte über die Reichsrundfunkkammer nicht nur die Sender, sondern auch die Hersteller von Geräten. Ohne Probleme setzte er durch, daß billige Radios produziert und daß diese sogenannten »Volksempfänger« so konstruiert wurden, daß keine ausländischen Sender empfangen werden konnten. In den ersten zwei Jahren nach der »Machtergreifung« wuchs die Zahl der Deutschen, die einen eigenen Radioapparat hatten, um über eine Million. 1936 konnten an die 30 Millionen Deutsche über das Radio erreicht werden. Virtuos verstand es Goebbels, mit diesem nicht neuen, in seiner Wirkung aber bis dahin unterschätzten Medium umzugehen.

Die Nationalsozialisten gingen dabei nach einem einfachen, aber wirksamen Schema vor: Sie richteten ihre Appelle in Rundfunk und Presse weniger an den Intellekt des einzelnen als vielmehr an seine Gefühle. Hitler: »Die große Masse des Volkes besteht weder aus Professoren noch aus Diplomaten. Mit ihrem geringen abstrakten Wissen richtet sie ihre Sinne eher auf die Welt der Gefühle.«

Ständige Berieselung, allgegenwärtige Propaganda, unermüdlich wiederholte Ermahnungen und die permanenten Massenveranstaltungen peitschten die Begeisterung hoch und lenkten von den eigentlichen Problemen ab. Die Nazi-Kultur traf deshalb auf eine so breite Unterstützung und ließ ihren Gegnern so wenig Chancen, weil sie sich an ein latent vorhandenes Bedürfnis nach Mittelmäßigkeit anlehnte, weil sie neue und unkonventionelle Ideen in Kunst und Literatur verwarf und dem Spießertum der breiten Masse huldigte. In einer Rede, die Joseph Goebbels 1937 anläßlich der Jahrestagung der Reichskulturkammer und der Organisation »Kraft durch Freude« hielt, lobpreiste er den Massengeschmack und stellte ihn dem elitären Geschmack der Gebildeten und der Besitzenden gegenüber. Der Geschmack der breiten Masse, so sein Resümee, sei immer derselbe geblieben. Ihr fehlten die Vergleichsmöglichkeiten, so daß es ihr nicht passieren könne, daß sie am Ende nicht mehr wisse, ob das Gute gut und das Minderwertige minderwertig sei. »Sie sind auch nicht so überfüttert, als daß sie vor lauter Mangel an geistigem Hunger am Ende auf die tollsten Verirrungen und Entartungen des primitiven und damit klaren und reinen künstlerischen Empfindens verfielen. Ihre Freude am Gesunden und Starken ist noch naiv, unbeschwert und sinnlich bewegt. Sie fühlen noch mit dem Herzen, und dieses Herz steht nicht im Schatten eines alles wissenden, alles kennenden und damit am Ende auch alles zersetzenden und anzweifelnden Verstandes.«

Die Nazi-Herrschaft wurde darum von so vielen Deutschen unterstützt, weil man es hier mit einer Bewegung zu tun hatte, deren Ideologie gefühlsbetont und einheitlich war, die scheinbar die Alltagsprobleme zu lösen verstand und die ihre Zähne erst zeigte, als es schon längst kein Zurück mehr gab. Denn das Alltagsleben des einzelnen veränderte sich zunächst nicht wesentlich. Abgesehen von den Aufmärschen, Kampfgesängen und SA-Truppen war das beherrschende Thema am Arbeitsplatz, während der Freizeit und in der Familie die wirtschaftliche Situation. Und genau an dieser Stelle setzten die Nationalsozialisten ihre Hebel an, um nicht nur den Staat, sondern auch die Herzen der Deutschen zu erobern. Immer wieder hatten sie versprochen, nach der Machtübernahme die Arbeitslosigkeit zu beseitigen und die Wirtschaft zu sanieren. Mit dem Schlagwort »Arbeit und Brot« hatte die NSDAP Millionen von Stimmen gewonnen. Nun mußte sie ihr Versprechen einlösen, wenn sie nicht unglaubwürdig werden wollte. Der Erfolg der Nationalsozialisten hing vor allem vom Erfolg ihrer Wirtschaftspolitik ab.

An Plänen zur Verbesserung der katastrophalen Lage der deutschen und internationalen Wirtschaft hatte es auch zu Zeiten der Weimarer Republik nicht gefehlt, woran es jedoch mangelte, waren Möglichkeiten und Fähigkeiten, derartige Konzepte auch in die Tat umzusetzen. Hitler holte diese Pläne teilweise aus den Schreibtischen der Ministerialbürokratie und machte sich daran, sie zu verwirklichen. Zudem berief er mit Hjalmar Schacht einen Mann an die Spitze der Reichsbank, der bei der Kreditschöpfung neue Wege ging, um auf diese Weise die notwendigen Finanzmittel zu beschaffen.

Die Hoffnung auf Arbeit und die Hoffnung auf einen besseren Lebensstandard waren sicherlich die entscheidenden Beweggründe, die die Deutschen in die Arme der Nazis trieben. Das Hemd war vielen Deutschen näher als der Rock. Darüber hinaus übten aber auch die Großveranstaltungen, die im wesentlichen aus Rezitationen, Treueschwüren und Kampfgesängen bestanden und stark an die christliche Liturgie erinnerten, eine beträchtliche Faszination aus, vor allem auf die Jüngeren. Der »Zauber« von Feuer und Fackel, von Aufmärschen und prächtig inszenierten Illuminationen zog viele in seinen Bann. Aktivismus war wichtiger als Intellektualismus. Appelliert wurde an die Seele, das Gefühl, den Instinkt und an den Willen, ein neues Zeitalter zu gestalten. Hitler 1938: »Wir leiden heutzutage an einem Zuviel an Erziehung. Außer Wissen wird nichts geschätzt. Die Neunmalklugen aber sind die Feinde des Handelns. Was wir brauchen, sind Instinkt und Wille.«

Der Nationalsozialismus als Ersatzreligion? Die mythisch verklärten Feiern, die Aufmärsche, die Kraft der »Bewegung«, die anfängliche Begeisterung der Massen – all das trug dazu bei, auch jene Deutschen, die zunächst noch zögerten, kontinuierlich in die Bewegung mit einzubeziehen. Wer wollte schon abseits stehen, wenn alle jubelten, und wer wollte nicht an der Begeisterung teilhaben, wenn alle sich freuten? Daß dabei zahlreiche Werte auf der Strecke blieben, daß die Demokratie binnen weniger Wochen zur Diktatur geworden war, merkten viele erst, als die Weichen längst gestellt waren, einige erst im Krieg oder nach dem Zusammenbruch 1945.

36

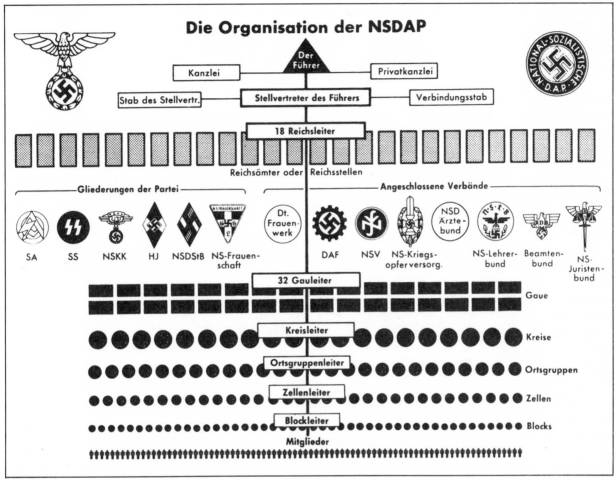

Die Organisation der NSDAP

Der Führer

Kanzlei — Privatkanzlei

Stab des Stellvertr. — Stellvertreter des Führers — Verbindungsstab

18 Reichsleiter

Reichsämter oder Reichsstellen

Gliederungen der Partei

SA   SS   NSKK   HJ   NSDStB   NS-Frauen-schaft

Angeschlossene Verbände

Dt. Frauen-werk   DAF   NSV   NS-Kriegs-opfer versorg.   NSD Ärzte-bund   NS-Lehrer-bund   Beamten-bund   NS-Juristen-bund

32 Gauleiter

Gaue

Kreisleiter

Kreise

Ortsgruppenleiter

Ortsgruppen

Zellenleiter

Zellen

Blockleiter

Blocks

Mitglieder

Die Macht der NSDAP reichte bis in die kleinsten Einheiten menschlichen Zusammenlebens – ein Blockwart hatte 40 bis 60 Haushaltungen zu beobachten und alle besonderen Vorkommnisse zu melden.

Getragen von dieser Welle der Begeisterung, traten in den ersten Monaten des Jahres 1933 rund 500 000 Deutsche in die Partei ein. Am 21. August 1933 zählte die NSDAP 1 930 000 Mitglieder, dazu kamen über zwei Millionen Aufnahmeanträge, die auf Grund des Mitgliederansturms nicht sogleich bearbeitet werden konnten. Dieser ungeheure Zulauf war vor allem auf die Figur des »Großmagier Hitler« zurückzuführen. Nicht der Partei, sondern Hitler huldigten die Deutschen. Daß sich in seiner Person taktisches Geschick und ein sicherer Instinkt für Massen auf einzigartige Weise vereinigten, ist in den Augen Joachim Fests dafür verantwortlich, »daß die NSDAP innerhalb eines Jahres nicht nur nahezu vollständig die Macht, sondern auch die Mehrheit des deutschen Volkes eroberte und in einen Erregungszustand versetzte, der aus Selbsttäuschung, Idealismus, Furcht, Opferbereitschaft und Gläubigkeit seltsam gemischt war und als ›Wunder deutscher Volkswerdung‹ überschwenglich gefeiert wurde«.

Aus diesem Gefühl des persönlichen Sieges leitete Hitler dann auch das Recht ab, den Staat nach seinem Gutdünken gründlich umzukrempeln. Kaum an der Macht, schuf er die gesetzlichen und organisatorischen Voraussetzungen zur Ausschaltung seiner innenpolitischen Gegenspieler. Während der ganzen Jahre des Dritten Reiches wurde gegen Andersdenkende rücksichtslos vorgegangen. Vor allem Kommunisten und Sozialdemokraten waren Hitler ein Dorn im Auge. Persönlich und unter Eid hatte er als Zeuge vor einem Reichsgericht angekündigt, daß nach seinem Amtsantritt die Köpfe der »Novemberverbrecher« rollen würden.

Ehe er jedoch zu dieser letzten Konsequenz schritt, versuchte er zunächst, seine Gegner mit wüsten Drohungen einzuschüchtern, dann wurden auf der Grundlage der inzwischen geschaffenen gesetzlichen Möglichkeiten Zeitungs- und Versammlungsverbote ausgesprochen und durch einzelne, teilweise willkürliche Verhaftungen eine Atmosphäre der Unsicherheit und Angst geschaffen.

Diese Maßnahmen wurden in Presse und Rundfunk mit der »Bedrohung von links« und mit angeblichen »Korruptionsskandalen« gerechtfertigt. So ließ sich das radikale Vorgehen taktisch geschickt als eine »Säuberungsaktion« im Namen des deutschen Volkes verbrämen. Einige Presseschlagzeilen aus jenen Tagen: »Neue Enthüllungen über den Millionendiebstahl preußischer Steuergelder«. – »Neue Mordtaten unter den Augen des Sozialdemokraten Leuschner in Hessen«. – »Der rote Korruptionsskandal in Preußen«.

Hermann Göring, dem die preußische Polizei unterstand, erklärte: »Meine Maßnahmen werden nicht angekränkelt sein durch irgendeine Bürokratie. Hier habe ich keine Gerechtigkeit zu üben, hier habe ich nur zu vernichten und auszurotten, weiter nichts.« Allein in Preußen wurden im März und April 1933 rund 25 000 Personen verhaftet, und eine amtliche Meldung vom 10. Juli besagt, daß in Deutschland zu diesem Zeitpunkt insgesamt 18 000 »Schutzhäftlinge« (politische Gefangene) registriert waren. All das spielte sich vor den Augen der Öffentlichkeit ab. Aber nicht immer verliefen Verhaftungen so spektakulär, wie Jan Petersen (Hans Schwalm) es in seinem Beitrag »Die Straße«, der im Prager Exil geschrieben wurde, schildert: »So war es, als sie Franz holten. Als der Lastwagen mit den braunen Uniformen kam, setzte der Pulsschlag der Straße, jener Pulsschlag, der die Papierschmetterlinge flattern ließ, blitzschnell aus. Vor den Haustüren standen die Weiber und gestikulierten, die Männer ballten die Hände in den Taschen, daß sie prall, wie vollgestopft, abstanden. Ein Haus war besetzt und abgeriegelt worden. Einige Stunden schon wurde vom Keller bis zum Boden alles umgedreht, die Ofenröhren wurden abgenommen, Dielen angehoben, ja selbst die Kleidersäume wurden durchleuchtet. Die Straße blieb stumm; doch die Köpfe in den Fenstern, die Gruppen vor den Türen sprachen für den, der zu hören wußte, die stumme Sprache der Solidarität. Die Braunen fanden nichts, trotzdem brachten sie Franz heraus, einfach, weil er als früherer Funktionär bekannt war ...

Es war das letzte Mal, daß wir Franz sahen ... Nur daß kurze Zeit darauf ein Schreiben ins Haus flatterte: ›Gestorben im Staatskrankenhaus. Todesursache: Lungenentzündung. Besichtigung nicht gestattet. Zur Beerdigung freigegeben ...‹«

Viele Kommunisten und Sozialdemokraten versuchten, sich diesen willkürlichen Verhaftungen durch ständigen Wechsel des Aufenthaltsortes zu entziehen. Häufig war jedoch die Folge, daß dann ihre Familien und Bekannten unter Druck gesetzt wurden. Wer sich seiner Verhaftung nicht entziehen konnte, mußte damit rechnen, in eines der seit März 1933 eingerichteten Konzentrationslager verschleppt zu werden. Das erste wurde in Dachau bei München gebaut und konnte 5000 Personen aufnehmen. Die Insassen waren brutalen Mißhandlungen ausgesetzt, mußten harte Arbeit verrichten und konnten nie sicher sein, ob sie den nächsten Tag noch überleben würden.

Neben den Verhaftungen, die meist nachts vorgenommen wurden und die auf jene Stadtviertel beschränkt waren, in denen Funktionäre der beiden großen Arbeiterparteien lebten, prägten die Terrorakte der SA die Alltagserfahrung der betroffenen Bevölkerung. Dabei war die Dosierung dieser Einschüchterungsmaßnahmen in den einzelnen Städten und auf dem Lande sehr unterschiedlich.

Ulrich Klein hat in seiner Studie »SA-Terror und Bevölkerung in Wuppertal 1933/34« exemplarisch das Ausufern von Willküakten, Einschüchterung und Gewaltanwendung seitens der SA-Verbände festgehalten. Naturgemäß war die Arbeiterbewegung in der Industriestadt Wuppertal stark verankert. Mit dem 30. Januar begannen die Nationalsozialisten, blutige Rache für die in vorangegangenen Straßen- und Saalschlachten erlittenen Niederlagen zu nehmen, bei denen es auf beiden Seiten Tote und Verletzte gegeben hatte. »Am folgenden Tag marschierten diese [die Nationalsozialisten], unterstützt von Polizei, durch die Arbeiterviertel; dann wurden politische Gegner von Polizei und SA, der polizeiliche Funktionen zuerkannt worden waren, in ›Schutzhaft‹ genommen. Die Verhaftungen waren für die Betroffenen meist mit Mißhandlungen in den Polizeirevieren und SA-Sturmlokalen verbunden, einige wurden ermordet.« Bald darauf übernahm die SA selbst Polizeifunktionen. Im Mai wurde eine Kommission zur Säuberung der Polizei gebildet, die bis August etwa 2400 Polizisten überprüfen ließ. Polizeibeamte, die früher Nationalsozialisten dienstlich verfolgt hatten, wurden umgehend in Schutzhaft genommen und in das Wuppertaler SA-KZ Kemna eingeliefert: »Während des gesamten Jahres 1933 wurden von der SA politische Gegner mißhandelt und ermordet; nur ein verschwindend geringer Teil der Fälle wurde

damals der Staatsanwaltschaft bekannt... Viele SA-Leute konnten so ungestraft alte Rechnungen aus der Kampfzeit begleichen und sich an den politischen Gegnern rächen.«

Auf dem Lande war die Machtübernahme weniger durch Übergriffe seitens der SA oder SS gekennzeichnet, als vielmehr durch eine Umgestaltung der politischen Institutionen und durch eine »Gleichschaltung« des gesamten sozialen Lebens. Die braune Revolution verlief in den Dörfern und kleinen Gemeinden noch reibungsloser als in den Großstädten. Nur in Einzelfällen manifestierte sich nennenswerter Protest gegen Terrormaßnahmen. Zudem wurden gezielte Gewaltaktionen fast nie von Ortsansässigen durchgeführt, um gewachsene Beziehungen nicht unnötig zu belasten – eine Vorgehensweise, die taktisches Geschick und Kenntnis der Dorfstrukturen durchblicken ließ.

So gelang es den Nationalsozialisten, ihr System in verhältnismäßig kurzer Zeit dem Großteil der Gemeinden aufzuzwingen. Die eigentliche »Revolution« des dörflichen Lebens bestand jedoch im Aufbrechen der traditionellen Autoritätsstrukturen des Dorfes und vor allem der Großfamilie. »Die Politik der Gleichschaltung«, so Kurt Wagner und Gerhard Wilke in ihrer Untersuchung über das »Dorfleben im Dritten Reich: Körle in Hessen«, »bedeutete für den ›nationalsozialistischen Volksgenossen‹ unter anderem eine weitgehende ›Befreiung‹ von den traditionellen Loyalitätsgefühlen gegenüber dem Haushalt und der Dorfgemeinschaft.« Die Mitgliedschaft der Jüngeren in den verschiedenen NS-Organisationen, die daraus resultierende ideologische Schulung und die Begeisterung für die »Bewegung« bewirkten »eine tiefgreifende Veränderung der Autoritätsstrukturen in den Haushaltungen. Nach Aussagen von Informanten bedeutete diese Zeitperiode ›Krieg in jedem Haushalt‹, wobei es zu starken Generationskonflikten und zu Autoritätsverlusten der älteren Generation kam.«

Die Konflikte innerhalb der Hausgemeinschaft, und dort vor allem zwischen Jung und Alt, schwelten während der gesamten Dauer des Dritten Reiches. Allerdings mit einer Einschränkung – letztlich kam es allen darauf an, den »Ruf« des Hauses gegenüber den anderen Bewohnern des Dorfes zu wahren: »Die ökonomische Basis der Haushaltsstrukturen konnte so trotz der Politisierung des Alltagslebens und der Sprengkraft der immanenten Konflikte erhalten werden.«

Weder in den Städten noch auf dem Lande hatte die von der SA vor der Machtübernahme angekündigte »Nacht der langen Messer« stattgefunden. Heute ist es kaum vorstellbar, daß seinerzeit mancher, der dem NS-Regime kritisch gegenüberstand, über das »vorsichtige« Vorgehen der Nationalsozialisten erleichtert war. Viele hatten Schlimmeres befürchtet und waren auf Pogrome gefaßt gewesen. Statt dessen gab es am 1. April »nur« einen Boykott jüdischer Geschäfte. »Im ganzen«, so Sebastian Haffner, »muß man die Handhabung und Dosierung des Terrors in den ersten sechs Jahren – erst Furchterregung durch wüste Drohungen, dann schwere, aber hinter den Drohungen doch etwas zurückbleibende Terrormaßnahmen und danach allmählicher Übergang zu einer Beinahe-Normalität, aber ohne völligen Verzicht auf ein wenig Hintergrund-Terror – eine psychologische Meisterleistung Hitlers nennen.«

Und in dieser geschickten Dosierung des Terrors gedieh das Denunziantentum. Unbedachte Äußerungen, ein zweideutiger Witz über den Reichskanzler oder die NSDAP am feuchtfröhlichen Biertisch konnten im Handumdrehen ein Verhör oder eine Verhaftung nach sich ziehen. Das sprach sich herum. Man wurde in der Öffentlichkeit vorsichtiger und begann, seine Worte auf die Waagschale zu legen.

Mit der »freiwilligen« Auflösung des Zentrums am 5. Juli 1933 und dem am 14. Juli folgenden Verbot, andere Parteien zu gründen, saßen die Nationalsozialisten endgültig fest im Sattel – Machtkämpfe fanden von da ab nur noch intern statt. Ohne nennenswerte Gegenwehr hatte Hitler sein System errichten können. Weder die bürgerlichen Parteien noch die zahlreichen Arbeiterorganisationen hatten es vermocht, dem revolutionären Elan der Nazis etwas entgegenzusetzen. Mehr oder weniger tatenlos sahen sie zu, wie die letzten demokratischen Institutionen beseitigt oder zu einem Schattendasein verurteilt wurden und wie der Rechtsstaat nach und nach zu einem Unrechtsstaat verkam.

Seit dem 30. Januar hielt Hitler alle Trümpfe in der Hand. Er verfügte nicht nur über einen funktionierenden Parteiapparat, der ihm blindlings gehorchte, über eine perfekt eingespielte SA und eine Propagandaabteilung, die reibungslos funktionierte, sondern er stieß auch beim überwiegenden Teil der Bevölkerung auf ein breites Wohlwollen. Man hatte ja am eigenen Leibe erlebt, wohin die Demokratie führte. Das »Parteiengezänk« der Weimarer Republik schien nur Arbeitslosigkeit und Elend gebracht zu haben. Hitlers neue Parolen und Versprechungen fanden daher bei vielen offene Ohren und übten bald eine Anziehungskraft aus, die heute unbegreiflich erscheint, wenn man nicht den ganzen Hintergrund der Entstehung des Nationalsozialismus und den Boden, auf dem er gewachsen ist, mitberücksichtigt.

Zwar mißbilligten viele die Terrormaßnahmen der ersten Monate, doch so ganz unglücklich darüber war man auch nicht. Es traf ja vor allem die ewigen Querulanten, die Emporkömmlinge aus der Sozialdemokratie (die »vaterlandslosen Gesellen«), und die Kommunisten.

Das eigene schlechte Gewissen ließ sich zudem leicht beruhigen. Hatte Hitler nicht Wort gehalten und sich tatkräftig den Problemen der Wirtschaft und Arbeitslosigkeit gewidmet? Und zeigte sein Einsatz nicht sogar schon die ersten Erfolge? Es ging wieder aufwärts mit Deutschland, und da wollte man dabeisein.

17

Die Etappen der Machtergreifung und ihre Kehrseiten: Mit dem »Tag von Potsdam« vom 21. März 1933 ist Hitler am Ziel. Während er sich unter den Augen des Reichspräsidenten von Hindenburg den Traditionen und Werten der Vergangenheit verschreibt (18), verlangen die getreuesten seiner Getreuen, die SA (17) und die SS, zwei Tage später vom Reichstag das »Ermächtigungsgesetz«. Nur die 94 Sozialdemokraten stimmen dagegen, obwohl oder gerade weil viele aus ihren Reihen längst verhaftet worden sind; den Kommunisten hatte man zuvor ihr Mandat entzogen.

Sofort nach der Machtergreifung vom 30. Januar begannen SA-Trupps die ihnen seit Jahren bekannten Gegner von SPD und KPD zu verhaften. In Kellern und alten Fabriken entstanden sogenannte »wilde Lager«, in denen es zu grauenhaften Folterungen und zahlreichen Ermordungen kam. Als Teile der Öffentlichkeit protestierten, beauftragte Hermann Göring den ersten Gestapo-Chef, Diels, diesem Treiben durch Errichtung staatlicher KZs ein Ende zu setzen. Dieses Foto (20) wurde Anfang 1933 im Keller eines SA-Sturmlokals aufgenommen und zeigt einige Opfer der Verhaftungswelle. In aller Öffentlichkeit müssen verhaftete Sozialdemokraten im März 1933 Wandparolen beseitigen (19), der berühmte Publizist Carl v. Ossietzky (21), der 1936 mit dem Friedensnobelpreis ausgezeichnet wurde, gehörte ebenso wie Erich Mühsam zu den rund 25 000 Personen, die allein im März und April 1933 in Preußen verhaftet wurden. Er starb 1938 an den Folgen der KZ-Haft.

18

19

20

21

22

23

24

Bei ihrer rücksichtslosen Gleichschaltungspolitik aller politischen und gesellschaftlichen Organisationen machten die Nazis auch oder gerade vor Künstlern und Intellektuellen nicht Halt. Die Verfemung aller »entarteten« oder »undeutschen« Schriften, Gemälde oder Gedanken begann symbolisch mit der öffentlichen Bücherverbrennung am 10. Mai 1933 auf dem Opernplatz in Berlin (22) und anderen deutschen Städten. Mit »Feuersprüchen« warfen Berliner Studenten die Werke von Autoren wie Karl Marx, Leo Trotzki, Heinrich Mann, Erich Kästner, Sigmund

Freud, Erich-Maria Remarque, Kurt Tucholsky und Carl v. Ossietzky auf den Scheiterhaufen.

Doch dabei blieb es nicht. Schriftsteller, Maler, Journalisten und Intellektuelle wurden verhaftet, teilweise in KZs eingeliefert. Unser Bild (23) zeigt (v. l. n. r.) den Fraktionsvorsitzenden der SPD im Preußischen Landtag, Ernst Heilmann, den Sohn des ehemaligen Reichspräsidenten Ebert, den bekannten Rundfunksprecher Alfred Braun und andere Mitglieder der Reichsrundfunkgesellschaft bei der Einweisung in das KZ Oranienburg bei Berlin am 10. August 1933.

Mit dem Schlagwort »Arbeit und Brot« hatten die Nationalsozialisten Millionen von Stimmen und die Macht gewonnen. Hitler hatte den sechs Millionen Arbeitslosen wieder Hoffnung gegeben – sie jubeln ihm zu, als er im Frühjahr 1934 zu Beginn des Autobahnbaus München–Salzburg im Hofoldinger Forst zu ihnen spricht (24). Nur wenige sahen, daß en passant der Rechtsstaat auf der Strecke geblieben war.

25

Auf nennenswerten Widerstand stießen
die Nationalsozialisten nur, als sie auch
die christlichen Kirchen »gleichschalten« wollten. Zwar gelang es ihnen,
einen Teil der Protestanten in der
»Glaubensbewegung Deutsche Christen« auf ihre Seite zu ziehen, doch viele
Gläubige schlossen sich nicht dem zum
»Reichsbischof« beförderten Pfarrer
Ludwig Müller (28) an, sondern engagierten sich in dem von Pastor Niemöller
geführten »Pfarrernotbund«. Bis 1935
konnte man allerdings in evangelischen
Kirchen SA-Kameraden in Uniform
und mit gesenkten Hakenkreuzfahnen
bei Gedenkgottesdiensten sehen (26).
Auch Trauungen wurden in »vollem
Wichs« durchgeführt. Im Januar 1934
erhalten dieser SS-Mann und seine Frau
den kirchlichen Segen (25).
Die katholische Kirche, die zunächst
dem Nationalsozialismus und seiner
Rassenideologie ablehnend gegenüberstand, arrangierte sich schon im Sommer
1933 mit Führer und Staat. Bei der
Heiligsprechung des Mönchs Konrad
von Parzham heben Generalvikar Stein-
mann und Bischof Bares am 21. November 1934 die rechte Hand zum »deutschen Gruß« (27).

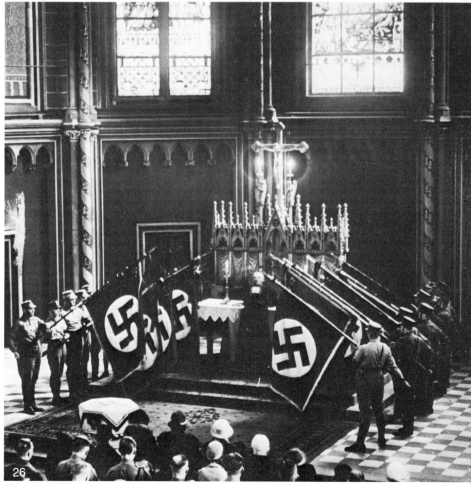

26

27

28

29

Ein alltägliches Bild im Dritten Reich: Mit großem Aufwand wurde in allen Medien für Sammlungen aller Art geworben. Nicht immer gelangten die gesammelten Geldbeträge und Sachspenden auch in die Hände derjenigen, die sie eigentlich erreichen sollten. An den Reichsstraßensammlungen für das Winterhilfswerk beteiligten sich auch kinderreiche Väter (29) und Prominente. Die Künstlerin Luise Ullrich wirbt am Potsdamer Platz in Berlin zugunsten der Winterhilfe (30).

Einmal im Monat war Eintopfsonntag – zu Hause und in den Gaststätten oder auf öffentlichen Plätzen (31). Zugelassen waren Gemüsekost mit Fleischeinlage, Löffelerbsen mit Einlage oder Nudelsuppe mit Rindfleisch. Wenn man mehr als 50 Reichspfennig bezahlte, ging der Differenzbetrag auf das Konto des Winterhilfswerks, das im Herbst 1933 gegründet wurde und Notleidenden zugute kommen sollte.

30

31

Die Außendarstellung der Nationalsozialisten gegenüber den »Volksgenossen« erfolgte durch die massenhaft abgehaltenen öffentlichen Kundgebungen,
Versammlungen, Umzüge, Aufmärsche, Festzüge und Paraden, die vorzugsweise zu abendlicher Stunde abgehalten wurden. 14 offizielle Feiern umfaßte der nationalsozialistische Jahreslauf. Neben dem 1. Mai als dem »Nationalen Feiertag des deutschen Volkes«
war einer der Höhepunkte des »Feierjahres« der Reichsparteitag in Nürnberg. Auf dem Zeppelin- und dem
Märzfeld marschierten jährlich Hunderttausende von SA- und Reichsarbeitsdienstmännern (33), BDM- und
HJ-Angehörigen und Pimpfen auf und
verharrten unbeweglich während der
von Hitler vorgenommenen Totenehrung der »Gefallenen der Bewegung«.
Dagegen war der 9. November mehr ein
parteiinterner Gedenktag, der an den
gescheiterten Putschversuch der
NSDAP von 1923 erinnern sollte und an
dem HJ-Mitglieder in die NSDAP aufgenommen sowie der SS-Nachwuchs in
einer nächtlichen Vereidigung auf das
System eingeschworen wurden.
An diesem Tag trafen sich auch Hitler,
Göring, Streicher und andere »alte
Kämpfer« in München vor dem Bürgerbräukeller, um in einem langen Marsch
zur Feldherrnhalle, der dem von 1923
nachempfunden war, der »Gefallenen«
zu gedenken und sich ihrer zu erinnern
(32). Ganz im Kreis der ihren fühlten
sich an diesem Tage auch Göring und
Himmler (34). Und als endlich Hitlers
Flugzeug erscheint, jubeln die »alten
Kämpfer« und biederen SA-Gesellen
ihrem Idol zu (35).

32

34

35

Für die fast 500 000 Juden in Deutschland war die Rassenideologie des Nationalsozialismus eine tödliche Bedrohung. Bereits am 1. April 1933 kommt es zu einem organisierten Boykott aller jüdischen Kaufleute, Ärzte und Rechtsanwälte (37). In Etappen geht die Diskriminierung weiter: In der sogenannten »Reichskristallnacht« vom 8. bis 10. November 1938 werden 7500 jüdische Geschäfte demoliert, etwa 190 Synagogen in Brand gesteckt (39) und rund 25 000 Juden verhaftet. In Wien müssen jüdische Einwohner die Straßen scheuern, während »Pimpfe« ihre Arbeit beaufsichtigen (36). Bald müssen alle Juden an ihrer Kleidung einen Stern tragen, der sie zu Bürgern »minderer Rasse« degradiert (40). Seit dem Beginn des Krieges kommt es zu Deportationen (38) und Massenvernichtung von Juden. Die »Vernichtung der jüdischen Rasse in Europa« ist das Ziel Himmlers und Hitlers. Millionen von Juden werden bis zum Ende des Krieges ermordet. Geradezu makaber nimmt sich dieser kleine Junge aus, der in SA-Uniform auf dem Reichsjugendtag in Potsdam 1934 mit Hitler-Gruß posiert (41). Er und seine Altersgefährten werden am Ende des Krieges zum »letzten Aufgebot« gehören und elendig für ein Regime »verrecken«, das bereits Millionen von Menschen auf dem Gewissen hat.

38

39

40

Freie Bahn dem Tüchtigen

»Wir wollen die Seele des Arbeiters erobern und ihn einbauen in den neuen Staat« – so der erklärte Wunsch eines führenden Funktionärs der Nationalsozialistischen Betriebszellenorganisation (NSBO) im April 1933, also noch vor der Entmachtung der freien Gewerkschaftsverbände.

Acht Wochen zuvor, am 31. Januar 1933, einen Tag nach der Machtübertragung an Hitler, betrug die Zahl der Arbeitslosen in Deutschland 6 013 612 und lag damit nur geringfügig unter dem absoluten Höchststand von 6,2 Millionen im Februar 1932. Der Weg zur Einbindung der großen Masse der Arbeiter in den neuen Staat, in die »Bewegung«, konnte unter diesen Voraussetzungen aber nur Erfolg verheißen, wenn es den Nationalsozialisten gelang, die Arbeitslosigkeit massiv zu senken und gleichzeitig die soziale Lage der noch immer in stark sozialistischen Traditionen verhafteten Arbeiterschaft grundlegend zu verbessern.

Hierzu fehlten Hitler und seiner Partei in erster Linie die programmatischen Voraussetzungen. Zwar berührten zehn der 25 Punkte des Parteiprogramms wirtschaftliche oder soziale Fragen, doch waren die Lösungsvorschläge für die Probleme von Wirtschaft und Gesellschaft eher vage und ausweichend. Da das Parteiprogramm aus dem Jahre 1920 stammte und der spezifischen Situation der unmittelbaren Nachkriegszeit angepaßt war, konnte es jenen Schwierigkeiten, die sich erst seit 1929 in Folge der Weltwirtschaftskrise aufgetan hatten, nicht adäquat begegnen.

Die Forderung nach »Einziehung aller Kriegsgewinne« (Punkt 12) oder die Kampfansage an alle »Wucherer und Schieber« (Punkt 18) waren 1933 ebenso lebensfern, wie die ständigen Appelle, im »Interesse der Allgemeinheit« und »zum Nutzen aller« zu handeln, zeitlos hohl klangen. Für die später konkret durchgeführte Wirtschaftspolitik sollten nur die folgenden Parolen Bestand haben: »Verstaatlichung aller (bisher) bereits vergesellschafteten (Trusts) Betriebe«; Gewinnbeteiligung an Großbetrieben, Kommunalisierung der Großwarenhäuser und ihre Vermietung zu billigen Preisen an kleine Gewerbetreibende; eine »unseren nationalen Bedürfnissen angepaßte Bodenreform«, die eine kompensationslose Enteignung des Bodens für gemeinnützige Zwecke vorsah; und schließlich die für die spätere Außenpolitik so entscheidende Forderung nach mehr Lebensraum: »Land und Boden (Kolonien) zur Ernährung unseres Volkes und Ansiedlung unseres Bevölkerungsüberschusses«.

Der letzte Punkt des Programms, die »Bildung von Stände- und Berufskammern«, wurde nach

1933 fallengelassen, denn der Ständestaat hätte sich nicht mit dem autoritären, später totalitären Führerstaat vertragen.

Daß die Wirtschaft letztlich aber nur Mittel zum Zweck sein sollte, daß sie als Erfüllungsgehilfe für Hitlers politische Ziele diente, wird klar, wenn man die wenigen Aussagen zu diesem Thema in »Mein Kampf« betrachtet. In der Hierarchie der Werte nimmt die Wirtschaft hinter den Mythen Volk und Rasse, neben Partei und Staat eine untergeordnete Rolle ein: »Erst dann, wenn man begreift, daß... der Wirtschaft nur die zweite oder dritte Rolle zufällt und politischen, sittlich-moralischen sowie blutsmäßigen Faktoren die erste, wird man zu einem Verstehen der Ursachen des heutigen Unglücks kommen und damit auch die Mittel und Wege zu einer Heilung zu finden vermögen.«

Und ein Jahr vor seinem Machtantritt, im Januar 1932, sprach Hitler in seiner berühmten Rede vor dem Düsseldorfer Industrieklub offen aus, worin er die eigentliche Ursache der »sogenannten Weltkrise« sah: Nicht in den Fehlern der Wirtschaftspolitik, sondern in den Mängeln der deutschen Politik, die jedoch »nichts anderes sein [kann] als die Wahrung des Lebensinteresses eines Volkes und die praktische Durchführung seines Lebenskampfes mit allen Mitteln«.

Dieser Lebenskampf konnte gemäß der Hitlerschen Doktrin aber nur dann erfolgreich bestanden werden, wenn es für das eigene Volk auch genügend »Lebensraum« gab, um die »Ernährung«, vereinfachend verstanden als die ausreichende Versorgung mit Lebensmitteln, sicherzustellen. Damit war zwar der Weg zu den späteren Eroberungsfeldzügen aufgezeigt, die drängenden sozialen und wirtschaftlichen Probleme zur Zeit der Machtergreifung ließen sich mit solchen programmatischen Äußerungen jedoch keineswegs bewältigen.

Die NSDAP war in der Weltwirtschaftskrise zur Massenpartei geworden, die Zahl ihrer Mitglieder wuchs zwischen 1930 und 1933 auf 850 000 an; doch waren Arbeiter auffallend unterrepräsentiert, während der Anteil der Angestellten und der Selbständigen unter den Mitgliedern bis zu 100 Prozent höher lag als ihr jeweiliger Anteil an der Gesamtbevölkerung. Große Teile der bürgerlichen und kleinbürgerlichen Schichten waren der NSDAP aus Angst vor wirtschaftlicher Not und drohender Proletarisierung zugelaufen, so stieg beispielsweise zwischen 1928 und 1931 mit der Zunahme der Arbeitslosigkeit eindeutig der Anteil von Mitgliedern aus der Arbeiterschaft. Dennoch konnte die Partei in der organisierten Arbeiterschaft und in den Betrieben kaum Fuß fassen, und auf dem Höhepunkt der Weltwirtschaftskrise zählte die NSBO nur rund 170 000 Mitglieder, während in den demokratischen Gewerkschaften mehr als 3,5 Millionen Arbeitnehmer organisiert waren.

Die »völlige Neuordnung deutschen Lebens«, wie Hitler sie nach der Machtergreifung forderte, bedeutete neben der Eroberung des Staats- und Verwaltungsapparates vor allem die Lösung eines Problems: Beseitigung der Arbeitslosigkeit und Befriedigung der materiellen Bedürfnisse der breiten Masse des Volkes. Die Zahlen waren in der Tat alarmierend: Das System der staatlichen Arbeitslosenversicherung war längst zusammengebrochen, und die Industriearbeiter als »Bodensatz« der Wirtschaftskrise hatten unter den Folgen am stärksten zu leiden. Seit 1929 war das deutsche Nationaleinkommen um 40 Prozent gesunken; fast ein Drittel der arbeitenden Bevölkerung war erwerbslos, die öffentlichen Finanzen völlig zerrüttet. Im Durchschnitt des Jahres 1933 meldeten die Arbeitsämter 40 Prozent der Industriearbeiter als arbeitslos, hingegen nur 22 Prozent der Beschäftigten im Öffentlichen Dienst und 13 Prozent der Angestellten.

Trotz ständig erhöhter Sozialbeiträge sanken die Unterstützungsleistungen für Arbeitslose unaufhörlich. Von den im Dezember 1932 registrierten 5,8 Millionen Arbeitslosen erhielten 1,3

Millionen überhaupt keine Zuwendungen, nur knapp ein Fünftel der restlichen Arbeitslosen kam in den Genuß voller Versicherungsleistungen, 30 Prozent waren von der staatlichen Fürsorge abhängig.

Zur selben Zeit waren nur noch 12,5 Millionen Arbeitnehmer erwerbstätig, von denen wiederum die meisten nicht einmal den vollen Acht-Stunden-Tag arbeiten konnten, denn in vielen Industriezweigen war die durchschnittliche Arbeitszeit auf weniger als sieben Stunden gekürzt worden. Die Folge war eine Verringerung des Realeinkommens pro Kopf der arbeitenden Bevölkerung von zehn Prozent zwischen 1930 und 1933, bei den Industriearbeitern wird diese Quote auf mindestens 15 Prozent geschätzt.

Die fortschreitende Verelendung läßt sich aus den Konsumstatistiken jener Jahre ablesen: Während die Lebenshaltungskosten zwischen 1929 und 1933 um ein Viertel fielen, gingen die Einzelhandelsumsätze bei Lebensmitteln um etwa 30 Prozent und bei Wohnbedarf um etwa 40 Prozent zurück. Tabakverbrauch und Bierkonsum sanken im selben Zeitraum um 15 bzw. 45 Prozent.

Die Massenarbeitslosigkeit und die zunehmende materielle Not zehrten allmählich an der Grundsubstanz der Arbeiterbewegung: Die Gewerkschaften sahen sich nicht mehr in der Lage, die Interessen ihrer Mitglieder wirksam zu vertreten; Entlassungen, Lohnkürzungen, Kurzarbeit wurden fast apathisch akzeptiert, obwohl fast zwei Drittel aller Gewerkschafter arbeitslos waren oder kurzarbeiten mußten. Streikbrecher finden sich in einer solchen Situation allemal; Elend und Unsicherheit des einzelnen, aber auch die Tolerierungspolitik der Gewerkschaftsführung höhlten die Solidarität vollends aus.

Als die weltweite Krise etwa im Sommer 1932 ihren Höhepunkt überschritten hatte und am Jahresbeginn 1933 erste Anzeichen einer Besserung sichtbar wurden – ohne daß diese sich jedoch schon konkret auf die Lebensumstände der Masse des deutschen Volkes auswirken konnten –, übernahmen die Nationalsozialisten die Macht. Das Regime gab sich nach außen revolutionär, sozialistisch und egalitär. In der Debatte um das Ermächtigungsgesetz erklärte Hitler gegenüber dem Parteivorsitzenden der SPD, Otto Wels, daß seine nationalsozialistische Bewegung der »wahre« Fürsprecher des deutschen Arbeiters sei – der Arbeiter sollte schlechthin Pfeiler der Gemeinschaft sein. Im Mai 1933 verkündete Hitler während eines »Kongresses des deutschen Arbeitertums«: »Ich werde keinen größeren Stolz in meinem Leben besitzen als den, einst am Ende meiner Tage sagen zu können: Ich habe dem deutschen Reich den deutschen Arbeiter erkämpft.«

Der verbale Radikalismus, mit dem das Regime um die Anerkennung durch die Arbeiterklasse buhlte, wurde von konkreten Maßnahmen begleitet. Das Regierungsprogramm vom 1. Februar 1933 verkündete zwei »große« Vierjahrespläne mit folgenden grundsätzlichen Konzeptionen: »Rettung des deutschen Bauern zur Erhaltung der Ernährungs- und damit der Lebensgrundlage der Nation, Rettung des deutschen Arbeiters durch einen gewaltigen und umfassenden Angriff gegen die Arbeitslosigkeit«. Wie diese Ziele zu erreichen waren, darüber sagte das Programm nichts, doch waren die Wege zu einer Gesundung der deutschen Wirtschaft schon längst geebnet: Bereits die Regierung Brüning hatte ab 1930 geplant, durch staatliche Arbeitsbeschaffung die wirtschaftliche Durststrecke zu überwinden, und die nachfolgenden Kabinette Papen und Schleicher setzen diese Vorhaben in die Tat um. Die Regierung Papen stellte 300 Millionen Reichsmark für zusätzliche öffentliche Aufträge zur Verfügung, die Unternehmer erhielten für jeden eingestellten Arbeiter eine Lohnprämie von 400 Reichsmark. Das Kabinett Schleicher hielt am sogenannten »Papen-Plan« fest, schuf ein Reichskommissariat für Arbeitsbeschaffung und wies noch kurz vor seinem Sturz 500 Millionen Reichsmark als Garantie für Arbeitsbeschaffungsmaßnahmen an. Eine Zunahme der Produktion, ein leichter Rückgang der Arbeitslosenzahlen und – verläßlichstes Anzeichen für eine beginnende wirtschaftliche Gesundung – ein Anstieg der Börsenkurse waren die praktischen Auswirkungen dieser Programme.

Da den Nationalsozialisten ein präzises Konzept zur Sanierung der Wirtschaft fehlte (Hjalmar Schacht hatte Hitler bereits 1932 geraten, kein konkretes Wirtschaftsprogramm vorzulegen, da 14 Millionen Wähler sich darauf nicht einigen könnten), wurden bis zum Sommer 1933 auch keine weitergehenden Maßnahmen ergriffen, während in der Öffentlichkeit mit erheblichem Propagandaaufwand der Beginn großartiger Aufbauaktionen verkündet wurde. Erst die beiden Gesetze zur Verminderung der Arbeitslosigkeit vom 1. Juni und 21. September 1933 ermächtigten den Reichsfinanzminister, Arbeitsschatzanweisungen bis zu einer Milliarde Reichsmark zur Finanzierung von Arbeitsbeschaffungsprogrammen auszugeben. Diese Darlehen wurden den Ländern und Gemeinden für die Instandsetzung von Gebäuden, den Bau von Kleinsiedlungen, die Anlage von Straßen und Versorgungsbetrieben zur Verfügung gestellt.

An die Kreditvergabe war die Bedingung geknüpft, daß alle geplanten Maßnahmen mit der menschlichen Arbeitskraft auszuführen waren; die Beschaffung von Maschinen, die die menschliche Arbeitskraft hätten ersetzen können, wurde teilweise verboten. 80 Prozent der Neueingestellten mußten unterstützungsberechtigte Arbeitslose sein, und der höhere Beschäftigungsgrad durfte nicht zu längeren Arbeitszeiten führen. Das Arbeitsbeschaffungsgesetz vom September 1933 sah Zuschüsse in Höhe von 500 Millionen Reichsmark für Instandsetzungsarbeiten vor, die in den Wintermonaten auszuführen waren. Zusammen mit den Maßnahmen von

Reichsbahn und Reichspost, die ebenfalls im Sommer 1933 anliefen, summierten sich die als Konjunkturspritze gedachten Staatsausgaben auf etwa 1,5 Milliarden Reichsmark. Trotz dieser relativ beschränkten Mittel war der Effekt beträchtlich. Das Konjunkturbarometer stieg, und bis zum Ende des Jahres war die Arbeitslosigkeit um ein Drittel gesunken. Statt mehr als sechs Millionen Arbeitslose zählte man nur noch knapp über vier Millionen. Es war also nicht nur die lautstarke Propaganda um die »Arbeitsschlacht«, die das günstige psychologische Klima schuf und dafür sorgte, daß der wirtschaftliche Optimismus in breiten Kreisen der Bevölkerung wiedererwachte, es gab auch vorweisbare Erfolge. Das Regime hatte seine ersten legitimatorischen Weihen empfangen, und der pathetisch geführte Kampf mit der Arbeitslosenstatistik, täglich über den Rundfunk und die gleichgeschalteten Zeitungen verbreitet, zeigte erste Wirkungen. Daß man mit den Siegesparolen von der »Arbeitsfront« lediglich über das nach wie vor tatsächlich bestehende Elend erfolgreich hinwegtäuschte, daß die ersten Erfolge hauptsächlich auf den Bemühungen vorangegangener Regierungen beruhten, blieb den meisten »Volksgenossen« verborgen.

Um die neue Entwicklung nach außen hin noch positiver präsentieren zu können, manipulierte das Regime die Statistik: Nicht mehr als arbeitslos galten in Zukunft Personen, die unregelmäßig beschäftigt waren und die nur vorübergehend im Rahmen der Notstandsarbeiten von Gemeinden und Arbeitsämtern eine Anstellung fanden. Den freiwilligen Arbeitsdienst, bereits in der Jugendbewegung der Weimarer Republik entstanden, übernahm nun der Staat. Über 400 000 Jugendliche wurden bis Mitte 1934 gegen ein geringes Taschengeld an die Landwirtschaft vermittelt; Arbeitslose wurden unter Androhung des Entzugs ihrer Unterstützungszahlungen mit schlecht entlohnten Notstandsarbeiten abgefunden. Über 600 000 von ihnen zog man allein im Frühjahr

Die Strassen des Führers

Reichsautobahn Hamburg-Bremen

Noch ist das Werk nicht völlig getan, noch fehlen die letzten Anschlußstücke von Dibbersen bis Hamburg und Opten nach Bremen. Das große Mittelstück aber steht, wird seit ein paar Wochen von Kraftfahrzeugen aller Art aufgesucht, von schweren Lastzügen, eleganten Sportwagen, mittleren Autotypen und Motorrädern. Ganze Kolonnen biegen kurz nach Dibbersen in die Einfahrtstraße zur Reichsautobahnstrecke ein. Aber kein gefährliches Gedränge entsteht, keine Schwierigkeiten tauchen auf beim Überholen langsamer Lastautos. Genügend Platz bietet die Reichsautobahn für alle, für große und kleine, schnelle und langsame Vehikel. Fast unwahrscheinlich die Geräuschlosigkeit der Fahrt, verführerisch für manchen, gefährlich erst für ben, der für den „Tacho" überhaupt kein Auge hat. Ehe man sich versieht, hat man, ohne besondere Absicht, seine 20 bis 30 km mehr auf der Kiste. Waldstücke fliegen in respektvollem Abstand vorüber, kleine Wacholderbüsche und Grasstreifen trennen die beiden Hauptfahrbahnen, säumen sie ein wie ein grüner Rock einer Frau. Unerhört die unabsehbare Menge der Brücken, immer neue Brücken. Unter- und Überführungen, hell leuchtend in ihrem weißen Betonkleid. Oftmals fällt der Blick auf drei und vier zugleich, wenn die Strecke sich senkt und wieder hebt. An manchen Geländern hängen noch Festgirlanden, haben sich zum Teil schon selbst losgerissen, als spürten sie die Überflüssigkeit, jetzt, da die Motoren unter ihnen hinwegdonnern, fernen Zielen entgegen. Seltsam, daß Karten völlig überflüssig werden. Wahre Prachtschilder Hunderte von Metern vor der Auffahrtstrecke nach einem wichtigen Ort. Vom Scheinwerfer des Nachts zum grellen Aufleuchten gebracht führen sie den Fahrer mit sanfter Hand zur Abzweigung.

Schmucke kleine Wärterhäuschen, aus Backstein errichtet, oftmals mit niedersächsischem Strohdach und dem Zeichen des weißen springenden Pferdes im Giebel. Tag und Nacht wachen hier die Reichsbahnangestellten. Alles ist da, was an Ausrüstungsgegenständen in Frage kommt. Fernsprecher verbinden die Häuschen untereinander. Tankstellen sind vorgesehen, ein Sanitätsraum und Verbandzeugkasten deuten auf ernste Tage hin. Auf der Rückseite liegt die Garage für den Schleppwagen. Toi, toi, bisher ist hier nichts passiert, sagt glücklich lächelnd der Beamte. Möge es weiter so bleiben auf der herrlichen Strecke der Reichsautobahn Hamburg—Bremen.

1. Wärterhäuschen bei Sittensen

2. Übergang auf die Reichsautobahn (Harburg—Bremen)

3. Bei Sittensen schneiden sich Landstraße und Autobahn

4. Vor der Abzweigung nach Hollstedt

Kurz vor der Fertigstellung der »Reichsautobahn« von Hamburg nach Bremen erschien dieser Artikel im »Hamburger Anzeiger« vom 29. August 1936.

1934 zu schwerer körperlicher Arbeit bei Erd- und Forstarbeiten, beim Bau von Straßen und Talsperren, bei der Be- und Entwässerung heran. Insgesamt wurden im Jahre 1934 1,5 Millionen Menschen zu derartigen Arbeiten verpflichtet, deren volkswirtschaftlicher Nutzen zwar umstritten war, die jedoch ideal in das Propagandakonzept der NSDAP paßten. »Die Leute müssen weg von der Straße«, lautete die Parole, und so verlor der gefährliche sozialpolitische Zündstoff hoher Arbeitslosenzahlen nach und nach an Brisanz.

Die am 27. Juni 1933 gegründete Gesellschaft »Reichsautobahnen« setzte dem Propagandawirbel um die »Arbeitsschlacht« die Krone auf. Der bereits seit 1926 bestehende »Verein zur Vorbereitung der Autostraße Hansestädte––Frankfurt–Basel« (HAFRABA) trat 1933 an den neuen Reichskanzler heran und unterbreitete ihm die in 60 Bänden detailliert ausgearbeiteten Pläne zum Bau der Reichsautobahnen. Hitler ließ die Gesellschaft »gleichschalten«, übernahm die Pläne und konnte bereits drei Monate später bei Frankfurt am Main den ersten Spatenstich tun.

Die propagandistische Wirkung war beträchtlich: Da an vielen Baustellen gleichzeitig gearbeitet wurde, entstand nach außen das Bild großer Aktivität – die Baumaßnahmen an den »Straßen des Führers« waren für die Öffentlichkeit Beweis für den Willen des Regimes, die Arbeitslosigkeit ernsthaft zu beheben. Bis zum 15. Dezember 1938 wurden immerhin die ersten 3000 Kilometer des auf knapp 7000 Kilometer konzipierten Straßennetzes fertig, bis 1945 kamen noch rund 800 Kilometer hinzu. Der Autobahnbau diente ferner als Vehikel zu einer Motorisierungskampagne, die Hitler unter dem Stichwort der »Volksmotorisierung« initiierte.

Mit Steuererleichterungen für neu angeschaffte Kraftfahrzeuge wurde die Automobilindustrie angekurbelt, und fast 300 000 »Volkswagensparer« fanden sich bereit, für den von Ferdinand Porsche konzipierten Volkswagen knapp 1000

Reichsmark anzusparen. Keiner dieser Sparer konnte jemals einen Volkswagen in Empfang nehmen. Abgesehen von einigen Prototypen rollten in dem eigens von der DAF bei Wolfsburg errichteten Werk ausschließlich Militärfahrzeuge vom Band.

Die Kosten der Reichsautobahnen waren enorm: Bis 1944 beliefen sie sich auf fast 6,5 Milliarden Reichsmark, die im wesentlichen aus Krediten, einer Erhöhung der Ölsteuer und – zu fast 60 Prozent – aus dem Fonds der »Reichsanstalt für Arbeitsvermittlung und Arbeitslosenversicherung« aufgebracht wurden. Die Sozialversicherungsbeiträge der Arbeiterschaft finanzierten also die »Straßen Adolf Hitlers«, die wegen der geringen Motorisierung überflüssig waren und bevorzugt in Ost-West-Richtung ausgebaut wurden, um spätere Truppenbewegungen zu erleichtern. Die verkehrsnotwendige Nord-Süd-Verbindung konnte erst in den Jahren nach dem Zweiten Weltkrieg vollendet werden.

Zum »Symbol der Nation« entwickelte der Arbeitsdienst, der – ursprünglich freiwillig – am 26. Juni 1935 obligatorisch wurde: »Alle jungen Deutschen beiderlei Geschlechts sind verpflichtet, ihrem Volke im Reichsarbeitsdienst zu dienen. [Er] soll die deutsche Jugend im Geiste des Nationalsozialismus zur Volksgemeinschaft und zur wahren Arbeitsauffassung, vor allem zur gebührenden Achtung der Handarbeit erziehen.« Diese Form des typisch »deutschen Sozialismus«, wie ihn die Arbeitsdienstfunktionäre gern der Öffentlichkeit präsentierten, sollte zum wirksamsten Schmelztiegel der bestehenden Klassenunterschiede werden. Wenn sich die volkswirtschaftliche Zweckmäßigkeit des »Reichsarbeitsdienstes« (RAD) auch bezweifeln ließ, so schuf er doch ein starkes Gemeinschaftsgefühl: Abiturienten, Akademiker, Angestellte, Landarbeiter, Handwerker waren in den Arbeitsdienstlagern der ideologischen Schulung des Regimes ausgesetzt, sie errichteten in gemeinsamer Arbeit Wege und Straßen, deichten Kooge ein, entwässerten Sumpf- und Ödland. Die propagandistische Wirkung nach außen war gewaltig, die finanzielle Belastung für den Staat gering. Zudem oblag dem RAD vor Einführung einer allgemeinen einjährigen Wehrpflicht am 16. März 1935 die vormilitärische Ausbildung der Jugendlichen.

»Gleichheit« war das Schlüsselwort des RAD, und diese »Arbeiter der Faust«, unter denen die Industriearbeiter nur 15 Prozent ausmachten, versinnbildlichten in der Propaganda des nationalsozialistischen Staates das neue Lebensgefühl, die Kameradschaft einer neuen Generation, die im Gleichschritt und mit starker Hand die großen Aufgaben der Zukunft zu meistern verstand: »Freie Bahn dem Tüchtigen!«

Die Handwerker stellten in den Anfangsjahren fast die Hälfte aller RAD-Mitglieder. Dieser ungewöhnlich hohe Anteil stand im Zusammenhang mit der Tatsache, daß sich die Ankurbelungsmaßnahmen der Regierung zunächst vornehmlich auf die Großindustrie auswirkten, die kaum Bedarf an Handwerkern hatte. Auch Studenten und Abiturienten waren überproportional vertreten, denn bereits im Laufe des Jahres 1933 war die Ableistung des »freiwilligen« Arbeitsdienstes zur Voraussetzung für das Universitätsstudium gemacht worden. Nach sechs Jahren hatte der amtliche Druck die offiziell verkündete »spontane Begeisterung« der Jugendlichen noch nicht herstellen können: 1939 waren erst knapp die Hälfte der »Jungmannen« und nur vier Prozent der »Maiden« im RAD organisiert.

Der Staat vergrößerte künstlich die Zahl der jugendlichen Arbeitslosen, indem er die Arbeitsämter ermächtigte, die altersmäßige Zusammensetzung der Belegschaft gemeinsam mit der Betriebsführung zu überprüfen. Ledige Arbeiter unter 25 Jahren durften gemäß staatlicher Verfügung gegen erwerbslose Familienväter »ausgetauscht« werden; die »freigesetzten« Jugendlichen wurden an den RAD und die Landwirtschaft vermittelt. Dem Problem der Doppelverdiener rückte man zunächst mit propagandistischen Mitteln zu Leibe, indem an die »Volksgenossen« appelliert wurde, Solidarität zu üben. Dennoch kam es vereinzelt zu wilden Aktionen unterer Parteidienststellen gegen echte oder vermeintliche Doppelverdiener, obwohl deren Tätigkeitsmerkmale nicht eindeutig definiert waren.

Alle diese sozialpolitischen Maßnahmen staatlicher Behörden dienten dazu, den Eindruck zu vermitteln, der »neue« Staat kümmere sich in erster Linie um die sozial Schwachen und lasse solche Benachteiligungen, wie es sie in der »Systemzeit« der Weimarer Republik gegeben habe, nicht mehr zu. Doch alle Propaganda konnte nicht darüber hinwegtäuschen, daß sich nach der Machtergreifung zunächst jene »alten Kämpfer« an den Futtertrögen der neuen Gesellschaft drängten, die sich um die »Bewegung« verdient gemacht hatten. Bis zum Oktober 1933 wurden von den Arbeitsämtern bevorzugt Angehörige von SA, SS und »Stahlhelm« sowie Mitglieder der NSDAP vermittelt; bis zu 70 Prozent dieser erwerbslosen Anhänger Hitlers hatten ein halbes Jahr nach der Machtergreifung wieder Arbeit gefunden, im Mai 1934 waren es in Sachsen sogar gut 95 Prozent. Der Willkür waren damit Tür und Tor geöffnet: Untergeordnete Dienststellen der Partei erweiterten oftmals nach Gutdünken den Kreis der Begünstigten, obwohl die Parteispitze die Zahl der Berechtigten eingeschränkt hatte. Die Folge war eine erhebliche Unruhe unter der »normalen« Industriearbeiterschaft und den parteilosen Angestellten, die von der Reichsregierung schließlich im August 1934 mit der Verfügung beantwortet wurde, daß nur noch die Arbeitsämter Stellenvermittlungen vornehmen durften. Es muß allerdings davon ausgegangen werden, daß bis zu diesem Verbot die überwiegende Mehrheit der alten Kämpfer bereits einen »angemessenen« Arbeitsplatz ergattert hatte.

Zwar führten die Arbeitsbeschaffungsmaßnahmen allmählich zu einer Senkung der Arbeitslosigkeit, doch waren 18 Monate nach Hitlers Regierungsantritt noch 2,5 Millionen Menschen beschäftigungslos. Die NSDAP griff daraufhin zu weiteren Reglementierungen, um ihr Versprechen einhalten zu können, »Arbeit und Brot für alle« einzulösen. Die Freizügigkeit, d. h. der Zuzug von Arbeitern beispielsweise nach Hamburg, Berlin und Bremen, wurde eingeschränkt, um in diesen Städten die Arbeitslosigkeit zu begrenzen. 1935 wurden Arbeitsbücher eingeführt, um die vorhandenen Reserven statistisch erfassen und gegebenenfalls in unterbesetzte Industriebereiche, etwa Rüstungsbetriebe, umlenken zu können. Mit der ersten Ausgabe von 22 Millionen Arbeitsbüchern wurden praktisch alle Arbeiter und Angestellten erfaßt; 1939 erhielten auch die Selbständigen und ihre Familienangehörigen ein Arbeitsbuch.

Die Fortsetzung einer konsequenten Arbeitsbeschaffungspolitik hätte aller Wahrscheinlichkeit nach zu einem weiteren Anwachsen der Kaufkraft und damit einer Belebung der gesamten Wirtschaft geführt. Doch waren mittlerweile von politischer Seite andere Prioritäten gesetzt worden: Abgesehen von jenen Bereichen, wo die Ankurbelungsmaßnahmen überwiegend propagandistischen Zwecken dienten, wie bei den öffentlichen Arbeitsbeschaffungen, wurden ausschließlich im Rüstungssektor qualifizierte Arbeitsplätze neu eingerichtet oder vermehrt. Für die Rüstung wurden 1933 1,3 Milliarden Reichsmark bereitgestellt, 1936 waren es bereits 10,3 Milliarden. Die Freigabe dieser Mittel förderte zwar den Investitionsgütersektor, ließ den Konsumgütersektor jedoch stagnieren. Die Aufblähung der öffentlichen Investitionen zwischen 1933 und 1938 von rund sieben Prozent auf annähernd ein Viertel des gesamten Volkseinkommens und die übermäßige Steigerung der Ausgaben für militärische Zwecke ließen für die Konsumgüterindustrie kaum noch Mittel übrig.

Die Gewinne der Unternehmen wurden vornehmlich in der wachstumsträchtigen Schwerindustrie investiert, wohin auch von staatlicher Seite Kapital, Devisen und Rohstoffe gelenkt wurden. Für die Masse der Arbeiter waren die Folgen dieser einseitigen Wirtschaftspolitik ausgesprochen negativ. Zwischen 1933 und 1935 stiegen die Lebensmittelpreise erheblich, und in der Versorgung mit Molkereiprodukten, Fett und Fleisch zeigten sich beträchtliche Mängel. Bei einer durchschnittlichen Erhöhung der Preise um etwa zehn Prozent ist zu bedenken, daß ein Arbeiterhaushalt rund die Hälfte seines Einkommens für Lebensmittel ausgeben mußte. Ausgeglichen wurden diese Preissteigerungen zumindest teilweise durch einen realen Zuwachs bei den Löhnen, obwohl diese offiziell seit 1933 »eingefroren« waren. In den für die Rüstung wichtigen Industriezweigen (Eisen und Stahl, Chemie, Bauwesen, Elektro) wurde der Acht-Stunden-Tag wieder zur Regel, teilweise mußten sogar Überstunden geleistet werden. Die Unternehmer taten durch freiwillige Lohnzulagen ein übriges, um die langsam knapper werdenden Facharbeiter für termingebundene Rüstungsaufträge bei der Stange zu halten. Teilweise hatte unter den Unternehmen ein erbitterter Konkurrenzkampf um Facharbeiter begonnen, was diesen einen gewissen Verhandlungsspielraum bei übertariflichen Zulagen einbrachte.

Im Zeichen der Aufrüstung bekam die Arbeiterschaft einen Trumpf in die Hand, den sie geschickt auszuspielen verstand – sie war Mangelware geworden und setzte ihre Forderungen im Rahmen des Möglichen durch: »Die Gefolgschaftsmitglieder stellen in zunehmendem Maße und mit wachsender Entschiedenheit übertarifliche Forderungen, von deren Bewilligung sie die Aufnahme der Arbeit abhängig machen... Der Widerstand der Betriebe erlahmt naturgemäß da, wo bereits Nachbarfirmen zu Locklöhnen übergegangen sind« – so ein offizieller Bericht über die Tarifsituation Anfang 1938.

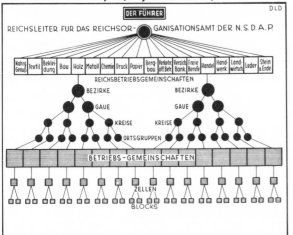

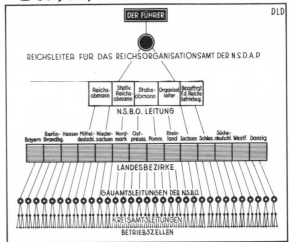

Organisatorischer Aufbau der Deutschen Arbeitsfront (DAF) und der Nationalsozialistischen Betriebszellen-Organisation (NSBO).

Doch trotz dieser Lohnzulagen – die teilweise wieder durch Beiträge zu den NS-Organisationen, in denen man Zwangsmitglied war, oder durch »freiwillige« Sammlungen (»Winterhilfswerk«, WHW) aufgezehrt wurden – und trotz der Steigerung der effektiven Familieneinkommen durch Überstunden oder Mitarbeit der Frau ist der Lebensstandard der Jahre 1928/29 nie wieder erreicht worden. Aus den geheimen Lageberichten der Gestapo über die tatsächliche Situation der arbeitenden Bevölkerung 1934/35 wird die gedrückte Stimmung deutlich: »Die bereits in früheren Berichten erwähnten Schwierigkeiten in der Versorgung des hiesigen Bezirks mit Haushalts- und Konsummargarine ... beeinflussen die Stimmung der Bevölkerung um so mehr, als es sich hierbei um ihre primitivsten Lebensbedürfnisse handelt und gerade die Arbeit des Bergmanns ... einen besonders großen Fettkonsum bedingt.«

Die Arbeiterschaft konnte sich gegen die Versorgungsschwierigkeiten und gegen den Lohnstopp nicht wehren, denn die freien Gewerkschaften waren zu diesem Zeitpunkt längst zerschlagen, und in den Betrieben hatte das »Gesetz zur

Ordnung der nationalen Arbeit« vom 20. Januar 1934 dem Führerprinzip zum Durchbruch verholfen: An der Spitze der »Betriebsgemeinschaft« stand der Unternehmer als »Betriebsführer«, ihm hatten seine Arbeiter, jetzt »Gefolgschaft« genannt, Treue und Gehorsam zu erweisen. Mit der Gleichschaltung der Gewerkschaften war bereits im März 1933 begonnen worden, als in zahllosen Einzelaktionen lokale Gewerkschaftshäuser durch SA, SS und Angehörige der NSBO besetzt wurden. Die neuen Herren zerstörten die Einrichtungen, beschlagnahmten Akten und mißhandelten Funktionäre auf brutalste Weise. Ab Mitte April waren die freien Gewerkschaften kaum noch arbeitsfähig, in den Betrieben wurden die sozialistischen und kommunistischen Betriebsräte von Schlägertrupps der SA abgesetzt, verhaftet und teilweise in »Schutzhaft« genommen, d.h. unter unwürdigsten Bedingungen gefangengehalten. Die freien Gewerkschaften machten nicht den Versuch, sich zu wehren, ihr Vorstand versicherte Hitler am 20. März 1933 seiner Loyalität und kündigte seine bis dahin engen Verbindungen zur SPD auf. Man ging sogar noch einen Schritt weiter und bot dem Regime auf der Grundlage parteipolitischer Neutralität eine enge Zusammenarbeit an: »Die deutschen Gewerkschaften sind des Glaubens, daß sie der großen Aufgabe des neuen Staates... am besten dienen, wenn sie sich über alle Trennungen der Vergangenheit hinweg zu einer einzigen umfassenden nationalen Organisation der Arbeit vereinigen.«

Diese Anpassungstaktik verfing jedoch bei den neuen Machthabern nicht, zumal die Betriebsratswahlen vom März gezeigt hatten, daß nur 25 Prozent der gültigen Stimmen für NSBO-Vertreter abgegeben worden waren. Die Zerschlagung der freien Gewerkschaften wurde durch ein geschickt inszeniertes Täuschungsmanöver eingeleitet: Ein Gesetz vom 10. April erhob den 1. Mai, den Tag der internationalen Arbeitersolidarität, erstmals zum gesetzlichen Feiertag, zum »Tag der nationalen Arbeit«. Der Gewerkschaftsvorstand forderte seine Mitglieder auf, sich an den Feiern »festlich zu beteiligen«. Überall in Deutschland marschierten am 1. Mai die Menschen hinter dem Hakenkreuz. Auf dem Tempelhofer Feld in Berlin, wo das neue Regime die erste offizielle, unübertrefflich inszenierte Massenveranstaltung ablaufen ließ, hatten sich am Abend fast eineinhalb Millionen Menschen versammelt. Der damalige französische Botschafter André François-Poncet war als Augenzeuge dabei: »Die Scheinwerfer verlöschen mit Ausnahme derer, die den Führer in strahlende Helle tauchen, so daß er wie in einem Märchennachen über dem Gewoge zu seinen Füßen zu stehen scheint... Es ist die Wirkung, die von ihm auf die Zuhörer ausgeht, eine Wirkung, die weit mehr körperlich als geistig ist, gesteigert durch die Umgebung, die theatralische Ausstattung, den Gegensatz von Licht und Schatten, die ganze romantische Aufmachung, die Fahnen und Uniformen, das Blitzen der Helme und Bajonette... Unter der lauschenden Menge sind zweifellos viele von Mißtrauen und Haß gegen diesen Menschen erfüllt; aber auch sie sind erschüttert und mitgerissen wie der Schiffer durch das Zauberbild der Lorelei...«

Hitler hielt eine seiner propagandistisch geschicktesten Reden, appellierte an die nationale Stärke und erging sich in Phrasen über die Volksgemeinschaft der Schaffenden. Am nächsten Tag holte das Regime unter der Leitung des Organisationsleiters der Partei und Leiters der »Ordensburgen«, Dr. Robert Ley, zum großen Schlag gegen die Gewerkschaften aus: Die Gewerkschaftshäuser wurden besetzt, Vermögen beschlagnahmt, sozialdemokratische und kommunistische Funktionäre in Konzentrationslager gebracht. Noch am selben Tag gab Ley die Bildung einer »Deutschen Arbeitsfront« bekannt, deren Führung er auf dem Gründungskongreß am 10. Mai übernahm. Ley, wegen seines Hanges zum Alkohol im Flüsterwitz des Dritten Reiches auch als »Reichstrunkenbold« tituliert, versicherte treuherzig: »Arbeiter, ich schwöre Dir, wir werden nicht nur alles erhalten, was sich vorfindet; wir werden Schutz und die Rechte des Arbeiters weiter ausbauen, damit er in den neuen nationalsozialistischen Staat als vollwertiges und geachtetes Mitglied des Volkes eingehe« – doch die Wirklichkeit sah anders aus. Zwar wurde die DAF anstelle der Interessenverbände der Arbeiter und Angestellten ins Leben gerufen, doch mußte sie ihr Recht, Tariffragen auszuhandeln, qua Gesetz vom 19. Mai 1933 an die neu eingesetzten »Treuhänder der Arbeit« abtreten. Hitler unterstellte die DAF mit einer Verordnung vom Oktober 1934 der NSDAP. Für ihn war die Deutsche Arbeitsfront »die Organisation der schaffenden Deutschen der Stirn und der Faust... Sie hat dafür zu sorgen, daß jeder einzelne seinen Platz im wirtschaftlichen Leben der Nation in der geistigen und körperlichen Verfassung einnehmen kann, die ihn zur höchsten Leistung befähigt und damit den größten Nutzen für die Volksgemeinschaft gewährleistet.«

Die DAF konnte aber schon allein deshalb nicht

zu einer unabhängigen Organisation der Arbeiterschaft werden, weil ihr auch die Unternehmer angehörten. Unter der Führung des Vorsitzenden des »Reichsverbandes der Deutschen Industrie«, Gustav Krupp von Bohlen und Halbach, wurde die Unternehmerschaft der DAF angeschlossen. Ley erklärte daraufhin triumphierend: »Wir sind das erste Land Europas, das den Klassenkampf überwunden hat.«

Die DAF umfaßte 1934 etwa 14 Millionen Mitglieder, fünf Jahre später mehr als 30 Millionen; sie war eine der reichsten und mächtigsten Organisationen im Dritten Reich, agierte relativ selbständig neben der Partei, doch stets in ihrem Sinne, sie betrieb die ideologische Schulung ihrer Mitglieder und monopolisierte die arbeits- und sozialrechtliche Betreuung der Arbeitnehmer.

Den von Ley und sozialpolitisch engagierten Funktionären der NSBO gewünschten Einfluß auf die Wirtschaftspolitik konnte sie jedoch nie ausüben, denn an den entscheidenden Schalthebeln saßen die 13 »Treuhänder der Arbeit«, die als Organe des Staates Lohntarife und Arbeitsbedingungen festlegten und von denen nicht einer aus den Kreisen der Arbeiterschaft stammte. Die meisten wurden aus den Industrieverbänden oder der Beamtenschaft rekrutiert.

Der alten Unternehmerschaft erwuchsen aus dieser Regelung keinerlei Nachteile, denn ihre angestammten Rechte wurden kaum angetastet. Das »Gesetz zur Ordnung der nationalen Arbeit« beließ dem »Führer des Betriebs« die wichtigsten Entscheidungen hinsichtlich seiner Gefolgschaft »in allen betrieblichen Angelegenheiten«, ihm wurde lediglich ein »Vertrauensrat« mit beratender Funktion zur Seite gestellt.

Die Wahlen zu diesem Vertrauensrat im April 1935 zeigten, daß die Arbeiterschaft nicht annähernd geschlossen hinter den Einheitslisten der NSBO stand. Offiziell wurde zwar von einer neunzigprozentigen Wahlbeteiligung und einer Zustimmung zu den Einheitslisten von 83 Prozent gesprochen, die wirklichen Ergebnisse

waren jedoch für die DAF so vernichtend, daß Hitler persönlich eine erneute Durchführung der Wahlen verbot. Per Gesetz wurde die Amtszeit der Vertrauensmänner jeweils um ein Jahr und ab 1938 auf unbegrenzte Zeit verlängert.

Die Gleichschaltung der Industrie vollzog sich weit weniger spektakulär. Zwar wurden ihre sämtlichen Verbände in Zwangseinrichtungen umgewandelt und unter staatliche Aufsicht gestellt, doch die rein äußerliche Anpassung ließ die interne personelle Zusammensetzung der Verbände wie auch ihre Selbstverwaltung weitgehend unangetastet. Der Staat war darauf angewiesen, die Unternehmerschaft für sein ehrgeiziges Rüstungsprogramm zu gewinnen. Von Ausnahmen abgesehen, schloß sich vor allem die Schwerindustrie den Vorstellungen und Wünschen Hitlers an, der insbesondere auf die wirtschaftliche Autarkie des Deutschen Reiches äußersten Wert legte.

Das war kein Selbstzweck, sondern diente einzig der Kriegsvorbereitung, wie aus einer geheimen Denkschrift vom August 1936 hervorgeht: »Ich halte es für notwendig, daß nunmehr mit eiserner Entschlossenheit auf all den Gebieten eine 100%ige Selbstversorgung eintritt, auf denen diese möglich ist... Man hat Zeit genug gehabt, in 4 Jahren festzustellen, was wir nicht können. Es ist jetzt notwendig, auszuführen, das, was wir können. Ich stelle damit folgende Aufgabe: I. Die deutsche Armee muß in 4 Jahren einsatzfähig sein. II. Die deutsche Wirtschaft muß in 4 Jahren kriegsfähig sein.«

Zum Beauftragten für diesen Vierjahresplan wurde Hermann Göring ernannt (»Mein Fach ist nicht die Wirtschaft«), der 1937 bei Salzgitter die »Reichswerke Hermann Göring« gründen ließ, wo minderwertiges deutsches Erz verhüttet werden sollte. Die Steigerung der Eisen- und Stahlproduktion, die Entwicklung von Treibstoffen und künstlichem Kautschuk sowie die Unabhängigkeit von Lieferungen aus dem Ausland bei bestimmten Materialien (Industriefetten beispielsweise) genoß nunmehr absolute Priorität. Wichtigster industrieller Bundesgenosse Hitlers wurde die I.G.-Farbenindustrie unter ihrem Direktor Carl Krauch, der einen führenden Posten in der Bürokratie des Vierjahresplans erhielt. Auf sein Betreiben hin trat ab Mitte 1938 der »Neue Erzeugungsplan« in Kraft, der nach Görings Worten »das Rüstungsniveau von einem Stand von 100 auf einen Stand von 300« zu bringen hatte. Um das gigantische Programm zu verwirklichen, drohte Göring, von seiner Generalvollmacht »barbarischen Gebrauch« zu machen: »Achtstündige Arbeitszeit gibt es nicht mehr... Die Arbeitsfront solle nicht falsche Sozialbegriffe unter die Arbeiter bringen.«

Was die neue Prioritätensetzung für die große Masse der Arbeiterschaft bedeutete, liegt auf der Hand: Die hohen Wachstumsraten auf dem Rüstungssektor mußten zwangsläufig zu Engpässen bei der Versorgung mit Artikeln des täglichen Bedarfs führen. Zwar stieg zwischen Dezember 1935 und Juni 1939 der durchschnittliche Stundenlohn in der Industrie um etwa elf Prozent an, auch beliefen sich die realen Preissteigerungen in diesem Zeitraum wegen der scharfen Preiskontrollen auf nur etwa vier Prozent, doch konnte dem Kaufkraftüberhang nicht durch ein genügend breites Konsumangebot entsprochen werden. Relativ sank der Anteil der Löhne und Gehälter am Volkseinkommen sogar von 62 Prozent im Jahre 1928 auf 57 Prozent im Jahre 1938 – trotz der inzwischen fast erreichten Vollbeschäftigung. Immerhin: Der Pro-Kopf-Verbrauch der Bevölkerung bei Nahrungs- und Genußmitteln lag 1938 fast ausnahmslos höher als 1930, wenn auch der Konsum von Geflügel, Eiern, Trinkmilch, Margarine und Bier noch nicht dem Stand vor 1933 entsprach.

Die Unzufriedenheit in den Betrieben führte dazu, daß zunehmend schärfere Überwachungsmethoden eingeführt wurden, um wirksam gegen »Unruhestifter« vorgehen zu können. Die Betriebsführer holten auch die Gestapo zu Hilfe,

sobald ehemalige sozialdemokratische oder kommunistische Funktionäre soziale Forderungen im Namen der Belegschaft stellten. Allein 1936 kam es in diesem Bereich zu 15 000 Verhaftungen.

Die staatliche Bewirtschaftung aller Reserven und die vehemente Aufrüstung gingen eindeutig zu Lasten der arbeitenden Bevölkerung. Goebbels im Januar 1936: »Ob mit oder ohne Butter, damit werden wir fertig. Aber wir werden nicht fertig ohne Kanonen!«

»Kanonen statt Butter« lautete fortan die Parole, und Goebbels trieb mit den zunehmenden Mangelerscheinungen noch Hohn und Spott, als er im selben Zusammenhang ausrief: »Es gibt also nicht weniger Fett, es haben nur mehr Volksgenossen das Glück, daran teilhaben zu dürfen. Ist das sozial, oder ist das nicht vielmehr der höchste Ausdruck von Sozialismus?«

Die DAF-Führung wußte über die zunehmende Misere genau Bescheid und gestand das auch offen ein: »Der Wunsch, für sich und seine Familie möglichst gute Lebensbedingungen zu erreichen, steht in Millionen von Fällen im schärfsten Gegensatz zu den Erfordernissen der Staatspolitik.«

Die offiziellen Jahresberichte der Gewerbeaufsichtsämter geben einen ungefähren Eindruck von der tatsächlichen Situation in den Betrieben: »Von der ihnen zustehenden Schutzzeit vor der Niederkunft machen die Arbeiterinnen im allgemeinen wegen der damit verbundenen Verdiensteinbuße keinen Gebrauch... Die werdende Mutter denkt weniger an die Schädigung ihrer eigenen Gesundheit... als an die Geldopfer, die bei der Geburt des Kindes entstehen und die sie dem Kind selbst bringen will.« – »Die stetige Wirtschaftsbelebung erforderte auch die Heranziehung von Arbeiterinnen über 16 Jahren zur Mehrarbeit, und zwar hauptsächlich in den Export- und Rüstungsbetrieben.« – »Eine Maschinenfabrik beschäftigte Jugendliche nach 20 Uhr und zusammen mit Erwachsenen bis zu

Zum deutschen Wesen

klar und ungekünstelt, paßt immer "4711", dies klassische Kölnisch Wasser.

Sieghaft erscheint die Frau, mit "4711" gepflegt, in der Gesellschaft.

Gestrafft betritt der Mann die Arbeitsstätte oder den Sportplatz.

"4711" ist herrlich erfrischend, herb und belebend.

N°4711. Echt Kölnisch Wasser

Deutschlands Weltmarke

Ein Beispiel für viele – auch die deutsche Wirtschaft stellte ihre Werbung ganz in den »Dienst an der Sache«.

12 Stunden täglich ... In einer anderen Maschinenfabrik wurden jugendliche und erwachsene Arbeiter 11 und 13 Stunden täglich beschäftigt.« – »Die Zahl der Unfälle hat sich mithin [zwischen 1934 und 1936] um 134 475, also um 45,9 v. H., die der tödlichen Unfälle um 343, also um 30,4 v. H. vermehrt, während die Zahl der Beschäftigten nur um 19,2 v. H. zunahm ... Die Zusammenballung zahlreicher Arbeitskräfte in kleinen Räumen, gesteigertes Arbeitstempo, Übereifer bei der Arbeit – namentlich bei Neueingestellten –, die Nachtarbeit auf Bauten ... haben zur Erhöhung der Unfallzahlen wesentlich beigetragen.« – »Der Inhaber einer Maschinenfabrik, der seine Dreher, Hobler und Horizontalbohrer rücksichtslos zwei Wochen hindurch in Schichten von 17, 19, 20 und 24 Stunden Dauer beschäftigte, entging infolge des Gesetzes über die Gewährung von Straffreiheit der verdienten Strafe ...«

Doch inzwischen saß das Regime viel zu fest im Sattel, um sich Gedanken über eine zufriedenstellende Versorgung der Bevölkerung oder über den Schutz der Arbeiter vor frühkapitalistischen Ausbeutungsmethoden machen zu müssen. Hitler brachte die Haltung des Regimes auf den folgenden Nenner: Wenn die Leute »sich meinetwegen manchmal über mangelnde Eier beklagen, das sollen sie den Hühnern sagen, aber nicht mir! ... wir haben in Deutschland Millionen an Arbeitern, die gehen in ihre Fabrik, und die sind glücklich, wenn sie sich bloß Margarine auf ihr Brot aufstreichen können.«

Mit solchen zynischen Bemerkungen stellte Hitler zwar die soziale Realität der meisten arbeitenden Menschen treffend dar, doch gab er zugleich das Eingeständnis, daß der Reichsnährstand in der »Erzeugerschlacht« für das Vaterland weitgehend versagt hatte.

Auch die deutsche Landwirtschaft stand seit 1933 unter dem Primat einer möglichst hohen Selbstversorgung, um auf diese Weise den Agrarimport zugunsten der Rüstungswirtschaft ein-

schränken und bis zum Krieg eine möglichst weitgehende Autarkie erreichen zu können. Trotz der Anreize einer Hochpreispolitik wuchs die Agrarproduktion zwischen 1933 und 1939 nur um 13 Prozent, der Selbstversorgungsgrad stieg lediglich von 80 auf 83 Prozent, und die berühmte »Fettlücke« betrug 43 Prozent.

Der Selbstversorgungsgrad bei Brotgetreide, Fleisch und Kartoffeln lag zwar zum Teil bei über 100 Prozent, doch gelang es der NSDAP mit ihrem Agrarprotektionismus nicht, auf Dauer eine ausreichende Versorgung der Bevölkerung zu gewährleisten. Dabei waren es gerade die Bauern, die der Ideologie des Nationalsozialismus zum weitgehendsten entsprachen und daher auch vorrangig mit Subventionen bedacht wurden. Wenn Walter Darré in einer Schrift vom »Bauerntum als Lebensquell der nordischen Rasse« sprach, so paßte das genau in jene Vorstellungswelt, in der Blut und Boden sowie die irrationale Hinwendung zu einer überschaubaren, unveränderlichen Sozialordnung und zu Volksbräuchen mit rassenideologischen Merkmalen den ersten Platz einnahmen. Doch ein prähistorischer, arischer Bauernstaat und eine beschleunigte Industrialisierung zum Zwecke der Aufrüstung paßten nun einmal nicht zusammen, auch wenn diese Tatsache öffentlich verschwiegen wurde und der Bauernstand zwölf Jahre hindurch in der Propaganda das verhätschelte Lieblingskind blieb.

Zwar hatte die Zahl der Anhänger der NSDAP in ländlichen Gebieten seit 1928 sprunghaft zugenommen, doch blieb der Anteil der Bauern entgegen allen Erwartungen stets hinter ihrem Anteil an der Gesamtbevölkerung zurück. In der einzigen offiziellen Parteistatistik von 1935 sind sie mit 12,6 Prozent angegeben – wären sie entsprechend ihrem Anteil an der Gesamtbevölkerung vertreten gewesen, hätte die Zahl doppelt so hoch sein müssen. Der starke Anhang in den ländlichen Gebieten Schleswig-Holsteins und Pommerns war eher die Ausnahme.

Bereits am 4. April 1933 hatte sich eine »Reichsführergemeinschaft« als Standesvertretung des deutschen Bauerntums gebildet, deren Leitung Darré übernahm. Die Spitzen der organisierten Bauernschaft bekannten sich weitgehend zur NSDAP und standen auch jenen Vorstellungen nicht fern, denen zufolge der Bauer »Träger des nationalsozialistischen Staates« und »Kämpfer für Volkserneuerung und Weiterführung der nationalsozialistischen Revolution« sein sollte. Einen Tag später gelobte die Vollversammlung des »Deutschen Landwirtschaftsrates« der »Regierung der nationalen Erhebung rückhaltlose und geschlossene Gefolgschaft und Unterstützung«.

Am 13. September 1933 wurde der Reichsnährstand geschaffen, dem sämtliche Höfe und Betriebe angehörten, die mit der Verarbeitung und dem Verkauf landwirtschaftlicher Produkte befaßt waren. Reichsbauernführer Darré, in Personalunion Reichsernährungsminister, ging sofort daran, die NSDAP-Vorstellungen von der Erhaltung und Ausdehnung einer breiten bäuerlichen Mittelschicht per Gesetz sicherzustellen. Seit dem 1. Juni 1933 waren landwirtschaftlichen Betrieben ihre Schulden bereits bis zu 50 Prozent erlassen worden, und die restlichen Forderungen konnten mit einem Verzugszins von 4,5 Prozent abgetragen werden. Das »Reichserbhofgesetz« vom September 1933 faßte schließlich alle Elemente der nationalsozialistischen Bauernpolitik zusammen: Das Bauerntum sollte als »Blutquelle des deutschen Volkes« erhalten und die Höfe vor Überschuldung und Zersplitterung bewahrt werden; eine möglichst große Anzahl lebensfähiger kleiner und mittlerer Bauernhöfe schien die »beste Gewähr für die Gesunderhaltung von Volk und Staat«. Im einzelnen bestimmte das Gesetz: »Land- und forstwirtschaftlicher Besitz in der Größe von mindestens einer Ackernahrung [so viel Land, wie für die Ernährung einer Familie nötig ist] und von höchstens 125 Hektar ist Erbhof, wenn er einer

bauernfähigen Person gehört. Der Eigentümer des Erbhofs heißt Bauer. Bauer kann nur sein, wer deutscher Staatsbürger, deutschen oder stammesgleichen Blutes und ehrbar ist. Der Erbhof geht ungeteilt auf den Anerben über ...« Die Rechte der Miterben beschränkten sich auf Berufsausbildung, Heimatzuflucht und Aussteuer – die Folge war eine nichtgewollte Landflucht der nichterbberechtigten Söhne. Das grundsätzliche Verbot der Belastung sicherte zwar den Besitz, verhinderte aber dringend notwendige Strukturreformen und die technische Modernisierung der Höfe. Die Ehrenbezeichnung »Bauer« – sie war dem Erbhofbesitzer vorbehalten, alle anderen, ob Schrebergärtner oder Großgrundbesitzer, waren nur »Landwirte« – nutzte diesem wenig, wenn er zur Finanzierung technischer Neuerungen seinen Besitz nicht mit Hypotheken belasten konnte. Der unmittelbare Vorteil, nämlich die Rettung des überschuldeten Hofes vor Versteigerung und Verkauf, wog den Nachteil der fehlenden Freizügigkeit nicht auf. Später wurden zwar die Erbschaftsbestimmungen gelockert, dafür aber die Kreditbestimmungen wie auch die Kontrolle der Wirtschaftsführung verschärft. Wer als Erbhof-Bauer seinen Pflichten nicht nachkam, dem konnte die »Bauernfähigkeit« aberkannt werden – in solchen Fällen wurde der Hof einem Treuhänder unterstellt.

Auch das »Gesetz über die Neubildung deutschen Bauerntums« vom Juni 1933, das jungen Bauern ohne Erbschaftsanspruch zu einem Hof verhelfen sollte, hatte nicht den gewünschten Erfolg. Insgesamt wurden zwischen 1933 und 1945 nur rund 21 500 Neubauernhöfe mit etwa 350 000 Hektar Land aufgebaut – die Hälfte dessen, was in der Weimarer Republik erreicht worden war. Auch die Schaffung von über 95 000 Kleinsiedler-Parzellen führte nicht zu überzeugenden Beiträgen in der »Erzeugerschlacht«, dafür waren die von ihnen produzierten Mengen zu gering.

Insgesamt verringerte sich zwischen 1933 und 1939 die landwirtschaftlich nutzbare Fläche um über sechs Prozent – Autobahnen, Wehrmacht und Industrie forderten ihren Tribut. Die zusätzlichen Landgewinnungsmaßnahmen des Dritten Reiches führten lediglich 1934 zu besseren Ergebnissen, als sie die Weimarer Republik in ihrem besten Jahr erzielt hatte.

Da half es auch nichts, wenn die Blut-und-Boden-Propaganda ein rosiges Bild vom »Bauern und Schwertadel« malte. Zwar wurden die Preise amtlich festgesetzt, auch ließ man Preiserhöhungen in Grenzen zu, und nicht zuletzt konnten die Bauern sicher davon ausgehen, daß sie ihre Produkte am Markt losschlugen, doch lag der Einkommenszuwachs der Landwirte weit unter dem der Angestellten und Industriearbeiter. Die Neuverschuldung nahm insbesondere bei den kleineren Höfen weiter zu, denn die intensivere Bearbeitung des Bodens erforderte mehr Investitionen bei relativ konstanten Preisen für Agrarprodukte und nur geringfügig gesteigerten Erträgen.

Entgegen aller Propaganda blieb der Großgrundbesitz unangetastet: 55 Prozent aller Höfe verfügten über weniger als je fünf Hektar Land – auf sie entfielen 1939 nur 13 Prozent der gesamten landwirtschaftlich nutzbaren Fläche; auf die 0,6 Prozent aller Höfe hingegen, die über mehr als je 100 Hektar Land verfügten, entfielen 17 Prozent. Die ostelbischen Provinzen blieben von Großgrundbesitzern beherrscht, während sich die kaum lebensfähigen Klein- und Kleinsthöfe im Westen und Süden des Reiches fanden.

Bereits 1934 wechselten die Landarbeiter in so großer Zahl vor allem in die relativ gut bezahlende Bauindustrie über, daß die Einbringung der Ernte ernsthaft gefährdet war. Die umgehend eingeleiteten Programme zur Verbesserung der Wohn- und Arbeitsbedingungen auf dem Lande fruchteten nur wenig; als nicht minder wirkungslos erwies sich die Ermächtigung der Arbeitsämter, abgewanderte Landarbeiter wie-

der »anfordern« zu können. Bis 1938 ging die Zahl der Erwerbstätigen in der Landwirtschaft um 1,4 Millionen zurück – den ideologischen Parolen mußte der Erfolg versagt bleiben, solange in der Stadt bessere Lebensbedingungen und höhere Löhne winkten.

1938 fehlten der Landwirtschaft bereits 250 000 Arbeitskräfte. Ein Rückgang der Produktion war die Folge: Gemüse, Obst und Molkereiprodukte konnten nicht mehr im gewohnten Umfang bereitgestellt werden und fehlten bei der Versorgung der Großstadtbevölkerung. So mußte der Staat seine knappen Devisen für die Einfuhr eben dieser Produkte bereitstellen.

Die »Erzeugerschlacht«, in den Parteizeitungen und im Volksempfänger noch im vollen Gange, war längst verloren; dem Reichsnährstand gingen immer mehr Berichte über unzumutbare Lebens- und Arbeitsbedingungen zu: Bäuerinnen brachen unter der Last der Arbeit zusammen, Viehnotverkäufe mehrten sich, die Arbeitsleistung der Bauern auf den kleinen Höfen war längst nicht mehr zu steigern.

Der folgende Lagebericht der Gestapo vom Februar 1936 zeichnet ein realistisches Bild von der Stimmung unter den Landwirten: Der Bauer ist »derjenige, der vom Nationalsozialismus am wenigsten erfaßt ist. Er hält sich bei Sammlungen am meisten zurück, er besucht am wenigsten Parteiveranstaltungen, die Pressewerbungen haben bei ihm den geringsten Erfolg..., fast völlige Verständnislosigkeit gegenüber der nationalsozialistischen Kardinalforderung ›Gemeinnutz geht vor Eigennutz‹...«

Für den Landwirt hatte sich also kaum etwas zum Besseren verändert, trotz lautstarker Propaganda und eifriger Ehrenbezeigungen, die man ihm erwies. Er mußte mehr und schwerer arbeiten und bekam nicht einmal den gerechten Ausgleich für die größeren Mühen. Die gesicherte Abnahme seiner Produkte konnte den oft schmerzlich empfundenen Verlust an Eigenständigkeit kaum aufwiegen.

42

43

Schon vor der Machtübernahme war Hitler nicht müde geworden zu betonen, daß die Nazis die Arbeitslosigkeit beenden und die Wirtschaft sanieren würden. Angesichts von über sechs Millionen Menschen, die ohne Beschäftigung waren, und der völlig desolaten Lage der deutschen und internationalen Wirtschaft gewannen die Nationalsozialisten mit dem Schlagwort »Arbeit und Brot« bei den Wahlen Millionen von Stimmen. Daß Hitler dieses Versprechen einlösen konnte, ist den unkonventionellen Methoden zu verdanken, mit denen er den wirtschaftlichen Aufschwung initiierte. Dieser Erfolg hat seinen Nimbus in der Bevölkerung ganz wesentlich gestärkt.

Eine wichtige Rolle kam dabei den deutschen Arbeitern und Bauern zu, die man mit allen Mitteln der Propaganda auf die Seite des Regimes zu ziehen versuchte. In pompösen Feierstunden huldigten schließlich auch die Belegschaften vieler Betriebe – wie hier im Großkraftwerk Klingenberg in Berlin (42) – dem Nationalsozialismus. Durch eine ebenso einfache wie ökonomisch fragwürdige Maßnahme wurde die Zahl der Arbeitslosen drastisch verringert: Alle durchgeführten Projekte waren ausschließlich mit menschlicher Arbeitskraft auszuführen, die Beschaffung von Maschinen wurde verboten. So erhielten mit dem Bau der Ruhrtalsper-

re (1934–1937) viele Männer wieder Arbeit (43).
Das spektakulärste Projekt zur Arbeitsbeschaffung war jedoch der Autobahnbau. Hitler ließ es sich nicht nehmen, einzelne Streckenabschnitte selbst einzuweihen (44).
In ihr wirtschaftspolitisches Programm hatten die Nationalsozialisten auch die Kommunalisierung der Großwarenhäuser geschrieben und nach der Machtübernahme zum Boykott aufgerufen (45). Diese Aktion verlief jedoch mit der innenpolitischen Festigung des Regimes im Sand. Gegen das Großkapital wollte Hitler nicht opponieren. Er hatte »größere« Pläne.

44

45

46

Die wirtschaftliche Gesundung der Industrie brachte es mit sich, daß bereits
seit dem Sommer 1934 auf dem Lande
Arbeitskräftemangel herrschte. Dieser
verschärfte sich mit der Hochkonjunktur und den Kriegsvorbereitungen seit
1936 drastisch. 1938 fehlten der Landwirtschaft bereits 250 000 Arbeitskräfte. Vor allem die Jugend war aufgerufen,
diesem Mangel abzuhelfen. Mit dem
»Pflichtjahr«, das seit Dezember 1938
für Mädchen obligatorisch wurde, versuchte man der Landflucht der Landarbeiter zu begegnen. In BdM-Uniformen
helfen hier Mädchen bei der Zwiebel-
ernte (48).
Als die Kriegslage sich mehr und mehr
verschärft, werden auch Verwundete
(46) und vor allem Kriegsgefangene
herangezogen. Zwar war auf dem Land
vom Krieg und den Bombenangriffen
nur wenig zu spüren, doch insgesamt
verschärfte sich mit zunehmender
Kriegsdauer die Situation auf den Höfen. Vom Kriegsdienst freigestellte Bauern wurden eingezogen und ältere Männer in den Volkssturm abkommandiert.
Die Partei bemühte sich, mit allen Mitteln die Moral der Bauern zu
stärken (47).

47

50

51

Während der Jahre von 1939 bis 1945 lief die Rüstungsindustrie auf Hochtouren. Mit modernsten Methoden wurden Geschütze, Panzer, Gewehre und Geschosse gefertigt (49). Als die Luftangriffe auf die deutschen Städte und Industriezentren immer zahlreicher wurden und die Produktion ernsthaft gefährdeten, wurden ganze Werke unter die Erde verlegt: In einem Straßentunnel nahe Garmisch-Partenkirchen werden Rüstungsteile gefertigt (51). Die fehlenden Arbeitskräfte rekrutierten die Verantwortlichen aus polnischen und französischen Kriegsgefangenen oder verschleppten »Ostarbeiterinnen« (50). Im Mai 1943 waren immerhin 6,3 Millionen ausländische Arbeitskräfte im »Reich« beschäftigt. Auch die Arbeitszeit der in der Heimat verbliebenen Deutschen wurde drastisch verlängert. Sechzig Stunden pro Woche waren in der Rüstungsindustrie üblich. Aber erst gegen Ende 1944 wurde konsequent auf das Arbeitskräftereservoir der Frauen zurückgegriffen, die nicht nur in der Rüstungsindustrie (52), sondern auch in der Wehrmacht Dienst taten.

Generation im Gleichschritt

»Meine Pädagogik ist hart. Das Schwache muß weggehämmert werden. In meinen Ordensburgen wird eine Jugend heranwachsen, vor der sich die Welt erschrecken wird. Eine gewalttätige, herrische, unerschrockene, grausame Jugend will ich. Jugend muß das alles sein. Schmerzen muß sie ertragen. Es darf nichts Schwaches und Zärtliches an ihr sein. Das freie, herrliche Raubtier muß erst wieder aus ihren Augen blitzen. Stark und schön will ich meine Jugend ...«

Diese Vision Hitlers, der schon in »Mein Kampf« vom »Heranzüchten kerngesunder Körper« als Ideal der Erziehung gesprochen hatte, sollte wegweisend sein für die Staatsjugend im Dritten Reich, der bei der Machtübernahme ganze 100 000 Jugendliche angehörten – das waren etwa zwei Prozent der organisierten Jugend in der Weimarer Republik.

Kerntruppe der »Hitler-Jugend« (HJ) war die 1925 entstandene »Großdeutsche Jugendbewegung«, die während des Parteitags der NSDAP 1926 in Weimar parteiamtliche Weihen empfing. Auf Vorschlag des fränkischen Gauleiters Julius Streicher nannte sich die Parteijugend »Hitler-Jugend, Bund Deutscher Arbeiterjugend« und wurde organisatorisch der »Obersten SA-Führung« unterstellt.

Zur selben Zeit bildeten sich die ersten Schülergruppen der NSDAP sowie die »Nationalsozialistischen Schwesternschaften«, die schließlich 1930 als »Bund Deutscher Mädel« (BDM) offiziell in den Parteiapparat eingegliedert wurden.

Im Oktober 1931 ernannte Hitler den bisherigen Führer des NS-Studentenbundes zum »Reichsjugendführer der NSDAP«. Baldur von Schirach, im Range eines SA-Gruppenführers, formte die HJ so recht nach dem Geschmack Hitlers als Synthese von Wehrbewegung und Jugendbewegung – letztere hatte gegen Ende der Weimarer Republik erheblichen Anhang gefunden. Neben den üblichen Heimabenden, den gemeinsam unternommenen Fahrten und Jugendlagern stand zu diesem Zeitpunkt die Agitations- und Demonstrationsarbeit für die Partei im Vordergrund. Die HJ hatte von ihrem größten Konkurrenten, der Sozialistischen Arbeiterjugend, ganz konkrete sozialpolitische Vorstellungen übernommen, die mit dem völkisch-nationalen Gedankengut der NS-Führung verschmolzen wurden. Das Motto war die »wehrhafte sozialistische« Jugend, die die nationale Revolution erkämpfen will. Hammer und Schwert, auf rotem Grund gekreuzt, dienten als Wappen.

Von eigentlicher Jugendarbeit konnte in den Jahren des »Kampfes und des Aufbaus« nicht die Rede sein – anders als bei den bürgerlichen und sozialistischen Jugendbünden stand der »Kampf um die Macht im Reich« im Vordergrund. Die totale Abhängigkeit von der Partei sollte ein wesentliches Merkmal der HJ bleiben. Der spätere Reichsjugendführer Axmann: »Die HJ ist groß geworden als Gliederung der Partei – sie hatte stets den gleichen Weg und das gleiche Schicksal«.

Einen Vorgeschmack auf das Auftreten der HJ in der Öffentlichkeit gab der »Reichsjugendtag der NSDAP« 1932 in Potsdam. Baldur von Schirach wollte in Erwartung des bevorstehenden »Sieges« über die Republik von Weimar eine Heerschau seiner Jugend präsentieren, die zu diesem Zeitpunkt etwa 40 000 Mitglieder zählte und einen nicht unbeträchtlichen Kreis von Sympathisanten um sich scharte. In Potsdam strömten am 1. und 2. Oktober erstmals 100 000 Jungen und Mädchen zusammen. Bei Feuerwerk und Großem Zapfenstreich feierte man den Aufbruch in ein glänzendes Jahrtausend, Hitler persönlich nahm den siebenstündigen Vorbeimarsch der Jugendlichen ab – die propagandistische und psychologische Wirkung dieser Gemeinschaftserlebnisse war ungeheuer groß. Das erhabene Gefühl, »dabeigewesen zu sein«, erfaßte auch die bloßen Sympathisanten – spontane Beitrittserklärungen überfluteten die Organisation. Die Partei dankte auf ihre Art und stiftete für alle diejenigen, die bis zum 2. Oktober 1932 in die HJ eingetreten waren, das »Goldene Hitler-Jugend-Abzeichen«, einen in Gold gefaßten Rhombus. In einer Beschreibung der ersten Massendemonstration seiner »Bewegung« schildert von Schirach auf treffende Weise die herrschende Atmosphäre: Der Jugendliche »steht nicht mehr allein. Er wird Teil einer Millionengemeinschaft. Überall, wo die Fahnen der Hitler-Jugend wehen, hat er seine Kameraden, seine Brüder und Schwestern, die in einem Glauben gebunden, in einer Weltanschauung geeint, in einer Organisation zusammengefügt sind. Es ist ein herrliches und wunderbares Erlebnis, dessen deutsche Jugend teilhaftig wird.«

Mit der Machtübernahme war klar, worauf das Unternehmen abzielte, denn von nun an sollten alle jungen Deutschen an diesem »herrlichen Erlebnis« teilhaben dürfen, oder mit Schirachs Worten: »Wie die NSDAP nunmehr die einzige Partei ist, so muß die HJ die einzige Jugendorganisation sein.«

Die im »Reichsausschuß deutscher Jugendverbände« organisierten Weimarer Jugendverbände hatten zum Zeitpunkt der Machtübernahme insgesamt mehr als fünf Millionen Mitglieder. Am 5. April 1933 ließ Schirach die Geschäftsstelle des Reichsausschusses durch einen HJ-Trupp im Handstreich besetzen und sämtliche Akten beschlagnahmen; den Vorsitzenden zwang er zum Rücktritt. Damit war der Generalangriff der HJ auf alle konkurrierenden Jugendverbände eröffnet.

Die jüdischen und sozialistischen Verbände (Sozialistische Arbeiterjugend, Kommunistischer Jugendverband Deutschlands) wurden aus dem Reichsausschuß ausgeschlossen und letztere zusammen mit den sie tragenden Parteien schon bald darauf verboten. Die rechtsstehenden Organisationen Bismarck-Jugend und Hindenburg-Jugend gingen großenteils geschlossen in die HJ über. Die politisch nicht gebundenen unabhängigen Jugendbünde organisierten sich angesichts der drohenden Gleichschaltung im »Großdeutschen Jugendbund« unter Admiral von Trotha und hofften, durch ein Lippenbekenntnis zum neuen Staat um die Auflösung herumzukommen. Doch eine Verfügung Hitlers ernannte von Schirach am 17. Juni 1933 zum »Jugendführer des Deutschen Reiches«, dessen erste Amtshandlung die Auflösung des Großdeutschen Jugendbundes war.

Ernsthafter Widerstand gegen die Gleichschaltungsmaßnahmen ist kaum bekannt geworden – wie sollten sich auch Jugendliche wehren, deren Führer glaubten, das Gebot der Stunde erkannt zu haben und sich, wie General Vogt, der vormalige Leiter des Reichsausschusses, der HJ zur Verfügung stellten und mit dem Goldenen Ehrenzeichen belohnt wurden. Admiral Trotha ließ sich 1936 zum »Ehrenführer der Marine-Hitler-Jugend« befördern – die Auflösung der unabhängigen Jugendverbände war nach dem bewährten Prinzip von Zuckerbrot und Peitsche über die Bühne gegangen. Eine Zeitlang durfte die »Reichsschaft Deutscher Pfadfinder« noch ein Eigendasein fristen, dann wurde sie ebenso aufgelöst und integriert wie die Landjugend (Juli 1935) und die Sportjugend (Juli 1936).

Bereits Ende 1933 kam zwischen dem evangelischen »Reichsbischof« Müller und von Schirach ein Abkommen zustande, das vorsah, die 800 000 Mitglieder der evangelischen Jugend Deutschlands in die HJ einzugliedern. Die evangelische Jugendarbeit blieb auf den rein seelsorgerischen Bereich beschränkt. Siegesgewiß rief von Schirach 1934 im Hamburger Stadtpark unter dem Jubel von 150 000 angetretenen Jugendlichen aus: »Wir erkennen kein Sonderrecht in einem jungen Deutschland an, in dem es nur ein Recht gibt, das Recht des Staates.« Einzig die katholische Jugendbewegung ließ sich nicht gleichschalten; der energische Widerstand ihrer Führung und das spätere Reichskonkordat zwischen dem Vatikan und dem nationalsozialistischen Staat verhinderten die Auflösung ihrer Organisation. Ihre Arbeit wurde dennoch durch vereinzelte, regionale Terrorüberfälle, durch Arbeitsbeschränkungen für ihre Mitglieder und die dauernde propagandistische »Bearbeitung« stark behindert – niemand sollte bei den kommenden großen Aufgaben »im Abseits« stehen.

Im Jahr der Machtübernahme schwillt die Mitgliederzahl der HJ auf 2,3 Millionen an, ein Jahr später sind es bereits über 3,5 Millionen. Für ihre künftige Organisationsform gilt das Hitler-Wort: »Eine große Idee kann nur dann zum Ziele geführt werden, wenn eine festgefügte und straffe, mit konsequenter Härte durchgeführte Organisationsform der Weltanschauung die Gestalt gibt.« Entsprechend hierarchisch und bis hinein in die letzte Jungschar aufs genaueste reglementiert ist der Aufbau der HJ: Das »Deutsche Jungvolk« (DJ) in der HJ umfaßt die 10–14jährigen Jungen, deren Eintritt jahrgangsweise jeweils zum 20. April (»Führers Geburtstag«) zu erfolgen hatte. Die eigentliche »Hitler-Jugend« erfaßt die 14–18jährigen Jungen, die ab dem 18. Lebensjahr in die entsprechenden Gliederungen der Partei eintreten »dürfen«.

Die 10–14jährigen »Jungmädel« entsprechen mit ihrer Organisation dem Jungvolk.

Der »Bund Deutscher Mädel« in der HJ nimmt die 14–18jährigen Mädchen auf; das angegliederte Werk »Glaube und Schönheit« erfaßt die 17–21jährigen Mädchen.

Dieses Aufbauschema war ab Mitte 1933 verbindlich, doch fehlten der HJ die entsprechenden Führungsspitzen, denn die Mehrzahl der Anhänger, die sich während der »Kampfzeit« bei Saal- und Straßenschlachten, beim Plakatkleben und Zettelverteilen ihre Sporen verdient hatte, erwies sich für Führungsaufgaben als ungeeignet. So wurde 1934 zum »Jahr der Schulung und inneren Ausrichtung« erhoben. Die Vereinheitlichungstendenzen innerhalb der Jugend waren weitgehend abgeschlossen, und von Schirach entsprach mit seinen Anforderungen an die künftigen Funktionäre exakt Hitlers alter Vision: »Der Jugendführer braucht, abgesehen von guten historischen, politischen und rassenbiologischen Kenntnissen, ein beachtliches Körpertraining.«

Die Körperertüchtigung wurde zum zentralen Anliegen der HJ- und der BDM-Arbeit. Bei den durchgeführten Schulungskursen sollte ein Drittel der Zeit auf geistige Betätigung, der Rest auf körperliche Ertüchtigung verwendet werden. Ab 1934 wurden Leistungsabzeichen verliehen und Bann-, Gebiets- und Reichssportwettkämpfe ins Leben gerufen. Die einzelnen Unterorganisationen erhielten Dienstbücher, um einen einheitlichen Ausbildungsstand zu gewährleisten. Bis zum August 1934 wurden in 287 Dreiwochen-

Der Weg des „gleichgeschalteten"

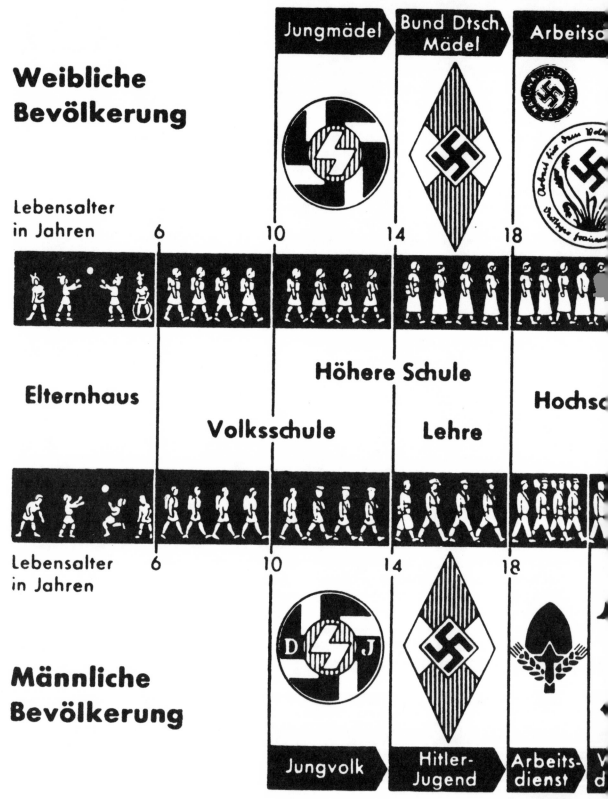

Weibliche Bevölkerung

Jungmädel

Bund Dtsch. Mädel

Arbeitsa

Lebensalter in Jahren   6   10   14   18

Höhere Schule

Elternhaus

Hochsc

Volksschule

Lehre

Lebensalter in Jahren   6   10   14   18

Männliche Bevölkerung

Jungvolk

Hitler-Jugend

Arbeits-dienst

NSDAP

Diese Graphik verdeutlicht die totale Einbindung vor allem der Jugendlichen in die nationalsozialistische Bewegung.

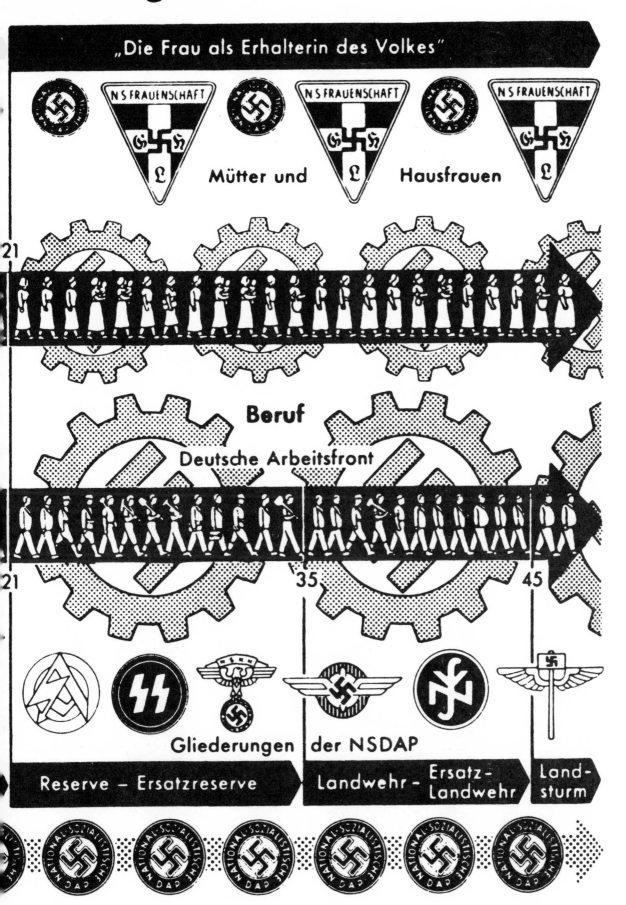

"Die Frau als Erhalterin des Volkes"

Mütter und   Hausfrauen

Beruf

Deutsche Arbeitsfront

Gliederungen der NSDAP

Reserve – Ersatzreserve   Landwehr- Ersatz-Landwehr   Land-sturm

lehrgängen über 12 000 HJ-Führer und knapp 25 000 Jungvolkführer ausgebildet. 15 000 Führer hatten an Sportlehrgängen teilgenommen, für die Ausbildung des Nachwuchses an weiblichen Führern standen drei Gauverbandsschulen und 16 Gauschulen zur Verfügung. Zur Vereinheitlichung der ideologischen Schulung strahlten alle Rundfunksender einmal wöchentlich die sogenannte »Stunde der jungen Generation« aus, eine Sendung, die von der Reichsjugendführung gestaltet wurde. Der »Reichsberufswettkampf« wurde neben dem Sport das wichtigste Betätigungsfeld der HJ. Gemeinsam mit der Reichsregierung und der Arbeitsfront richtete sie für die Jugendlichen aller Berufe und Betriebe berufliche Leistungswettkämpfe aus.

Auch für diese Veranstaltungen mußte die Rassenlehre als ideologische Grundlage herhalten, denn »gerade hier erlebt die Jugend im Nationalsozialismus die Wiedergeburt jener nordisch bestimmten Auffassung, in der Arbeit als Höchstwert gesunden Lebens gilt«. Von Schirach verkündete mit Pathos die neue Marschrichtung: »Das Symbol der Bünde war die Fahrt, das Symbol der HJ ist der Reichsberufswettkampf« – gedacht war das Ganze als eine große Demonstration »für die Ehre der Arbeit und für die deutsche Arbeiterschaft«. Immerhin nahmen schon am ersten Wettkampf 500 000 Jugendliche teil, fünf Jahre später waren es bereits 3,5 Millionen. Nachdem in den ersten Februarartagen die Sieger der örtlichen Wettkämpfe feststanden, ging es im März mit dem Gauwettkampf weiter, und die Gausieger schließlich trafen im April an einem zentralen Ort zusammen – am 1. Mai durfte der Reichssieger Adolf Hitler die Hand schütteln.

Was für die Großen die Bewährung im Beruf, war für die Kleinsten, die »Pimpfe«, die sogenannte »Pimpfenprobe«: In den ersten Monaten seiner vierjährigen Zugehörigkeit zum Jungvolk mußte der Pimpf 60 Meter in 12 Sekunden laufen, 2,75 Meter weit springen und den Schlag-

ball mindestens 25 Meter weit werfen können. Nach Ableistung einer anderthalbtägigen Fahrt, dem Auswendiglernen von Horst-Wessel-Lied und HJ-Fahnenlied waren noch die sogenannten »Schwertworte« zu sprechen: »Jungvolkjungen sind hart, schweigsam, tapfer und treu. Jungvolkjungen sind Kameraden. Der Jungvolkjungen Höchstes ist die Ehre.« Die Aufnahmezeremonie, bei der das Treueversprechen gegeben werden mußte, lag zu diesem Zeitpunkt für den Pimpf schon lange zurück. Sie fand grundsätzlich am Vorabend des 20. April statt, mit Fahnen und Fanfaren: »Ich verspreche, in der Hitler-Jugend allzeit meine Pflicht zu tun in Liebe und Treue zum Führer und unserer Fahne.«

Ausbildungsziel war das DJ-Leistungsabzeichen. Sportliche und wehrpolitische Übungen beherrschten den Stundenplan. In trauter Nachbarschaft zu Sprung-, Lauf- und Wurftraining fanden sich »Tarnen und Anschleichen«, Schießübungen mit dem Luftgewehr, Zeltlager, Kenntnis des parteiamtlichen Lebenslaufs Hitlers, nationale Feiertage und ihre Bedeutung, sechs HJ-Lieder und fünf Fahnensprüche, so zum Beispiel diesen: »Wer auf die Fahne des Führers schwört, hat nichts mehr, was ihm selber gehört.«

Der vierjährige Dienst in HJ und BDM sah im Prinzip eine ähnliche, dem Jahrgangsalter entsprechende Körperertüchtigung und ideologische Schulung vor – die Leistungsabzeichen wurden in Bronze, Silber und Gold verliehen. Was sich gegenüber der bündischen Jugend geändert hatte, war vor allem die einseitige ideologische Ausrichtung – Uniformen und Heimabende, Fahrten, Lageraufenthalte, die Lieder und Riten, das alles hatte es bereits früher gegeben und war auch für die Anhänger der Pfadfinder-Bewegung nichts Neues.

Die Mitgliederzahl der HJ wuchs unaufhörlich. Die lautstarke Propaganda machte nicht Halt vor Schule, Betrieb und Elternhaus – die Lockungen waren groß: Getragen von einer Welle nationaler Begeisterung in den ersten Jahren nach 1933, beseelt von dem Verlangen, in der Gemeinschaft Gleichgesinnter Verantwortung zu tragen, im Drang nach Aktivität, nach Einsatz und Bewährung strömten die Jugendlichen der HJ zu, so daß sie 1936 einen Mitgliederstand von sechs Millionen verzeichnen konnte.

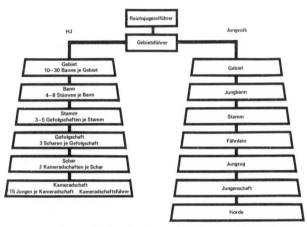

Der organisatorische Aufbau von Jungvolk und Hitler-Jugend (HJ).

Ein Jahr zuvor – von Schirach hatte es zum »Jahr der Ertüchtigung« erkoren – hatten bereits 3,5 Millionen Jugendliche am »Reichssportwettkampf« teilgenommen. 1936 war dann auf von Schirachs Befehl das »Jahr des deutschen Jungvolks« – alle Jungen und Mädchen des Jahrgangs 1926 sollten für die HJ geworben werden. Vier Wochen lang lief die »Erfassung« auf Hochtouren, vor allem die Lehrer in den Schulen wurden zur Werbung herangezogen, auf Elternabenden wurde für die nötige »Stimmung« gesorgt, und wenn das nichts half, bat man die Eltern zum Einzelgespräch. Das Ergebnis war beinahe perfekt: 95 Prozent des Jahrgangs wurden »erfaßt«. Am Abend des 1. Dezember triumphierte von Schirach: »Der Kampf um die Einigung der Jugend ist beendet« – das am selben Tag verabschiedete Gesetz über die Hitler-Jugend legalisierte lediglich im nachhinein, was längst Wirklichkeit war: »Die gesamte deutsche Jugend innerhalb des Reichsgebiets ist in der Hitler-Jugend zusammengefaßt. Die gesamte deutsche Jugend ist außer in Elternhaus und Schule in der Hitler-Jugend körperlich, geistig und sittlich im Geiste des Nationalsozialismus zum Dienst am Volk und zur Volksgemeinschaft zu erziehen.« Der harte und kompromißlose »Einigungsfeldzug« schien in der Tat abgeschlossen, und in einer zweiten Ansprache an die Eltern gab sich von Schirach versöhnlich: »Den Marschallstab der Jugend trägt jeder Pimpf in seinem Tornister... Wer von frühester Jugend an in diesem Deutschland Adolf Hitlers seine Pflicht erfüllt, tüchtig, treu und tapfer ist, braucht um seine Zukunft keine Sorge zu haben.«

Den letzten Akt des Schauspiels bildete die sogenannte »Jugenddienstverordnung« vom 25. März 1939, mit der alle »Jugendlichen vom 10. bis zum vollendeten 18. Lebensjahr« verpflichtet wurden, in der HJ Dienst zu tun. Die Eltern waren gehalten, ihre Kinder bis zum 15. März des Kalenderjahres, in dem sie zehn Jahre alt wurden, zur HJ zu melden – wer »dieser Verordnung vorsätzlich zuwiderhandelt, wird mit Geldstrafe bis zu 150 Reichsmark oder mit Haft bestraft...« Hitlers grauenhafte Vision einer lückenlosen Erfassung der deutschen Jugend war damit Realität geworden: »Diese Jugend, die lernt ja nichts anderes, als deutsch denken, deutsch handeln, und wenn diese Knaben mit zehn Jahren in unsere Organisation hineinkommen und dort oft zum ersten Male überhaupt eine frische Luft bekommen und fühlen, dann kommen sie vier Jahre später vom Jungvolk in die Hitlerjugend, und dort behalten wir sie wieder vier Jahre, und dann geben wir sie erst recht nicht zurück in die Hände unserer alten Klassen- und Standeserzeuger, sondern dann nehmen wir sie sofort in die Partei, in die Arbeitsfront, in die SA oder in die SS, in das NSKK und so weiter... Und was dann... noch an Klassenbewußtsein oder Standesdünkel da oder da noch vorhanden sein sollte, das übernimmt dann die Wehrmacht zur weiteren Behandlung auf zwei Jahre, und wenn sie nach zwei, drei oder vier Jahren zurückkehren, dann nehmen wir sie, damit sie auf keinen Fall rückfällig werden, sofort wieder in die SA, SS und so weiter, und sie werden nicht mehr frei ihr ganzes Leben...«

Und sie wurden nicht mehr frei, denn das Regime bereitete sich fieberhaft auf den Krieg vor und richtete dementsprechend den Nachwuchs für die Wehrmacht ab: zum Beispiel als zukünftige Kraftfahrer und Funker bei Motor-HJ (1938: 102 000 Mitglieder) und Nachrichten-HJ (1938: 30 000 Mitglieder); besonders beliebt war die Marine-HJ, bei der bis 1939 über 60 000 Jungen das Seesportabzeichen erwarben.

Der HJ-Landdienst hatte sich die Aufgabe gestellt, junge Menschen »mit dem bäuerlichen Lebenskreis zu verbinden«; im September 1939 arbeiteten bereits 25 000 Jungen und Mädchen im Landdienst, vornehmlich auf den großen Gütern Ostelbiens.

Daneben organisierte die HJ den Ernteeinsatz bei der alljährlichen »Erzeugerschlacht« – daß auch solche Aktionen im Zusammenhang mit den Kriegsvorbereitungen gesehen werden müssen, wird deutlich, wenn man berücksichtigt, daß allein 1942 über zwei Millionen Jugendliche beim Einbringen der Ernte halfen. 1934 wurde zusätzlich das »Landjahr« eingeführt: Nach der achten Volksschulklasse »durften« Jungen und Mädchen ein neuntes Jahr auf dem Land verbringen; die Mädchen halfen im Haushalt und betreuten die Kinder, die Jungen arbeiteten auf dem Hof und auf den Feldern.

Im BDM, der 1937 2,8 Millionen Mitglieder umfaßte, wurden die Aktivitäten entsprechend der vom Regime propagierten Rolle der Frau aufgeteilt: An Heimabenden saßen die Mädchen – im Idealfall mit blondem Zopf oder Gretchenkranz um die Stirn – beisammen und widmeten sich der Einübung ihrer Rolle als Frau und Mutter, auch wurden handwerkliche Fähigkeiten erlernt; der Besuch von BDM-Hauswirtschaftsschulen, die Ausbildung von »Gesundheitsdienstmädeln« durch besondere BDM-Ärztinnen, die Einweisung in die Sozial- und Fürsorgearbeiten standen bei den weiblichen Jugendlichen an erster Stelle. Zu den wichtigsten »Einsätzen« gehörte bis 1939 die Teilnahme an offiziellen Parteiveranstaltungen und Propagandaaufmärschen, die Durchführung von Sammlungen für das »Winterhilfswerk« und die »Nationalsozialistische Volkswohlfahrt« (NSV) sowie von Kleider-, Altpapier-, Heilkräuter- und sogar Laubsammlungen.

Der Krieg wies allen Formationen der HJ neue Aufgaben zu, die vielfach mit großem Enthusiasmus in Angriff genommen wurden. Getreu dem Wahlspruch eines HJ-Liedes »Wir marschieren für Hitler durch Nacht und Not« wurde der Einsatz in Wirtschaftsbetrieben und Arbeitskommandos verstärkt und Hilfsdienst bei Post, Bahn und Polizei verrichtet; die technische Hilfe konzentrierte sich auf den Melde-, Luftschutz- und Feuerwehrdienst, ferner forderte die Partei vermehrte Kurier- und Wachdienste.

Der HJ-Streifendienst befand sich bereits seit 1934 im Aufbau; ab 1938 wurde er nach einem Abkommen mit dem »Reichsführer SS«, Heinrich Himmler, weiter perfektioniert und diente von nun an verstärkt als Nachwuchsorganisation für »SS-Verfügungstruppen, Totenkopfverbände und Junkerschulen«. Doch noch war der Krieg weit, noch kamen die Lieder »Gott ist der Kampf und der Kampf unser Blut, und darum sind wir geboren« unbefangen von den Lippen, noch durften die Mädchen im BDM-Werk »Glaube und Schönheit« bäuerlicher Berufsertüchtigung, der Pflege von Musik, Werkarbeit, Gymnastik und Gesundheitspflege nachgehen: alles für den späteren aufopfernden Dienst an der Volksgemeinschaft – die Bewährungsprobe, die das Regime ihnen allen zugedacht hatte, stand noch bevor.

88

55

»Stark und schön will ich meine Jugend . . .« Diese Vision Hitlers, der
schon in seinem Buch »Mein Kampf«
vom »Heranzüchten kerngesunder Körper« als Ideal der Erziehung ge-
schwärmt hatte, war wegweisend für die
Staatsjugend des Dritten Reiches (53).
Das Führerprinzip, nach dem Staat,
Partei und Gesellschaft geordnet waren,
sollte auch und gerade für die Jugend
gelten (54). So lautete die Verpflich-
tungsformel, die jeder Pimpf bei der
Aufnahme in das »Jungvolk« am Vorabend des 20. April, des Geburtstages
des »Führers«, zu sprechen hatte: »Ich
verspreche, in der Hitler-Jugend allzeit
meine Pflicht zu tun in Liebe und Treue
zum Führer und unserer Fahne.«

56

Hitlers Absicht einer lückenlosen Erfassung der deutschen Jugend machte auch vor der Schule nicht Halt. Das Hauptaugenmerk galt dabei den Lehrern, die schon beim morgendlichen Fahnenappell (55) ihre Schüler auf das System einzuschwören hatten. Ab 1937 wurde das dreigeteilte Schulsystem der Weimarer Republik vereinheitlicht und Konfessionsschulen abgeschafft. Dafür unterrichtete man die Mädchen in der Kunst, einen Speisenplan vitamin- und kaloriengerecht zusammenstellen zu können (56).

Da die Körperertüchtigung ein zentrales Erziehungsziel der Nationalsozialisten war, wurde schon früh damit begonnen. Selbst die Kleinsten wurden in die »Bewegung« eingereiht und mußten, wie hier zur 75-Jahr-Feier der Deutschen Turnerschaft in Coburg (57), beim Abspielen des Horst Wessel-Lieds mit Hitler-Gruß dem Regime ihre Referenz erweisen. Dort, wo keine modernen Turngeräte zur Verfügung standen, improvisierte man die Mutproben (58).

59

Und ihr habt doch gesiegt!

Fritz Kröber · Werner Gerhardt
Hans Queitsch · Erich Niesahr
Rudolf Schröter · Josef Grün
Paul Thewellis · Erika Jordan
Gerhard Liebsch · Walter Wagnitz
Hans Hoffm... ...mann
Hans Mall... ...ter
Gerhard Witt... ...maier
Herbert No... ...ß
Georg Prei... ...chmeltzer
Herbert Hou... ...omas

TREUE

60

Bist du ein deutscher
Junge?
Darin Hinein ins
Jung-Volk!

D.J.
Kommt zu uns ins
Jungvolk

Hinein
ins
Jungvolk

61

Der Eintritt in die Hitler-Jugend erfolg-
e im Alter von zehn Jahren. Das »Deut-
che Jungvolk« in der HJ umfaßte die
0- bis 14jährigen, die sogenannten
»Pimpfe«. Schon im Jahr der Machtübernahme sind mehr als 2,3 Millionen
ugendliche in der Hitler-Jugend orga-
isiert. Intensive Werbemaßnahmen
60) lassen diese Zahl bereits 1934 auf
3,5 Millionen wachsen.
Was für die Großen die Bewährung im
Beruf war, ist für die »Pimpfe« die
ogenannte »Pimpfenprobe«. In den er-
ten Monaten seiner vierjährigen Zuge-

hörigkeit zum Jungvolk muß der Pimpf
60 Meter in 12 Sekunden laufen, 2,75
Meter weit springen und den Schlagball
mindestens 25 Meter weit werfen kön-
nen. Die Aufnahmeprüfung des
Pimpfs bestand unter anderem im
Aufsagen nationalsozialistischer
Grundbegriffe, der »Schwertworte«
(»Jungvolkjungen sind hart, tapfer und
treu . . .«), im Rezitieren aller Verse des
Horst Wessel-Lieds, im Kartenlesen
und der Teilnahme an Geländeübungen
und in der Beteiligung an diversen
Sammlungen. Später gehörten dann Eh-

renwachendienste am 9. November (59)
und Kleinkaliberschießübungen (61)
zum »Dienstalltag« der Pimpfe. Mit
Geländemärschen, der Verlegung von
Fernsprechleitungen und dem Umgang
mit Luftgewehren wurde die paramilitärische Ausbildung des Jungvolkes ver-
vollständigt.
Dem »Führer« Adolf Hitler wurde in
einem der fünf Fahnensprüche die gesamte Persönlichkeit übereignet (62):
»Wer auf die Fahne des Führers
schwört, hat nichts mehr, was ihm selber
gehört.«

63

64

Dem vierjährigen Dienst im Jungvolk schloß sich ein ebenso langer in der Hitler-Jugend an. Auch hier wurde vor allem Wert auf Körperertüchtigung und ideologische Schulung gelegt. Seit 1935 konnte man sich nur sehr schwer der Erfassung durch die Hitler-Jugend entziehen. Kritische Eltern, die ihre Zustimmung zum Beitritt ihres Kindes verweigerten, wurden in Einzelgesprächen »überzeugt«. Das Ergebnis: Bald waren 95 Prozent eines Jahrgangs »erfaßt«. Körperlich, geistig und sittlich sollten nach den Vorstellungen des »Reichsjugendführers« Baldur von Schirach die jungen Leute im Sinne des Nationalsozialismus zum Dienst an der »Volksgemeinschaft« erzogen werden.

Dies geschah dann auch: ob in Zeltlagern auf dem Tempelhofer Feld im Juni 1934 (63), bei Geländemärschen in ein Ferienlager (65) oder beim »römischen Wagenrennen« in einem Gemeinschaftslager in Erkner bei Berlin (64).

66

67

Diese Jugend lernte in der Tat nichts anderes »als deutsch denken, deutsch handeln«. Besonders geeignete Schüler, die Mitglied der Hitler-Jugend waren, einen guten Gesundheitszustand und ihre rein »arische« Abstammung nachweisen konnten, wurden in die Adolf-Hitler-Schulen aufgenommen. Im Vordergrund stand die Körperertüchtigung, nicht die geistige Beweglichkeit. Die Jungen sollten »zäh wie Leder, hart wie Kruppstahl und schnell wie Windhunde« sein. Daneben gab es bereits seit März 1933 die Nationalpolitischen Erziehungsanstalten (Napola), deren Vorbild die alten preußischen Kadettenschulen waren. Seit 1936 wurden diese Schulen (zuerst 3; 1938 bereits 21) von der SS geführt. Ihre Absolventen schlugen meist militärische Laufbahnen ein, was angesichts von »Sauberkeit und Ordnung«, die dieser Erzieher beim »Schrankappell« vorfindet (69), kein Wunder ist. Daneben gehörten paramilitärische Übungen zum Alltag der Napolas (66) und Wehrertüchtigungslager, die während des Krieges eingerichtet wurden und in denen man nicht nur marschierte (67), sondern auch im Schießunterricht (68) und anderen militärischen Übungen unterwiesen wurde.

71

72

Die lückenlose Erfassung der Jugend
hörte mit dem Ausscheiden aus der
Hitler-Jugend keineswegs auf. Die näch-
ste Etappe war der Reichsarbeitsdienst
(RAD) oder das Ableisten der Wehr-
pflicht. Der Reichsarbeitsdienst war ur-
sprünglich dazu eingerichtet worden,
Arbeitsplätze zu schaffen. Nachdem die
Wirtschaft sich wieder erholt hatte und
Hochkonjunktur herrschte, stopften die
Dienstverpflichteten die entstehenden
Engpässe auf dem Arbeitsmarkt. Mit
einem Minimum an Kosten erzielte das
Regime ein Maximum an propagandisti-
scher Wirkung. Sichtbares Zeichen des
RAD war der Spaten, mit dem auch
beim Hissen der Flagge (70) und auf
Wache (72) salutiert wurde. Zu allen
Arbeiten wurden die Arbeitsdienstlei-
stenden herangezogen, auch zur Auffor-
stung einer Wanderdüne bei Os-
secken (71).
Nicht nur die gleichgeschalteten
Jugendbünde standen bedingungslos –
von einigen wenigen Ausnahmen abgesehen – hinter Hitler und seiner »Bewegung«, auch die Studenten machten mit.
In strammer Haltung stehen Mitglieder
des Berliner NS-Studentenbundes im
Saalbau Friedrichshain bei einem Eröff-
nungsappell (73).

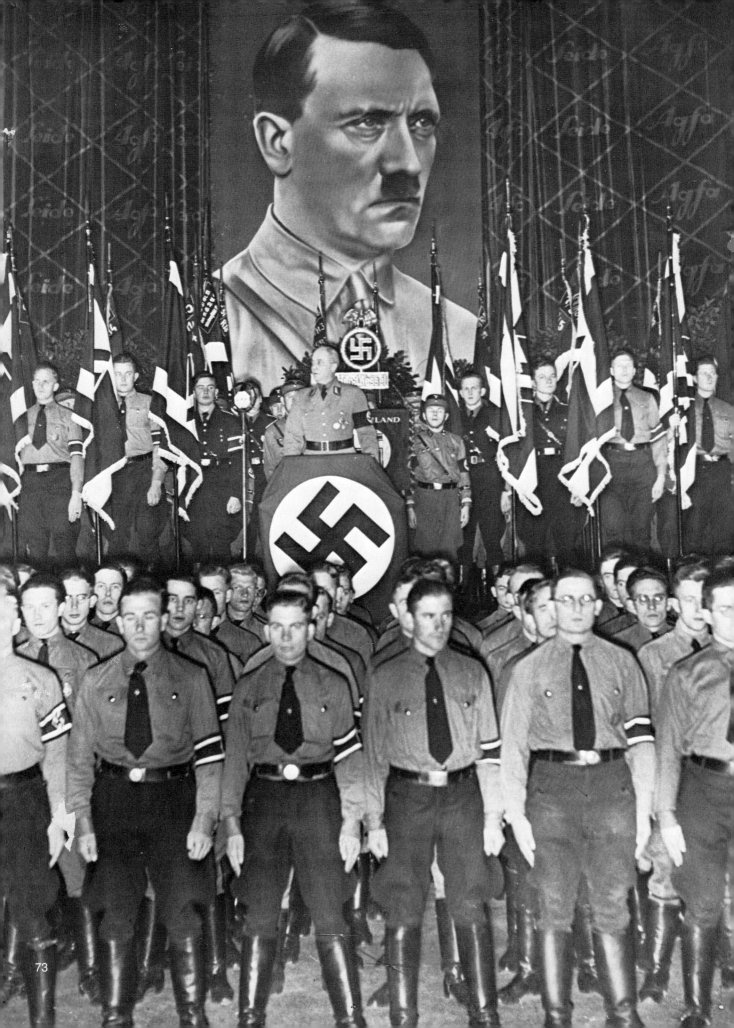

Frauenehre, Frauenwürde, Mutterglück

»Zweiundfünfzig Jahre alter, rein arischer Arzt, Teilnehmer an der Schlacht bei Tannenberg, der auf dem Lande zu siedeln beabsichtigt, wünscht sich männlichen Nachwuchs durch eine standesamtliche Heirat mit einer gesunden Arierin, jungfräulich, jung, bescheiden, sparsame Hausfrau, gewöhnt an schwere Arbeit, breithüftig, flache Absätze, keine Ohrringe, möglichst ohne Eigentum.«

Diese Zeitungsanzeige aus den »Münchner Neueste Nachrichten« vermittelt besser als jede theoretische Erörterung nationalsozialistischer Familienpolitik, welches Bild überzeugte Nationalsozialisten von der Frau hatten. Obwohl sich Hitler (in »Mein Kampf«) und seine Epigonen lange vor der Machtübernahme zu allen möglichen Bereichen des Lebens geäußert hatten, sind ihre Anmerkungen zur Rolle der Frauen unspezifisch und wenig konkret geblieben.

Die »deutsche Erhebung« vom Januar 1933 war in jeder Hinsicht ein männliches Ereignis. Bereits im Januar 1921 hatte man Frauen von der Mitgliedschaft im Parteivorstand der NSDAP ausgeschlossen. Diese Frauenfeindlichkeit, die vielfach sogar als »sekundär rassistisch« bezeichnet wird, fand später ihren Niederschlag in zahlreichen Erlassen. So standen zum Beispiel nur maximal zehn Prozent der Studienplätze für Studentinnen zur Verfügung.

Um so erstaunlicher war die lautstarke Verherrlichung der Mutterschaft. Nicht die »tugendsame alte Jungfer«, sondern »Weiber, die wieder Kinder zur Welt zu bringen vermögen«, galten etwas. Auch Hitler stufte den Wert der Frau allein nach ihrer Gebärleistung ein: »Was der Mann einsetzt an Heldenmut auf dem Schlachtfeld, setzt die Frau ein in ewig geduldiger Hingabe, in ewig geduldigem Leid und Ertragen. Jedes Kind, das sie zur Welt bringt, ist eine Schlacht, die sie besteht für das Sein oder Nichtsein ihres Volkes.«

Folgerichtig war auch die Mädchenerziehung in ihrer Zielsetzung nicht darauf ausgerichtet, selbständig denken, handeln und sich ernähren zu können, sondern sich auf die Rolle als »kommende Mutter« vorzubereiten. Die Ehe wurde nicht als Selbstzweck betrachtet, man pries sie vielmehr als Mittel zur »Vermehrung und Erhaltung der Art und Rasse«. Nicht zu heiraten oder gar kinderlos zu bleiben galt daher als besonders verwerflich, und die betreffenden Frauen wurden beschuldigt, dem Volk möglicherweise gesunde Kinder vorzuenthalten. Abtreibungen wurden erschwert und gerichtlich verfolgt und alle Kliniken für Geburtenkontrolle geschlossen.

Nicht in der Verhinderung von Geburten, die als »Sabotageakte gegen Deutschlands rassische Zukunft« gewertet wurde, sondern in der Förde-

105

rung »erbtüchtigen« Nachwuchses sahen die Nationalsozialisten die von der Natur vorgezeichnete Rolle der Frau. Sie sollte nicht im Beruf ihren »Mann« stehen, sondern sich als Mutter und sorgende Hausfrau bewähren. »Heim in Küche und Kammer« hieß eine der vielen Devisen. Goebbels hatte in seinem frühen Roman »Michael« die nationalsozialistischen Thesen mittels eines ornitologischen Vergleichs zu belegen versucht: »Die Frau hat die Aufgabe, schön zu sein und Kinder zur Welt zu bringen. Das ist gar nicht so roh und unmodern, wie sich das anhört. Die Vogelfrau putzt sich für den Mann und brütet für ihn die Eier aus. Dafür sorgt der Mann für die Nahrung.«

In Ansätzen war die antifeministische Ideologie der Nationalsozialisten schon vor 1933 öffentliches Gut geworden. Im Parteiorgan »Völkischer Beobachter« wurde immer wieder betont, daß Frauen aus allen Bereichen der Öffentlichkeit zu verdrängen seien und daß ihnen neben Haus und Herd allenfalls die Berufe der Lehrerin, Krankenschwester und Landwirtschaftsgehilfin offenstehen sollten.

Schon kurz nach der Machtübernahme verfuhren die Nazis getreu ihren Leitsätzen. Mit einem großangelegten Programm förderten sie Eheschließungen. Jungverheiratete konnten seit Juni 1933 ein Darlehen zwischen 600 und 1000 Reichsmark erhalten. Das war viel Geld, wenn man bedenkt, daß der Durchschnittslohn eines Arbeiters bei unter 100 Reichsmark im Monat lag. In den Genuß der großzügigen Darlehen kamen allerdings zunächst nur Frauen, die mit der Heirat ihren Beruf aufgaben. Der arbeitsmarktpolitische Wert dieser Maßnahme, die Frauenarbeit zu reduzieren und die frei gewordenen Stellen mit Männern zu besetzen, blieb umstritten. In vielen Bereichen der Industrie und vor allem der Landwirtschaft konnte auf Frauenarbeit nicht verzichtet werden. Daher wurden die Darlehen bald an alle Jungverheirateten gezahlt. Bevor jedoch die Behörden Ehestandsdarlehen

bewilligten, mußten sich die Hochzeitspaare einer umfangreichen Prüfung ihrer politischen, wirtschaftlichen und eugenischen Eignung unterziehen. Bis 1938 wurden rund eine Million Ehestandsdarlehen gewährt. Wegen der starken Nachfrage mußte von diesem Zeitpunkt an das Darlehen auf 500 Reichsmark gekürzt werden. Ferner gab es ab Februar 1938 eine Regelung, nach der Ehepaare, die länger als fünf Jahre verheiratet waren und deren Ehe kinderlos geblieben war, zur Zahlung von »Strafsteuersätzen« verpflichtet wurden.

Die Nazis förderten Eheschließungen mit hohen Darlehen und vergaben an Frauen mit mehr als vier Kindern Vergünstigungen und Ehrenzeichen.

Beamte sollten mit gutem Beispiel vorangehen. Man versuchte sie durch Besoldungserhöhungen zur Heirat zu animieren. Die Folge war ein Babyboom, der noch bis in die Kriegszeit anhielt. Ein Hilfswerk für Schwangere wurde eingerichtet, Großfamilien mit vier und mehr Kindern erhielten Zuschüsse aus der Staatskasse. Daneben wurde das auch damals übliche Kindergeld weitergezahlt.

Schon bald jedoch mußte das Regime intern seine nach außen hin mit viel propagandistischem Aufwand betriebene Familienpolitik stillschweigend revidieren. Wirtschaft, Handel und Landwirtschaft konnten auf die Frau als billige und

Berlin, 24. Dezember.

»Die deutsche kinderreiche Mutter soll den gleichen Ehrenplatz in der deutschen Volksgemeinschaft erhalten wie der Frontsoldat, denn ihr Einsatz von Leib und Leben für Volk und Vaterland war der gleiche wie der des Frontsoldaten im Donner der Schlachten.« Mit diesen Worten hat der Hauptdienstleiter für Volksgesundheit in der Reichsleitung der Partei, Reichsärzteführer Dr. Wagner, bereits auf dem Parteitag der Arbeit im Auftrage des Führers die Schaffung eines Ehrenzeichens für die kinderreiche deutsche Mutter angekündigt.

3 Millionen deutscher Mütter werden nunmehr am Tage der deutschen Mutter 1939 erstmalig in feierlicher Weise die neuen Ehrenzeichen durch die Hoheitsträger der Partei verliehen bekommen. Jahr für Jahr werden diese Feiern sich dann am Muttertag, am Ordenstag der kinderreichen Mütter, wiederholen.

Die Jugend vor allem, sie soll zur Ehrfurcht vor den Müttern des Volkes angehalten werden. So wird sich die Ehrung der kinderreichen deutschen Mutter nicht nur auf den Muttertag und auf die Ordensverleihung beschränken. Auch im öffentlichen Leben wird die kinderreiche Mutter in Zukunft den Platz einnehmen, der ihr zukommt.

Durch die Grußpflicht sämtlicher Mitglieder der Jugendformationen der Partei wird der Jungnationalsozialist ihr die Achtung erweisen. Darüber hinaus aber werden die Trägerinnen des Mütter-Ehrenkreuzes in Zukunft alle jene Bevorzugungen genießen, die uns gegenüber den verdienten Volksgenossen, gegenüber Kriegsbeschädigten und Opfern der nationalsozialistischen Erhebung bereits Selbstverständlichkeit geworden sind, als da sind Ehrenplätze bei Veranstaltungen der Partei und des Staates, Vortrittsrecht an Behördenschaltern, Verpflichtung der Schaffner zu bevorzugter Platzanweisung in Eisen- und Straßenbahn. Dazu kommt eine Altersversorgung, bevorzugte Aufnahme in Altersheimen für alleinstehende Altmütter, eventuell in eigens in Großstädten zu errichtenden Altersheimen oder in besonderen Abteilungen der schon bestehenden Heime.

Doch nicht Dank allein bedeutet diese Ehrung der kinderreichen Mutter, insbesondere der deutschen Altmutter, durch den Führer, sie drückt auch zugleich das Vertrauen aus, das der Führer und damit das deutsche Volk allen deutschen Müttern entgegenbringt, daß sie uns auch weiterhin den Weg unseres Volkes bereiten helfen, daß sie uns die Jugend schenken, die nach schwerer Zeit dereinst den Aufstieg unseres Volkes beendet.«

Dieser Artikel erschien in der Weihnachtsausgabe 1938 des »Völkischen Beobachters«.

fleißige Arbeitskraft nicht verzichten. Zwar sank in den ersten Jahren nach der Machtübernahme der prozentuale Anteil der Frauen an der Gesamtzahl der Erwerbstätigen noch von 29,3 auf 24,7 Prozent, doch die absolute Zahl der erwerbstätigen Frauen stieg. Vor allem in der Textil-, Bekleidungs- und papierverarbeitenden Industrie, wo über die Hälfte der Arbeitsplätze von Frauen besetzt war, aber auch in der feinmechanischen und der optischen Industrie ließen sich längst nicht alle Stellen beliebig auch mit Männern besetzen. Tests bewiesen, daß Frauen in vielen Bereichen wesentlich höhere Leistungen erbrachten als Männer.

Es kann also keine Rede davon sein, daß das Arbeitsbeschaffungsprogramm von 1933 die Frauen vom Arbeitsmarkt verdrängte. Mit einer Ausnahme: Beamtinnen wurden durch ein Gesetz in ihren Rechten und Berufschancen radikal beschnitten. Die Grundlage für ein derartiges Vorgehen war schon 1932 geschaffen worden, doch nach der Machtübernahme gingen die Nazis so rigoros zu Werke, daß Innenminister Wilhelm Frick mehrfach eingreifen mußte. Trotzdem wurden seit dem 27. April 1934 alle Beamtinnen entlassen, die von ihren Familien unterhalten werden konnten. Für die gehobene Beamtenlaufbahn waren nur Männer zugelassen.

So wurden im Unterrichts- und Erziehungswesen alle Frauen aus den leitenden Positionen verdrängt. Die Bestrebungen gingen dahin, möglichst keine Lehrerinnen im höheren Schuldienst zu belassen, nicht einmal für den Unterricht an Mädchenschulen. Nur als Volksschullehrerinnen duldete man Frauen, weil Hitler weibliche Lehrkräfte im Elementarunterricht für besonders geeignet hielt, nur dürfe man sie »nicht durch eine übertriebene Ausbildung, also gleichsam übertriebene Gehirnmassage, blödsinnig machen«.

Im medizinischen Bereich bekamen Ärztinnen Schwierigkeiten. Gegen Juristinnen wurde erst 1936 vorgegangen, dann allerdings um so härter. Hitler persönlich verfügte, daß Frauen weder Richter noch Anwälte sein sollten. Um den Nachwuchs an Akademikerinnen zu drosseln, wurde schon 1933 in allen Fachrichtungen ein Numerus clausus für Studentinnen eingeführt. Von den 10 000 Abiturientinnen des Jahres 1934 wurde nur 1500 die Studienberechtigung zuerkannt.

Spätestens seit der Verkündung des Vierjahresplans im Herbst 1936 jedoch wurde offen zugegeben, daß eine Beschränkung der arbeitenden Frauen auf »arteigene Berufe« nicht möglich sei. Die forcierten Rüstungsanstrengungen und die damit verbundene Hochkonjunktur und Vollbeschäftigung machten schon bald deutlich, daß gesetzliche Maßnahmen zur umfassenden Mobilisierung und Kanalisierung der Arbeitskräfte erforderlich würden. Zu diesem Zeitpunkt bildeten die nichterwerbstätigen Frauen die einzige noch nicht erfaßte Arbeitsreserve. Darum wurde die Koppelung des Ehestandsdarlehens an ein Beschäftigungsverbot ab Oktober 1937 aufgehoben.

Um wenigstens für die Arbeit auf dem Lande und in kinderreichen Familien den Mangel an Hilfskräften einigermaßen zu beseitigen, erließ Hermann Göring im Februar 1938 eine Anordnung über das »Pflichtjahr«, das ab dem 23. Dezember desselben Jahres obligatorisch wurde. Weite Bevölkerungskreise empfanden es jedoch als ungerecht, daß nur »arbeitspflichtige« Mädchen, nicht aber die Töchter »besserer« Familien »dienstverpflichtet« wurden. Für Mütter mit vielen Kindern und für überlastete Bäuerinnen bedeutete diese Maßnahme allerdings eine echte Hilfe. Schon 1938 leisteten rund 80 000 Mädchen ihr Pflichtjahr, ein Jahr darauf waren es bereits mehr als 210 000.

Mit dem Ausbruch des Krieges verschärfte sich die Arbeitsmarktsituation drastisch. Eigenartigerweise konnte sich das Regime trotzdem nicht entschließen, die vorhandenen Instrumente der totalen Diktatur einzusetzen. Das Millionenheer von jungen Mädchen und Frauen, die nie gearbeitet hatten, blieb auch weiterhin unangetastet. Die überwiegende Mehrheit der in der Kriegswirtschaft tätigen Frauen gehörte zum Kreis der »Arbeitsbuchpflichtigen«. Sie waren auf den Verdienst aus eigener Arbeit angewiesen. Da nun auch noch als Norm die 60-Stunden-Woche eingeführt wurde – zur Arbeitszeit hinzu kamen die oft sehr langen Anfahrtswege und die Betreuung der Familie –, nahm die Arbeitsmoral in den Kriegsjahren sogar ab. Krankmeldungen und unentschuldigtes Fehlen an Samstagen und Montagen waren vor allem in den Rüstungsbetrieben sehr verbreitet. Die Gestapo versuchte dieser Entwicklung durch Bestrafungen entgegenzuwirken. Frauen blieben jedoch in der Regel straffrei.

In keiner Phase des Krieges, noch nicht einmal nach Verkündung des »totalen Krieges«, griff das Regime konsequent auf das Arbeitskräftereservoir der Frauen zurück. Die Haltung der Nazis wie auch der Wirtschaft blieb ambivalent. Noch 1943 und 1944 schmiedeten Himmler und Bormann Pläne zur Vermehrung des deutschen Volkes: »Volksnotehen« sollten jeden kampferprobten und erbgesunden Mann berechtigen, zwei oder mehr Frauen zu heiraten und mit ihnen Kinder zu zeugen.

Sie ist hochgewachsen, hochbeinig, schlank, mit einer durchschnittlichen Körperhöhe des Mannes von etwa 1,74 Meter. Kräftig-schlank erscheinen die Gliedmaßen, der Hals, die Umrisse der Hände und Füße. Die nordische Rasse ist langköpfigschmalgesichtig mit einem Längen-Breiten-Index des Kopfes um 75, einem Gesichtsindex über 90. Wie bei allen Rassen, wenigstens den mittel- und langköpfigen, scheint der weibliche Kopf gegenüber dem männlichen zu einem höheren Längen-Breiten-Index und niedrigeren Gesichtsindex zu neigen. Für den nordischen Kopf ist kennzeichnend das weit über den Nacken ausladende Hinterhaupt. Der ausladende Teil des Hinterhauptes ist aber verhältnismäßig niedrig gebaut, so daß man bei nordischen Menschen noch ein höheres Stück des Halses über dem Rockkragen sieht, über welchem dann das Hinterhaupt nach hinten ausschwingt. Das Gesicht ist schmal mit ziemlich schmaler Stirn, schmaler hochgebauter Nase und schmalem Unterkiefer mit betontem Kinn.

Der Gesichtsschnitt der nordischen Rasse wirkt – wenigstens beim Manne – eigentümlich kühn durch ein dreimaliges Anspringen der Linie des Gesichtsschnitts: erst in der flächig zurückgeneigten Stirn, dann in der aus hoher Nasenwurzel entspringenden geraden oder nach außen gebogenen Nase, endlich in dem betonten Kinn. Die Weichteile unterstützen den Ausdruck eines klar gezeichneten Gesichts. Beim weiblichen Geschlecht ist die Stirn meist mehr zurückgewölbt als zurückgeneigt, die Nase minder scharf gezeichnet, das Kinn minder betont.

Die Haut der nordischen Rasse ist rosig-hell und läßt das Blut durchschimmern, so daß sie besonders belebt, dabei meist etwas kühl oder frisch aussieht. Die Gesichtshaut wirkt wenigstens in der Jugend und beim weiblichen Geschlecht öfters noch bis in mittleres Alter »wie Milch und Blut«.

Die Haare fallen schlicht-glatt oder wellig, im Kindesalter auch lockig; das einzelne Haar ist weich und dünn. Die Haarfarbe ist ein Blond, das bei meist vorhandenem rötlichem Unterton vom Lichtblonden über das Goldblond bis ins Dunkelblonde reichen kann. Nordische Kinder sind oft weißblond. Menschen, die in der Jugend hellblond sind, werden später oft dunkelblond, öfters auch dunkelhaarig: eine Erscheinung, die man Nachdunkeln nennt und auch bei sonst unnordischen Menschen als Anzeichen eines nordischen (oder auch fälischen oder ostbaltischen) Einschlags auffaßt.

Will ein Zeichner, Maler oder Bildhauer den kühnen, zielbewußten, entschlossenen oder den edlen, vornehmen oder heldischen Menschen, Mann oder Weib, darstellen, so wird er zumeist ein Menschenbild schaffen, das dem Bilde der nordischen Rasse mehr oder weniger nahekommt. Auch einem Menschen, der als bezeichnender Vertreter der oberen Stände angesehen werden soll, werden z. B. die Zeichner der Witzblätter viel eher Züge der nordischen Rasse verleihen als Züge der nicht-nordischen Rassen Europas. Tatsächlich möchte man vordenkliche Willenskraft, bestimmtes Urteilsvermögen bei kühl abwägendem Wirklichkeitssinn, Drang zur Wahrhaftigkeit von Mensch zu Menschen, eine Neigung zu ritterlicher Gerechtigkeit als die bei nordischen Menschen immer wieder auffallenden seelischen Züge bezeichnen. Solche Züge können sich bei einzelnen innerhalb der nordischen Rasse steigern bis zu ausgesprochen heldischer Gesinnung, bis zu weitblickendem Führertum im Staate oder Schöpfertum in Technik, Wissenschaft und Kunst. Die verhältnismäßig große Anzahl vorwiegend nordischer und nordischer Menschen unter den bedeutenden und überragenden Männern und Frauen aller abendländischen Völker ist aufgefallen, ebenso wie die verhältnismäßig sehr geringe Anzahl bedeutender Männer und Frauen ohne merklichen nordischen Einschlag.

Dieser Text stammt aus Hans F. K. Günthers Buch »Kleine Rassenkunde des deutschen Volkes«, München 1933. Günther hatte seit 1930 (!) einen Lehrstuhl für »Rassenforschung« an der Universität Jena inne.

Die Generalmobilisierung der Frauen fand aber nicht statt. Industrie und Regime setzten mehr auf den Einsatz von Kriegsgefangenen, Deportierten und KZ-Insassen. Deren Arbeitskraft wurde rücksichtslos ausgebeutet – meist auf Kosten ihrer Gesundheit und ihres Lebens.

Die Familie war und blieb den Nationalsozialisten bis zum bitteren Ende ein heiliges Gut, die Keimzelle des Volkes. Die Frau sollte »Wächter der Familie, Mutter ihrer Kinder und gehorsame Helferin ihres Mannes« sein. Magda Goebbels, blond und großgewachsen, Mutter zahlreicher Kinder, wurde als die ideale arische Frau gepriesen.

Einfachheit galt als ein wichtiges Prinzip arischer Schönheit. Die Nationalsozialisten verdammten Lippenstift, Puder und anderes Make-up. Schon im August 1933 ordnete die Kreisleitung der NSDAP in Breslau an, daß geschminkte Frauen Parteiveranstaltungen nicht mehr besuchen dürften.

Dieser Puritanismus ging so weit, daß die Nationalsozialistische Betriebszellenorganisation ins Auge faßte, alle Frauen auszuschließen, die in der Öffentlichkeit, in Gasthäusern, Cafés und auf der Straße rauchten. Moderne Tänze galten als schädlich, weil ihr Rhythmus als offene Aufforderung zur sexuellen Promiskuität empfunden wurde. Das Tragen von Männerhosen war verpönt.

Besonders gefielen sich die Nationalsozialisten in ihrer Rolle als Sittenwächter, wenn es um die Institution der Ehe ging. Die Einehe, so hieß es, erhebe den männlichen Eros aus den Niederungen des rein Animalisch-Triebhaften zu den Höhen einer sittlichen Beglückung. Zugleich befreie sie das Weib aus der »unsittlichen und unwürdigen Stellung als Lustobjekt des Mannes, dem sie damit als gleichberechtigter Ehepartner an die Seite gestellt« wird. »Frauenehre, Frauenwürde und Mutterglück«, so fährt Hermann Paull in seinem damals weit verbreiteten Buch »Ehe, Moral und Besitz« fort, »verdanken dieser

Fesselung des männlichen Eros durch die Einehe ihr Dasein«. Während also die Einehe eine Herausbildung erkennbarer biologischer Erbstämme der menschlichen Vernunft, eine Zusammenführung hochwertiger Erbstämme zur Menschenerzeugung sowie eine Ausmerzung minderwertiger Erbstämme überhaupt erst ermöglicht, ist bei der freien Liebe »der gegenseitige Antrieb zur Vereinigung lediglich in erotischen Gefühlen enthalten« und »das Zusammenströmen der keimplasmatischen Anlagen beider Eltern lediglich dem Zufall überlassen«.

Von der Gleichschaltung, der sich die Nationalsozialisten direkt nach der Machtübernahme mit soviel Hingabe widmeten, blieben auch die bestehenden Frauenverbände nicht verschont. Nach wochenlangem Hin und Her und heftigen Meinungsverschiedenheiten innerhalb der NS-Führung wurden sie schließlich in der »NS-Frauenschaft« und im »Deutschen Frauenwerk« zusammengefaßt. Bis 1939 konnten diese beiden Verbände rund 3,3 Millionen Mitglieder vorweisen. Doch ihr Einfluß in Partei und Staat war und blieb gering. Die NS-Frauenschaftsführerin Gertrud Scholtz-Klink verkörperte mit ihrer hochgeschlossenen Hemdbluse, mit Haarkranzfrisur und ihren elf Kindern genau den Typ von Frau, den das Regime wünschte. Allenfalls diese Vorbildfunktion machte die Organisation politisch bedeutsam. Ihre eigentlichen Verdienste und Aktivitäten lagen mehr auf dem sozialen Sektor. Eine der Hauptaufgaben der NS-Frauenschaft war der Unterricht für werdende Mütter. Neben der »seelischen« Betreuung der Schwangeren, die in Form einer intimen Beratung erfolgte, wurde mit Ernährungsbeihilfen, Plätzen in Mütterheimen und Kindertagesstätten sowie mit Haushaltshilfen Unterstützung geleistet.

Auch im Rahmen der Autarkiebestrebungen des Reiches erfüllte die NS-Frauenschaft die ihr zugedachte Aufgabe. Die Hausfrauen wurden in der Verwendung von Resten sowie im Einkochen von Obst und Gemüse beraten. Mit Vorträgen über »Das Frauenbild der germanischen Frühzeit«, über Heimatdichter und die Notwendigkeit der Nürnberger Gesetze zur Reinhaltung der Rasse sollte den Frauen daneben auch politisches Bewußtsein vermittelt werden. Darüber hinaus wurden Volkslieder erlernt und gesungen und Tischschmuck für das »Julfest« oder Stickereien gefertigt.

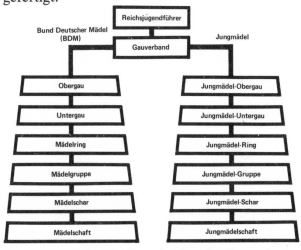

Organisatorischer Aufbau des Bundes Deutscher Mädel (BDM) und der Jungmädel.

Von größerer Bedeutung waren dagegen der »Bund Deutscher Mädel«, in dem die jungen Mädchen vom 14. bis zum 18. Lebensjahr geistig und körperlich geschult wurden, und der sich daran anschließende »Arbeitsdienst«. Arbeitsdienst war nach nationalsozialistischer Definition »Ehrendienst«. Im NS-Frauenbuch war festgeschrieben, daß dem Arbeitsdienst die Aufgabe zukomme, »die Menschen zur Arbeit zu führen und auch die Frau bereit zu machen, ihr Leben ganz in den Dienst des Volkes zu stellen... Durch diese Arbeit wird den Mädels die richtige Einstellung zum Leben vermittelt, denn sie erleben durch ihren Dienst, daß jede Arbeit befriedigend ist, wenn wir uns damit in die Notwendigkeiten der ganzen Volksarbeit eingliedern.«

1936 zunächst auf freiwilliger Grundlage gegründet, wies der Arbeitsdienst erst 1940, als allen Mädchen unter 25 Jahren ein »Pflichtjahr« auferlegt wurde, nennenswerte Mitgliederzahlen auf. Er sollte »der Land- und Hauswirtschaft, besonders der überlasteten Bauersfrau und den kinderreichen Familien, die notwendigen Hilfskräfte zuführen«.

Der BDM war das weibliche Pendant zur Hitler-Jugend. Unter dem Motto »Straff, aber nicht stramm – herb, aber nicht derb« wurde neben der politischen Schulung vor allem der körperlichen Ertüchtigung große Wichtigkeit zugemessen. Seinem Selbstverständnis nach bildete der BDM die »Brücke« zur »Familie von morgen«. Angeblich konnte jedes Mädel hier seinen seelischen Wurzelgrund finden: »Das Wissen um die Bedeutung des Blutes und die Rassenerkenntnis, die zugleich an Körper, Seele und Haltung den Maßstab legt, weckt notwendig den Willen zu einer gesunden, dem Volke wertvollen Ehe und gibt den Mädeln die Kraft, auf den Menschen zu warten, der in seiner Haltung dem besten Teil ihres Wesens, also ihrer Art entspricht. – Unterstützt durch das Errichten einer ganz neuen Ordnung, durch das unumschränkte Gelten der Leistung und der Kameradschaft in dem Bund, der sie erzieht, erwächst ... der jungen Mädelgeneration eine neue Wertung des Mannes, eine Wertung, die notwendig zu einer Volksgesundung und der Familie von morgen hinführen muß.«

Praktisch erschöpften sich jedoch die Pflichten eines BDM-Mitglieds in der regelmäßigen Teilnahme am Gruppenleben, im Auswendiglernen des Horst-Wessel- und des Deutschland-Liedes, im Aufzählen der Bestimmungen des Versailler Vertrages und in Kenntnissen über die Auslandsdeutschen. Eine Umrißkarte des Deutschen Reiches mußte skizziert werden können.

Für viele Mädchen brachte das Gruppenleben eine willkommene Abwechslung in ihren häuslichen Alltag. Nur die wenigsten empfanden es als unangenehme Belastung, an den Wanderungen und Veranstaltungen teilnehmen zu müssen. Und das »Pflichtjahr«, auch »Landjahr« genannt, bot vielen die erste Möglichkeit, aus dem häuslichen Alltag auszubrechen und fremde Gegenden kennenzulernen. Nicht selten haben die im BDM geknüpften Kontakte die Zeit des Dritten Reiches und die Nachkriegszeit überdauert.

Um junge Mädchen noch gezielter auf die Ehe vorbereiten zu können, wurde 1938 das BDM-Werk »Glaube und Schönheit« gegründet; es sollte vor allem der Vermittlung von Kenntnissen in Hauswirtschaft, Schönheitspflege, Gesundheit und Weltanschauung dienen. In zehn Geboten wurde der ideale Gatte beschrieben: Während der Zeit der Partnerwahl galt es vor allem, den eigenen Körper und die Seele »rein« zu halten; nur ein Gatte nordischen Blutes kam in Frage, als erstes mußte man sich also nach den Vorfahren erkundigen; bevor eine Heirat ins Auge gefaßt wurde, sollte man sich ärztlich auf Ehetauglichkeit untersuchen lassen – das galt selbstverständlich auch für den Gatten; da die Ehe eine dauerhafte Bindung ist, sollte man sich keinen »Gespielen« suchen, sondern einen Gefährten; der Sinn der Ehe ist das Kind und die Aufzucht der Nachkommenschaft, und nur bei großer Nachkommenschaft werden die in der Sippe vorhandenen Anlagen in möglichst großer Zahl und Mannigfaltigkeit in Erscheinung treten.

Alljährlich am 12. August, dem Geburtstag der Mutter Hitlers, und am Muttertag wurden die »Hüterinnen des Erbstromes« geehrt. Schon Tage vorher kündigte sich das Ereignis in seiner ganzen Bedeutung an. Mutter und Kind wurden als »Unterpfand für die Unsterblichkeit eines Volkes« gepriesen. Kinderreiche Mütter erhielten das »Ehrenkreuz der deutschen Mutter«, das in drei Klassen verliehen wurde: in Bronze für vier und mehr Kinder, in Silber für mehr als sechs und in Gold für mehr als acht Kinder. Die Inschrift auf dem sogenannten »Mutterkreuz«

lautete: »Das Kind adelt die Mutter.« Entsprechend dem Kult, den die Nazis mit den Ordensträgerinnen trieben, wurden diese auch in der Öffentlichkeit behandelt. In Straßenbahnen und Bussen räumten Männer ihre Sitzplätze und ließen Schwangeren und Dekorierten den Vortritt. Die Hitler-Jugend wurde angewiesen, Mutterkreuzträgerinnen zu grüßen.

Während kinderreiche Mütter umhegt und umpflegt wurden, galt die Frau außerhalb des Hauses und am Arbeitsplatz nur wenig. Sie wurde schlechter bezahlt als ihre männlichen Kollegen, bekam minderwertige Arbeit und hatte nur geringe Aufstiegschancen. Viele Positionen in Wirtschaft, Politik und Verwaltung blieben ihr gänzlich verwehrt.

Und während die prüden Nazis sogar den sonntäglichen Tanztee verbieten wollten, feierte ein Teil ihrer Elite rauschende Feste, auf denen leichtbekleidete »Liebesgöttinnen« tanzten und Jazz-Orchester für die musikalische Unterhaltung sorgten. Ein Bericht aus der Zeitschrift des Propagandaministeriums »Der Angriff« vermerkt: »Liebesgötter aus dem 18. Jahrhundert in verschiedener Gewandung mit bunten Flügeln flatterten als zierliche Porzellanfigürchen, die nach ältesten Modellen aus der friderizianischen Zeit hergestellt waren, als Damenspenden auf die Tische ... Zu später Stunde fand ein prächtiges Feuerwerk den besonderen Beifall und die Bewunderung der vielen Gäste.«

Hinzufügen muß man allerdings, daß die »Liebesgöttinnen«, die bei diesem Fest am Vorabend der Olympischen Sommerspiele auftanzten, bekleidet waren, wenn auch nur leicht. Ähnlich rauschende Partys gab Propagandaminister Goebbels auf Schwanenwerder, seinem luxuriösen Landsitz.

Das alles geschah unter Ausschluß der Öffentlichkeit. Dem Volk wurde ein nationalsozialistisches Frauenideal und eine asketische Lebensweise vorgegaukelt, der nur wenige in der Führungsclique um Hitler gerecht wurden.

Die Rolle der Frau im Dritten Reich umschrieben die Nationalsozialisten mit »Wächter der Familie, Mutter ihrer Kinder und gehorsame Helferin ihres Mannes«. Daß große Teile der weiblichen Jugend und auch der erwachsenen Frauen mit fliegenden Fahnen ihrem Idol Hitler huldigten (74) und sich nahtlos in die Organisation »Jungmädel« und den »Bund deutscher Mädel (BdM)« integrieren ließen, lag vor allem an ihrer traditionellen Erziehung in Elternhaus und Schule zur sorgenden Mutter. Auf viele übte wohl die Möglichkeit, sich zeitweilig dem Druck der Eltern zu entziehen, eine Faszination aus. Schon früh lernten die »Jungmädel« den Hitler-Gruß (76). Auf einer Führerinnen-Schule in Freiburg an der Unstrut konnten die Mädchen dann allmorgendlich bei der Flaggenparade zeigen, was sie gelernt hatten (75). Nicht immer wanderte man mit Flagge und Wimpel durch Felder und Wiesen (77). Das machten nur die »Hundertfünfzigprozentigen«.

78

Unter dem Motto »Straff, aber nicht
stramm – herb, aber nicht derb« wurde
im »Bund deutscher Mädel« die körperliche Ertüchtigung großgeschrieben.
Um junge Mädchen noch gezielter auf
die Ehe vorbereiten zu können, wurde

1938 das BdM-Werk »Glaube und
Schönheit« gegründet, in dem neben
Sport (78, 79) auch Kenntnisse in Hauswirtschaft, Schönheitspflege, Gesundheit und Weltanschauung vermittelt
wurden. Die auf unseren Fotos abgebil-
deten Frauen kommen dem Idealbild

der Nazis schon sehr nahe – blonder
Zopf und Gretchenkranz. Viele sahen
jedoch den BdM ganz anders. Im Volks-
mund gab man dieser Organisation bald
die Beinamen »Bedarfsartikel deutscher
Männer« oder »Bald deutsche Mutter«.

80

Während kinderreiche Mütter vom
Staat umhegt und gepflegt wurden und
alle möglichen Auszeichnungen und
Vergünstigungen erhielten (80), galt die
Frau am Arbeitsplatz nur wenig. Sie
wurde schlechter bezahlt und hatte nur
geringe Aufstiegschancen. Einige Berufe waren ihr ganz verwehrt. Willkom-
men war sie allerdings im Arbeitsdienst,
weil sie hier lernte, »ihr Leben ganz in
den Dienst des Volkes zu stellen«. Vor
dem Beginn der Arbeit wurde am Morgen die Fahne gehißt (81).
Mit der Aktion »Lebensborn« sollten
»rassisch und erbbiologisch wertvolle
Mütter« betreut werden und »wertvolle« Kinder zur Welt bringen. Bis 1944
wurden 13 Heime eingerichtet. Die
»Gebärmaschinen« leisteten auch eine
vormilitärische Ausbildung (82). Ihre
Kinder wurden nach einem Jahr an
kinderlose oder kinderarme Familien
hoher SS-Funktionäre verteilt.
Das Frauenideal der Nationalsozialisten: »nordisch«-schön, blond,
blauäugig (83).

81

Die organisierte Freizeit

»Wir dürfen nicht nur fragen, was tut der Mensch bei der Arbeit, sondern wir haben auch die Pflicht, uns um ihn zu kümmern, wenn der Feierabend kommt... Wir müssen uns darüber klar sein, daß nicht Langeweile erholt, sondern Unterhaltung in verschiedenster Form. Diese Unterhaltung, diese Ausspannung zu organisieren, wird eine unserer wichtigsten Aufgaben sein.«

Mit diesen Sätzen hatte Robert Ley, der Führer der Deutschen Arbeitsfront, den Anspruch des totalitären Staates auch auf das Privatleben seiner Bürger geltend gemacht. Die Kontrolle jedes einzelnen zu jeder Zeit, auch in der Freizeit und im Urlaub, war ein Ziel der Nationalsozialisten.

Und die totale Erfassung des Menschen beschränkte sich nicht nur auf die Zeit seiner Jugend, sie setzte sich fort in den NS-Frauenschaften, in Sammlungsaktionen für das Winterhilfswerk, in Vortragsveranstaltungen der NS-Kulturgemeinde und in vielen anderen Aktivitäten, an denen die Bürger mehr oder weniger gezwungen teilnehmen mußten.

Vor allem die politisch Engagierten waren ständig und überall im Einsatz, so daß nicht selten das – von den Nationalsozialisten angeblich geheiligte – Familienleben darunter litt. Der Landrat von Bad Kreuznach beklagte sich beispielsweise darüber, daß die vielen Veranstaltungen im Dezember 1935 auch von denjenigen als lästig empfunden wurden, die aktiv an der Organisation derartiger Zusammenkünfte beteiligt waren: »Die Tätigkeit der Partei und ihrer Gliederungen war im Berichtsmonat besonders rege. Neben den Sammlungen für das Winterhilfswerk, was als solches... allseitig als wirkliche Großtat bezeichnet wird, wurde gerne in den letzten Wochen auch nach Ansicht vieler Parteigenossen zuviel des Guten getan an politischen Versammlungen, Kameradschaftsabenden, Appells, Eltern- und Kulturabenden, an Nikolaus- und Weihnachtsfeiern der Partei, der SA, der HJ, des BDM, der NS-Frauenschaft, der Arbeitsfront, der NS-Kulturgemeinde und anderer Gliederungen. Fast gleichzeitig wurden besondere Werbeaktionen für die NSV, die NS-Frauenschaft, die Arbeitsfront usw. durchgeführt.«

Das ganze Jahr hindurch wurde die Bevölkerung in Trab gehalten. Überall und zu fast jeder Jahreszeit fanden Sammlungen oder Werbekampagnen statt. Mal bat das Winterhilfswerk, dann die NS-Volkswohlfahrt oder die »Aktion Mutter und Kind« um Spenden; ein anderes Mal warb die Hitler-Jugend oder die SS um Mitglieder. Mit Parolen wie »Bekennst Du Dich zum nationalsozialistischen Staat? Dann hinein in die NS-Volkswohlfahrt« versuchte man einen sanften

Zwang auszuüben und den Bürgern das Geld aus der Tasche zu ziehen. Werber gingen von Haus zu Haus und von Tür zu Tür. In einzelnen Landesteilen wurde den Arbeitern schon 1934 die Maiplakette in die Lohntüte gelegt und der dafür fällige Obolus stillschweigend vom Lohn abgezogen.

Aus den »Deutschland-Berichten« der Sozialdemokratischen Partei: »Die Sammlungen bringen die Menschen zur Verzweiflung. Seit Sonntag wird für die Jugendherbergen gesammelt. Alle Schulkinder vom 8. Lebensjahr ab sind verpflichtet, acht Tage lang sammeln zu gehen. Am Sonntag früh standen die Kinder schon um fünf Uhr am Bahnhof und in den Straßen Zittaus und hielten jedem Passanten die Sammelbüchse vor die Nase. Die Hitlermädchen (BDM) stehen in Scharen auf der Straße und in den Kinos und zwingen den Leuten Blumen zu 20 Pfg. auf.«

Der schwindenden Gebefreudigkeit versuchten die Nationalsozialisten durch immer neue Formen der Sammelei zu begegnen. Sondersammlungen der Briefträger, Schornsteinfeger, Polizeibeamten und der Reichswehr wurden durchgeführt, und die Vielzahl phantasievoller neuer Abzeichen vermittelte einen Eindruck von der Kreativität der Machthaber: So gab es ein Bernsteinabzeichen, einen Astern-Tag, ein Edelweiß-Abzeichen und sogar Saarerde als Spendenbescheinigung.

Säumige Spender wurden in den regionalen Zeitungen angeprangert. Die Inszenierung der fälligen »Volksempörung« konnte im ärgsten Fall sogar dazu führen, daß der »Sünder« in ein Konzentrationslager eingeliefert wurde. Derartige Maßnahmen richteten sich fast ausschließlich gegen Mittelständler wie Gewerbetreibende, Beamte, Bauern und kleine Fabrikanten.

Ab 1935 wurde der Spendenzwang noch verschärft: Das Winterhilfswerk verschickte an die verschiedenen Organisationen Fragebögen, in denen vermerkt werden mußte, was die Mitglieder der betreffenden Verbände an Spenden

geleistet hatten. Solche Kontrollen machten es dem einzelnen praktisch unmöglich, sich den Sammlungen zu entziehen.

Mit den propagandistisch geschickt inszenierten Spendenaufrufen, die auch im Krieg an der Tagesordnung waren, verfolgten die Nazis zwei Ziele: Zum einen wurden die laufenden sozialpolitischen Leistungen abgebaut und durch eine Reihe von groß aufgebauschten Einzelaktionen ersetzt. Auf diese Weise wurde der Verwaltungsapparat, der noch aus der Weimarer Zeit stammte, vieler seiner Funktionen beraubt, die in zunehmendem Maße auf die Partei und deren Nebenorganisationen übergingen. Zum anderen wurde die individuelle Hilfeleistung durch Kollektivaktionen in den Hintergrund gedrängt. Mit den »Sammelverschickungen« und anderen spektakulär aufgezogenen Aktionen wurde die Verzahnung von Partei, Staat und Gesellschaft zunehmend perfekter.

Aber nicht nur die dauernden Spendenaufrufe hatten das Alltagsleben vieler Bürger gegenüber den Jahren vor der Machtübernahme grundlegend verändert: Beschränkte sich früher die Mitgliedschaft in politischen Parteien, sozial ausgerichteten Verbänden, Sportvereinen oder kulturellen Zirkeln auf Personen, die sich freiwillig engagieren mochten, so bewirkte nun ein mehr oder minder sanfter Druck von oben, daß sich praktisch ein ganzes Volk in irgendwelchen Vereinigungen organisierte. Viele traten der Hitler-Jugend oder dem BDM mit echter Begeisterung bei. Sie hofften, dort etwas zu finden, was sie zuvor vermißt hatten – Kameradschaft, Gemeinschaft, Abenteuer. Die gutgemeinten Warnungen der Erwachsenen wurden allzuoft in den Wind geschlagen, und als die Eltern merkten, daß das Weiterkommen ihrer Töchter und Söhne auch von der Zugehörigkeit zur Hitler-Jugend und anderen Organisationen abhing, wollte natürlich niemand seinen Kindern Steine in den Karriereweg legen.

Die freie Zeit nach der Schule, den Feierabend

und das Wochenende hatte der NS-Staat also ohne viel Aufhebens organisiert – beziehungsweise unter seine Kontrolle gebracht, wie man auch sagen könnte. Robert Ley nannte das Kind beim Namen: »Privatleute haben wir nicht mehr. Die Zeit, wo jeder tun und lassen konnte, was er wollte, ist vorbei.«

Im November 1933 begann die Deutsche Arbeitsfront, die bei der Erziehung aller Deutschen zum nationalsozialistischen Staat und zur nationalsozialistischen Gesinnung eine zunehmend wichtige Rolle spielte, auch den Urlaub zu »organisieren«. Wie viele Errungenschaften des NS-Regimes, so war auch die NS-Gemeinschaft »Kraft durch Freude« keine nationalsozialistische Erfindung. Als Vorbild diente ihr zum einen die von Mussolini im Mai 1925 gegründete Organisation »Il Dopolavoro« (nach der Arbeit), zum anderen aber auch die sozialen Einrichtungen der zerschlagenen Gewerkschaftsbewegung und der sozialistischen Parteien zu Zeiten der Weimarer Republik.

Aber natürlich waren Hitlers größenwahnsinnige Nachahmungen weit gigantischer und damit auch wesentlich propagandawirksamer als die entsprechenden Vorbilder. Hitlers Wunsch, »daß dem deutschen Arbeiter ein ausreichender Urlaub gewährt wird und daß alles geschieht, um ihm diesen Urlaub sowie seine übrige Freizeit zu einer wahren Erholung werden zu lassen«, war Befehl. Über 150 000 Funktionäre sorgten für die Betreuung der »Schaffenden«.

Von Filmvorführungen im Betrieb bis zur Schiffsreise nach Portugal oder ins Mittelmeer, vom »bunten Abend« bis zum Theaterbesuch organisierte die KdF praktisch jede Art von Freizeit- und Urlaubsgestaltung. Alle Bereiche wurden erfaßt, keiner blieb ausgespart – nicht einmal der Kegelklub oder der Trachtenverein. Entstanden war die KdF ursprünglich offenbar aus einer gewissen Ratlosigkeit, weil man sich im unklaren darüber war, wie sich das beschlagnahmte Vermögen der Gewerkschaften am sinn-

vollsten verwenden ließe; dann jedoch wuchs die Popularität der Organisation unaufhaltsam und ebenso die Zahl der Teilnehmer an den Freizeitaktivitäten und Urlaubsfahrten. Von 2,3 Millionen im Jahre 1934 stieg die Zahl der betreuten Urlauber auf 10,3 Millionen im Jahre 1938. Die Besucherzahlen bei sonstigen Veranstaltungen stiegen im selben Zeitraum von 9,1 auf über 54 Millionen. So fragwürdig diese offiziellen Zahlen auch sein mögen – an der Popularität der KdF kann kein Zweifel bestehen. Für Tausende von Hotelbesitzern wie auch für die Deutsche Reichsbahn war dieser subventionierte Tourismus zudem eine willkommene Konjunkturspritze.

Mit ihrem Programm »Reisen und Wandern« stießen die Nationalsozialisten in eine »Marktlücke«. Eine Umfrage bei Berliner Siemensarbeitern ergab, daß von den 42 000 Befragten 28 000 noch nie Urlaub außerhalb von Berlin gemacht hatten. Daß die KdF-Programme gerade unter den Arbeitern Anklang fanden und die Stimmung zugunsten der Nationalsozialisten beeinflußten, verwirrte vor allem alte Sozialdemokraten. Von einer Reise nach Madeira wird berichtet, sie habe auf einen älteren Genossen großen Eindruck gemacht. Jederzeit hätten die Bessergestellten den Bedürftigeren mit allem Nötigen ausgeholfen, sogar mit Geldgeschenken, damit niemand sich zurückgesetzt zu fühlen brauchte: »Es gab auf den Schiffen keine Unterschiede«, fährt der Berichterstatter fort, »alles war ein Herz und eine Seele. Man muß sagen, daß hier wirklich etwas von einer Gleichheit da war, wie wir Sozialisten uns das immer erhofft haben.« Genau diesen Eindruck wollten die Nationalsozialisten bei ihren KdF-Unternehmungen erwecken. Nach ihren Vorstellungen sollte der Arbeiter gerade auf den Auslandsreisen merken, daß sie es mit der Hebung seiner gesellschaftlichen Stellung ernst meinten. »Er sieht, daß wir als Aushängeschild für das neue Deutschland nicht den sogenannten ›Gebildeten‹ hinausschicken, sondern ihn, den deutschen Arbeiter, als Repräsentanten der Welt zeigen.« Dieser Eindruck wurde dadurch verstärkt, daß die zwölf Schiffe, die bis zum Kriege in den Dienst von KdF gestellt wurden, nur eine Klasse aufwiesen und daß trotzdem sogar leitende Angestellte und Unternehmer als Passagiere mitfuhren.

Ein französischer Korrespondent, der an einer Nordlandreise teilgenommen hatte, berichtete, ihm seien die vielen teuren Kameras aufgefallen, und als er sich daraufhin nach der Zusammensetzung der Reisegruppe erkundigt habe, sei ihm folgende Antwort gegeben worden: Von den 939 Teilnehmern waren nur 217 Arbeiter; daneben waren 249 Angestellte und Handwerker, 202 berufstätige Frauen, 187 begleitende Ehefrauen, 28 Freiberufliche und 56 Frauen und Männer ohne Berufsbezeichnung an Bord. Er habe den Eindruck gehabt, daß die Kosten der Reise die Mittel von Arbeitern bei weitem überschritten, es sei denn, sie würden von ihren Arbeitgebern großzügig unterstützt.

Eine Studie über die KdF-Programme der Stadt Mannheim läßt vermuten, daß der Tourismus im Gesamtangebot der Organisation eine nur untergeordnete, wenn auch die propagandistisch wirksamste Rolle spielte: Von den insgesamt 820 000 Mannheimern, die sich im Jahre 1937 an KdF-Aktivitäten beteiligten, nahmen nur etwa 100 000 an ein- bis zweitägigen Ausflügen teil; Fahrten von zwei Wochen interessierten nur noch 11 000 Menschen, und die spektakulären Reisen nach Norwegen, Madeira und Italien machten nur etwa 1000 Mannheimer mit.

Die Aktivitäten der gigantischen Freizeitmaschinerie KdF konzentrierten sich im wesentlichen auf fünf Bereiche:

1. Das »Amt Volkstum und Heimat« organisierte verbilligte Varieté-Besuche, Konzerte, bunte Abende, Theateraufführungen und Filmvorstellungen. Dabei hielten sich gerade die bunten Abende auf »dem Niveau der Dorfbierfeste kleinbäuerlicher Gastwirtschaften«.

2. Das »Deutsche Volksbildungswerk« engagierte sich im Bereich der Erwachsenenbildung. Seinem Auftrag gemäß sollte es »die weltanschauliche Erziehung der von der Partei nicht erfaßten Volksgenossen« übernehmen. Bis Mitte 1938 wurden rund 16,5 Millionen Erwachsene in diversen Kursen »weitergebildet«.

3. Das »Sportamt« kümmerte sich um die »Wehrertüchtigung« und »rassische Vervollkommnung«. Da es alle Bereiche des Sportes mit abdeckte, machte es den traditionellen Sportvereinen Konkurrenz. Im Rahmen der paramilitärischen Ausbildung wurde vor allem das Schießen mit Kleinkalibergewehren geübt.

4. Das »Amt für Reisen, Wandern und Urlaub« sorgte für ein umfangreiches Wochenend- und Urlaubsangebot. Laut offiziellen Angaben waren es bis 1939 einschließlich der Teilnehmer an Kreuzfahrten, Seereisen und Wanderungen insgesamt mehr als zehn Millionen Menschen, die mit KdF in die Ferien gefahren waren. 1940 wurde das KdF-Bad auf Rügen, das 20 000 Besuchern Platz bot, seiner Bestimmung übergeben – bald diente es jedoch als Lazarett, so wie die KdF-Schiffe als Truppentransporter eingesetzt wurden. Durch den Massenbetrieb und durch staatliche Subventionen waren die Preise der KdF-Fahrten konkurrenzlos billig. Eine einwöchige Reise von Berlin an die Ostsee kostete 32 Reichsmark, eine Italienfahrt von gleicher Dauer 155 Reichsmark. Verstimmungen gab es vor allem dann, wenn offensichtlich nur diejenigen mitfahren konnten, die gute Beziehungen zur Partei hatten oder von ihrem Arbeitgeber Unterstützungen erhielten. Aus den »Deutschland-Berichten« der Sozialdemokratischen Partei: »Die Bevölkerung findet die Kosten der KdF-Reisen, gemessen am eigenen Geldbeutel, zu hoch, da ja die Getränke usw. die Fahrtkosten stark verteuern. Der Beteiligung tut auch Abbruch, daß die Leute sich vor den vielen Reden, die unterwegs steigen, scheuen. Die Reisemöglichkeiten werden vorwiegend von

Ich werde es nie vergessen! Erntedankfest 1935 auf dem Bükkeberg!

Im kühlen Winde des werdenden Morgens geht's weiter, im Gleichschritt und mit Gesang. Kommandos hallen...

Auf einem der Weserberge blitzt regelmäßig ein Licht auf: Wegweiser der Nachtflugzeuge.

Fahnen des Bückeberges tauchen – mit ihren Masten noch im Nebel – flatternd auf, grüßend empfängt uns unser Zeichen: das Hakenkreuz!

Massen rücken an; werden es Hunderttausende, gar Millionen sein? –

Wir stehen! Stehen am Weg zur oberen Tribüne. Der Führer muß an uns vorbei!

Die Uhr zeigt sieben. So früh noch, und – erst Mittag soll er kommen! Lange Zeit. Lang genug, um sich auf den Augenblick vorzubereiten! Und – stürmt nicht schon das Blut schneller durch die Adern?

Die Sonne steigt! Wolken verdekken sie noch, aber sie steigt!

Langsam wälzen sich von allen Seiten Menschenströme heran; langsam, ohne Ende. Unsere Augen suchen mit dem Glase den Horizont ab: Menschen – Menschen. Absperrkommandos säumen die Straßen. Mikrophone, Lautsprecher werden in Ordnung gebracht zum großen Appell.

Wer diesen Tag organisiert hat, ist ein Meister!

Musik rauscht auf. Ehrenkompanien rücken an. Herrlich der Parademarsch!

Vor dem Mikrophon gruppieren sich vier Kapellen.

Marschmusik! Unsere Körper recken sich. Und wir stehen, stehen... Trachtengruppen tanzen. Tänze der Heimat.

Die Uhr rückt weiter. Sind wir nicht mitten im großen Erleben?... Und Fahnen gruppieren sich zu einem Walde! Es ist soweit! Arme zeigen zum Horizont. Wie mit dem Stift gezeichnet steht das Hakenkreuz im Äther: eine Fliegerstaffel. Hakenkreuz über Deutschland! Und die Sonne bricht durch!

Massen stauen sich auf den Straßen. Es geht nicht weiter. Ein Raunen geht durch die Luft, es wird zum Rauschen. Der Führer kommt!!

Er kommt zu uns, seinen Bauern! Er steht im Wagen, seine Hand grüßt. Jubel, nichts als Jubel! Jetzt kommt er den Berg herauf! Da, da unten kommt er, seht ihr ihn, wie er grüßt, wie er lacht?

Da ist der Reichsbauernführer, da Himmler, Goebbels, Göring, da ist... Ich sehe zur Seite. In all die fieberhafte Spannung hinein drückt sich an mich ein weißhaariges Mütterchen, in den Siebzigern, gebeugt von der Last des Lebens. »Mütterchen, geht mal ein bißchen da runter, da könnt Ihr ihn besser sehen!« Tränen rinnen über ihre Wangen. Und in dem Gedränge unter großen Menschen und gereckten Armen stehen! Und siebzig Jahre! Vielleicht lebt sie das letzte? Das letzte von siebenzig langen Jahren?

Ich ziehe sie schnell zu mir heran, stelle sie auf ein Feldstühlchen. Keiner wagt zu sagen: Herunter! Und in meinen haltenden Armen zittert eine Bauernmutter wie Laub, durch das der Wind fährt. Ihr Arm reckt sich hoch, und sie ruft: »Heil! Heil!«

Sie glaubt, auf dem Stühlchen nicht stehen zu dürfen, und möchte doch einmal –

Ja, wir wollten den Führer sehen, sie wollte ihn erleben! Und hätte sich auch so zufrieden gegeben! Tapfere Heldin des Alltags!

Ich sehe den Führer kommen, zeige ihn ihr. Da ist er! Sie sieht ihn, wie ich, das erste Mal im Leben. Er steht und grüßt die Menschen. Heilrufe umbranden ihn!

Das Mütterchen grüßt, grüßt, und – weint! Tränen der Freude! Vorbei...

Ich habe nie eine so dankbare Mutter gesehen wie in dem Augenblick.

In den Augen der Umstehenden schimmern Tränen...

Kanonen donnern. Die Schlacht um das Bückedorf tobt. Großartiges Schauspiel! –

Dr. Goebbels spricht. Nach ihm Darré. Dann der Führer. Eherne Worte stehen als Wirklichkeit vor uns. Wecken in uns, in mir den Willen zu neuem Kampfe, neuem Siege. Deutschland steht, kämpft! Unter unseren Fahnen können nur Sieger stehen!

Dann ist alles vorbei. –

Wieder rattert der Zug durch die Nacht. Trägt uns der Heimat zu. – Kampferlebnis!

Deutsche Bauernmutter, eine unter Millionen, du hattest das Erlebnis des Führers selbst! Ich hatte es durch dich! In die Seele gebrannt ist es.

Dieser Bericht über das Erntedankfest 1935 auf dem Bückeberg gibt einen Eindruck, mit welch plumpen Mitteln die Nazis Stimmung zu machen versuchten. Er erschien anonym in »Erzähl Kamerad!«, Berlin 1936.

Leuten mit besserem Einkommen frequentiert.«
5. Die Organisation »Schönheit der Arbeit« trat für Verbesserungen am Arbeitsplatz ein und sorgte für grüne Werkstätten und Büros sowie für saubere Waschräume, Aborte und Kantinen.

Zu den umfangreichen Aktivitäten der Organisation »Kraft durch Freude« gehörte auch die 1937 begonnene Entwicklung des Volkswagens. Viele leisteten wöchentliche oder monatliche Vorauszahlungen und sparten auf diese Weise auf ein Auto, das sie nie erhalten sollten. In allen Behörden und staatlichen Betrieben gingen Listen herum, in die sich die Arbeiter, Angestellten und Beamten als Käufer eines Volkswagens eintragen konnten. Ein Zeitgenosse berichtet: »Es wurde ein regelrechter Druck ausgeübt. Auch in unserem Betrieb wurde ein solcher Zeichnungsbogen vom Betriebsführer herumgereicht. Selbstverständlich beginnt mit dem Eintragen auch gleich die Zahlungspflicht, d. h. monatlich 20,– RM ... Die Leute in Berlin sagen, dies sei eines der größten Schwindelmanöver, das die Nazis ausgeheckt haben. Die Nazis bekommen Millionenbeträge herein für etwas, das sie wahrscheinlich nie leisten werden.« Der Arbeiter sollte recht behalten. Der Volkswagen wurde zwar gebaut, doch kam er lediglich während des Krieges als militärisches Allzweckfahrzeug zum Einsatz.

Trotzdem war der KdF-Wagen ideologisch von größter Bedeutung. Mit ihm sollte das Auto als bürgerliches Statussymbol auch der Arbeiterklasse zugänglich gemacht werden. Zweifellos hat sich die gesamte Volkswagen-Aktion im großen und ganzen positiv auf die Einstellung der Arbeiter zum Nationalsozialismus ausgewirkt.

Mit seiner gewaltigen Urlaubsmaschinerie verfolgte das Hitler-Regime zwei Ziele: Die Arbeiter wurden nicht nur nach Norwegen, ins Riesengebirge oder in den bayerischen Wald geschickt, um sich zu vergnügen, sondern auch, »um die Arbeitskraft des einzelnen zu erhalten und um ihn gestärkt und neu ausgerichtet an seinen Arbeitsplatz zurückkehren zu lassen. KdF überholt gewissermaßen jede Arbeitskraft von Zeit zu Zeit, genauso wie man den Motor eines Kraftwagens nach einer gewissen gelaufenen Kilometerzahl überholen muß.«

Viele Zeitgenossen ließen sich von dem für damalige Zeiten einmaligen Angebot beeindrukken, das die KdF in ihren Prospekten präsentierte. Für zahllose Arbeitnehmer bot »Kraft durch Freude« die erste Gelegenheit, überhaupt einmal in Urlaub fahren zu können, andere Landschaften und andere Völker kennenzulernen, richtig auszuspannen und neue Freundschaften zu schließen.

Den Intentionen der führenden Nationalsozialisten lief die rasante Entwicklung von »Kraft durch Freude« zuwider. Ihnen lag der Begriff Kraft, also die politische Schulung der Reisenden, weit mehr am Herzen als der »Spaß an der Freude«. Es blieb ihnen nämlich nicht verborgen, daß die KdF-Reisen bald auch als eine der wenigen Möglichkeiten geschätzt wurden, sich wenigstens vorübergehend dem ständigen wirtschaftlichen und politischen Druck in der Heimat entziehen zu können. Die Popularität der KdF wurzelte zu einem guten Teil in dem tiefen Bedürfnis nach Heiterkeit und Ablenkung.

Hitlers Prinzipien und Methoden politischer Agitation, seine Skrupellosigkeit im Umgang mit dem Wort, seine Begabung, Massen zu faszinieren und mitzureißen, bei Hunderttausenden den Intellekt auszuschalten und sie zu hysterischen Beifallskundgebungen für seine Politik zu verleiten, beruhten im wesentlichen auf der Erkenntnis der Grundregeln politisch-demagogischer Werbung. In seinen berüchtigten Ausführungen zum Thema »Kriegspropaganda« in »Mein Kampf« hatte er alles analysiert, was bis dahin nach seiner Auffassung falsch gemacht worden war: Propaganda habe »sich ewig nur an die Masse zu richten!«. Die eigentliche Kunst dieser Propaganda, so Hitler, besteht in der Fähigkeit, »eine allgemeine Überzeugung von der Wirklichkeit einer Tatsache, der Notwendigkeit eines Vorganges, der Richtigkeit von etwas Notwendigem usw.« zu schaffen. Mit neidvoller Anerkennung hatte Hitler auch vermerkt, wo seine Theorie auf geradezu vorbildliche Weise angewandt wurde: »Was dem Marxismus die Millionen von Arbeitern gewonnen hat, das ist weniger die Schreibart marxistischer Kirchenväter, als vielmehr die unermüdliche und wahrhaft gewaltige Propagandaarbeit von Zehntausenden unermüdlicher Agitatoren ...; das sind die Hunderttausende von Versammlungen, bei denen ... diese Volksredner auf die Massen einhämmerten und so eine fabelhafte Kenntnis dieses Menschenmaterials zu gewinnen wußten, was sie erst recht in die Lage versetzte, die richtigsten Angriffswaffen auf die Burg der öffentlichen Meinung zu wählen.« Zwar hatte er keine konkrete Vorstellung davon, wie mit dieser Erkenntnis die »Burg der öffentlichen Meinung« in Deutschland zu erobern sei, dafür war er sich aber absolut sicher, wie derartige Propagandaveranstaltungen inhaltlich aufgebaut sein mußten: »Jede Propaganda hat volkstümlich zu sein und ihr geistiges Niveau einzustellen nach der Aufnahmefähigkeit des Beschränktesten unter denen, an die sie sich zu richten gedenkt. Damit wird ihre rein geistige Höhe um so tiefer zu stellen sein, je größer die zu erfassende Masse der Menschen sein soll.«

Hitlers demagogischer Spürsinn, der in diesen Äußerungen anklingt, sollte schon bald eine eindrucksvolle Bestätigung erfahren – noch während der »Kampfzeit« in der Weimarer Republik fand sich in Joseph Goebbels, der 1929 zum »Reichspropagandaleiter der NSDAP« bestellt wurde, ein genialer Praktiker, der es verstand, die Theorien aus »Mein Kampf« in grauenvolle Taten umzusetzen. Nach der Ernennung Goebbels' zum »Reichsminister für die Volksaufklärung und Propaganda« wurden innerhalb des Ministeriums verschiedene Abteilungen geschaffen, um die Umgestaltung des gesamten öffentlichen Lebens im Dritten Reich gemäß der nationalsozialistischen Idee mit größtmöglicher Effizienz in Angriff nehmen zu können. »Amt I« (Aktive Propaganda) oblag die Aufgabe der »organisatorischen Durchführung aller anfallenden Propagandaaktionen von der Großveranstaltung riesigsten Ausmaßes mit ihrer architektonischen Ausgestaltung bis zur Durchführung von Veranstaltungen der Ortsgruppen«. »Amt IV« (Kultur) sollte »künstlerisches Schaffen im Sinne des gestaltenden Ausdrucks der nationalsozialistischen Weltanschauung« anregen, fördern und überwachen. Zu diesem Zwecke galt es, »Beispielprogramme für Feiern der nationalsozialistischen Bewegung und für die Rahmengestaltung nationalsozialistischer Kundgebungen auf der Grundlage der in der Kampfzeit gewachsenen Gestaltungstradition« zu entwerfen.

Im Sommer 1941 wurde damit begonnen, die HJ stärker in die Propagandaarbeit des Ministeriums einzubinden. Um dieses Konzept wirksam realisieren zu können, schuf Goebbels das »Hauptkulturamt in der Reichspropagandaleitung« mit den Ämtern »Fest-, Freizeit- und Feiergestaltung«, »Dorfgemeinschaftsleben« und »Volkskulturelle Arbeit«. Der HJ-Nachwuchs stellte künftig die Menschenmassen für das »Feierjahr« – bereits 1933 waren die traditionellen Gedenk-, National- und christlichen Feiertage entweder abgeschafft oder im Sinne der NSDAP umgestaltet worden. Die mit der Machtübernahme einsetzende »mengenhafte Vernunfttrübung« begann auf der niedrigsten Ebene: Mitgliederversammlungen der Ortsgruppen, Dienstappelle der SA, Heimabende von HJ und BDM, Kameradschaftsabende der diversen angeschlossenen Organisationen (NS-Studentenbund, NS-Lehrerbund, NS-Volkswohlfahrt etc.) fanden im geschlossenen Kreis statt, man blieb unter sich. Die Außendarstellung für die »Volksgenossen« erfolgte während der vor Millionenpublikum abgehaltenen öffentlichen Kundgebungen, Versammlungen und offiziellen »Weihestunden«;

KDF –
noird dru

Vom Zeichenbre

Die NS-Gemeinschaft Kraf durch Freude kann in den fün Jahren ihres Bestehens auf Lei stungen hinweisen, für die es nirgend wo auch nur annähernde Vergleich gibt. Die Zahl der Besucher von KdF-Veranstaltungen geht in di Millionen; die Reisen, die KdF für die werktätigen Volksgenosse ermöglicht, haben das Interesse de Weltöffentlichkeit erweckt; die KdF Flotte kündet auf den Meeren i Nord und Süd vom neuen deutsche Sozialismus; mit dem KdF-Seeba Rügen und seinen 10 000 Zimmer wird das größte Seebad der Wel den deutschen Arbeitern und An gestellten zur Verfügung stehen —

Jeder Volkswagen bringt Freude für fünf Menschen
So wird es sein, wenn die Fabrik in Fallersleben die erste Reihe des auf vielen Prüfungsfahrten erprobten Wagens liefert. In der vom Führer angeregten und von Dr. Porsche entwickelten meisterlichen Konstruktion erfüllt sich ein Wunschtraum für Millionen

Rechts: Mit 100 Kilometer über die Reichs- autobahn — eine erstaunliche Ge- schwindigkeit für einen kleinen Wa- gen. Rechts auf dem Armaturen- brett das Schalt- system

Aufnahmen: Presse - Hoffmann (5), F. W. Dinger (3)

Das Wochenende im eignen Wagen
Er wird dem arbeitenden Menschen nicht nur der Großstadt die Schön- heiten der deutschen Heimat erschließen und ihm Freude und Erholung in einem Maß schenken, wie er es bisher nicht gekannt hat

Ein Bild naher Zuku So wird es 1940 in Fa leben aussehen, wenn die Fa die auf eine Jahreszeu von einer halben Million gestellt wird, voll arbeite

Die Entwicklung des Volkswagens gehörte zu einer der vielen Aktivitäten der Gemeinschaft »Kraft durch Freude« (KdF). Der propagandistische Erfolg dieser Aktion war enorm, in den Genuß dieses Autos kam jedoch kein VW-Sparer, sondern das Militär. Dieser Artikel erschien am 24. November 1938.

JAHRE! UND IM 6. JAHR...

Volkswagen fertig!

Fabrik in Fallersleben

Konstruktionsbüro Dr. Porsche
Der Sohn des genialen Ingenieurs unterhält sich mit dem Betriebsleiter des väterlichen Werks in Zuffenhausen

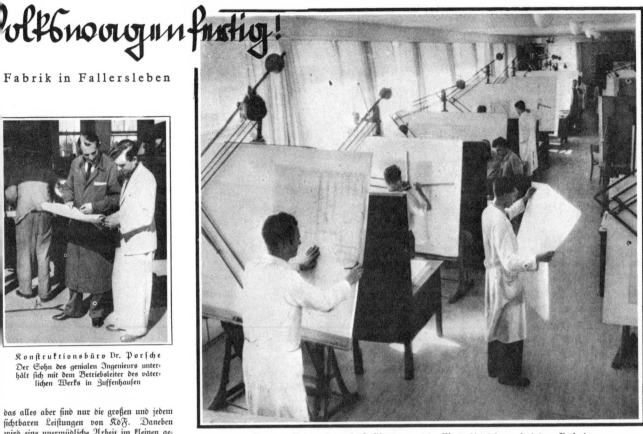

An der Wiege des KdF-Wagens: die Modellzeichner bei der Arbeit
In dem Konstruktionsbüro von Dr.-Ing. e. h. F. Porsche (Stuttgart)
wurde die Grundlage für die Arbeit der Fabrik in Fallersleben geschafft

das alles aber sind nur die großen und jedem sichtbaren Leistungen von KdF. Daneben wird eine unermüdliche Arbeit im kleinen geleistet, die ebensosehr unsre Hochachtung verdient, wenn wir heute die Bilanz von fünf Jahren KdF ziehen. Gewissermaßen als Krönung des umfangreichen Werks darf aber

der deutsche Volkswagen gelten, der nach hundertfältigen Prüfungen demnächst als Serienwagen mit einer Erzeugung von 100 000 Wagen im ersten Jahr, von 450 000 Wagen in der Ausbaustufe I der Volkswagenfabrik und von annähernd 1,5 Million Wagen jährlich bei vollem Betrieb des spätern Gesamtwerks hergestellt wird. Mit einer unheimlichen Betriebsamkeit geht der Bau des Volkswagenwerks am (Fortsetzung Seite 1533)

Italiener beim Eisenflechten
für die Betonböden. 2600 Facharbeiter aus dem Süden helfen bei dem Aufbau der Fabrik in Fallersleben

50 Meter hoch: das Kraftwerk
Die riesige Anlage wird auch den Strom für die KdF-Stadt liefern, zu der eine Fernheizungsanlage führt

verstärkt wurde der Eindruck durch die Massenszenerien der Ümzüge, Aufmärsche, Vorbeimärsche, Festzüge und Paraden, die vorzugsweise zu abendlicher oder gar nächtlicher Stunde stattfanden – mit Fackeln und Lichtdomen wurde der heroische Geist der Zeit beschworen. Spezielle Lichteffekte vor historischen Kulissen – etwa dem Remter der Marienburg, dem Römer in Frankfurt oder dem Quedlinburger Dom – verliehen den Veranstaltungen die nötige Feierlichkeit und Würde.

Wie solche sich ständig wiederholenden Darbietungen des »braunen Kults« auf den Betrachter wirkten, beschreibt eine ehemalige hohe BDM-Führerin: »Das Hämmern der Schritte, die düstere Feierlichkeit roter und schwarzer Fahnen, zuckender Widerschein der Fackeln auf den Gesichtern und Lieder, deren Melodien aufpeitschend und sentimental zugleich klangen. Stundenlang marschierten die Kolonnen vorüber, unter ihnen immer wieder Gruppen von Jungen und Mädchen, die kaum älter waren als wir. In ihren Gesichtern und in ihrer Haltung lag ein Ernst, der mich beschämte...«

Ob es sich um den »Gemeinschaftsabend« der »Volksgenossen« eines Dorfes handelte oder um den Auf- und Vorbeimarsch Zehntausender HJ-, Arbeitsdienst- oder SA-Mitglieder nach genau festgelegtem Plan, gewissermaßen mit liturgischer Ordnung: Die NS-Regisseure verstanden es meisterhaft, jeden einzelnen der Anwesenden in ihren Bann zu ziehen. Die offiziellen »Feiern im nationalsozialistischen Jahreslauf« umfaßten 14 Ereignisse, die zwölf Jahre hindurch – sogar unter den Bedingungen des »totalen Krieges« – mit generalstabsmäßiger Perfektion festlich begangen wurden. Es waren, in der Reihenfolge des Jahreslaufs: »Tag der Machtergreifung« am 30. Januar, Parteigründungsfeier am 24. Februar, Heldengedenktag und »Verpflichtung der Jugend« im März, »Führers Geburtstag« am 20. April, der »Nationale Feiertag des deutschen Volkes« am 1. Mai, Muttertag am 2. Maisonntag,

die Sonnenwendfeier am 21./22. Juni, im September der Nürnberger Parteitag, der Erntedanktag im Oktober, am 9. November der Gedenktag für die »Gefallenen der Bewegung« und am selben Tag die Aufnahme der HJ in die NSDAP sowie die nächtliche Vereidigung des SS-Nachwuchses, schließlich die Wintersonnenwende am 21./22. Dezember und das Julfest (»Volksweihnachten«).

Wenige Stunden nach Hitlers Ernennung zum Reichskanzler lassen die NS-Regisseure im Berliner Regierungsviertel ihr erstes Meisterstück, den »Aufbruch der Nation«, über die Bühne gehen: »In dichten Kolonnen... tauchen sie aus den Tiefen des Tiergartens auf, ziehen sie unter der Siegesgöttin des Brandenburger Tors hindurch. Die Fackeln, die sie tragen, bilden einen einzigen Feuerstrom, einen Strom, dessen Wellen ununterbrochen aufeinander folgen, einen schwellenden Strom, der mit herrischer Macht in das Herz der Hauptstadt vorstößt. Und von den Männern im braunen Hemd und den hohen Stiefeln, die diszipliniert und in festen Reihen marschieren und mit gleichmäßigen Stimmen aus voller Kehle kriegerische Lieder singen, geht eine unerhörte Begeisterung, eine dynamische Kraft aus. Die Zuschauer, die Spalier bilden, werden von dieser Begeisterung ergriffen.« Ein unverdächtiger Zeuge, der dieses Schauspiel schildert: der damalige französische Botschafter in Deutschland, André François-Poncet. Der historische »Tag der Machtergreifung« bot sich zur Mythisierung geradezu an – allein in Berlin erlebten rund eine Dreiviertelmillion Menschen den Siegeszug der braunen Horden. In den folgenden Jahren lief an diesem Tage ein einheitliches Feierprogramm im ganzen Reich ab: Goebbels hielt morgens eine Rede an die deutsche Schuljugend, die über Gemeinschaftsradios empfangen wurde; Hitler sprach im Reichstag, und alle Läden, Behörden und Betriebe schlossen, um die Rede mitverfolgen zu können; am Abend folgte der »Traditionsmarsch« der Fak-

An den St.-Pauli-Landungsbrücken liegen drei mächtige Schiffe: »St. Louis«, »Der Deutsche«, »Ozeana« und, weiter entfernt, die »Sierra Cordoba«. Das ist die deutsche »Kraft-durch-Freude«-Flotte, die heute mit viertausend deutschen Arbeitern an Bord nach Madeira ausläuft.

Hintereinander kommen die Sonderzüge in Hamburg an. Trotz der langen Nachtfahrt, die fast alle Teilnehmer hinter sich haben, sieht man kein müdes oder unfrohes Gesicht. Sie kommen von weit her. Aus allen deutschen Gauen sind sie ausgewählt worden, und die Erwartung, die freudige innere Erregung, die im Herzen eines jeden Madeirafahrers herrscht, prägt sich auf allen Gesichtern aus. Sonderzug aus München.

Bayerischer Dialekt mischt sich mit Hamburger Platt. Viele kommen so bekleidet, wie sie es nicht anders kennen und wie sie es in ihren Bergen gewohnt sind. Die »Kurzen« vermißt man, aber dafür ist es wohl noch zu frisch. Aber vielleicht haben sie ihre »Krachledernen« für die wärmeren Zonen mitgebracht, um in Lissabon und Funchal Aufsehen zu erregen.

Schnell und höflich sind die Zollformalitäten erledigt – und dann stehen die Männer und Frauen vor den gewaltigen Schiffen und staunen. So etwas haben sie noch nicht gesehen. Unermeßlich hoch scheinen sie aus dem Wasser aufzuragen. Jedem wird jetzt klar, daß solch ein Ozeandampfer wirklich eine schwimmende Stadt darstellt. Langsam füllen sich die Schiffe.

Der letzte Sonderzug ist schon längst eingelaufen. Die Passagiere sind an Bord. Bayern, Berliner, Westfalen, Pfälzer, Württemberger – überall sind sie hergekommen. Auf allen Schiffen ist die Reling vollbesetzt. Lustige Zurufe gehen hin und her. Manche haben Freunde und Verwandte, die sie an Bord begleitet haben und nun unten stehen und ihnen den Abschiedsgruß zuwinken wollen.

Gegenüber der »St. Louis« liegt »Hein Godenwind«, die schwimmende Jugendherberge. Ein schmucker Dreimaster. Blitzblank, schneeweiß leuchtet er. Es ist acht Uhr. Auf »Hein Godenwind« ist die »Besatzung«, HJ und BdM, angetreten. Flaggenparade! Trompetensignale, dazu dröhnt plötzlich auch die Sirene der »St. Louis«, und auf »Hein Godenwind« steigt die Flagge empor, zugleich auf den Schiffen der »Kraft-durch-Freude«-Flotte...

Jetzt marschieren auch die Kolonnen der SA, SS, HJ, Politischen Leiter und des Arbeitsdienstes an. Die Betriebe sind durch ihre Werkscharen vertreten. Ihnen gebührt heute der Ehrenplatz. Denn heute ist ein Jubeltag des deutschen Arbeitertums. Heute ist wieder etwas Wirklichkeit geworden, was noch vor vier Jahren von jedem – und mit Recht – als Utopie verlacht worden wäre. Heute fährt der deutsche Arbeiter als Repräsentant der Nation in die Welt! »Deutschland fährt mit euch«, verkünden Transparente, die am Ufer ausgespannt sind. Der Abschied, den Hamburg diesen

»Kraft-durch-Freude«-Urlaubern bereitet, ist wahrhaft erhebend. Tausende von Menschen säumen die Ufer. Fahnen über Fahnen. Hamburg an einem grauen und kalten Märztage. Aus dem Dunst ragen die Stahlgerüste der Hellinge hervor. Die kleinen Hafenbarkassen kreuzen mit schäumendem Bug eilig hin und her. Am Ufer huschen die gelben Wagenzüge der Hochbahn entlang. Weiß leuchten die Transparente und blutigrot die Fahnen des Dritten Reiches. Dazu tönt das vielfältige Geräusch des erwachenden Hafenlebens. Sirenen heulen schrill, dröhnen brüllend, daß sich die Urlauber entsetzt die Ohren zuhalten, oder die Schiffsglocken bimmeln ihre »Glasen«.

Das alles zusammen erhöht bei den Wartenden die Unrast der Abfahrt zu größter Spannung. Jetzt ein vieltausendstimmiger Jubelruf, Dr. Ley, der Reichsleiter der Deutschen Arbeitsfront, der Mann, der die nationalsozialistische Gemeinschaft »Kraft durch Freude« im Auftrage des Führers schuf, erscheint.

Dr. Ley spricht... »Was andere versprachen und nicht hielten, hat der Nationalsozialismus wahrgemacht! – Nicht die Vertreter der sogenannten oberen Zehntausend, sondern die deutschen Arbeiter sind heute die Repräsentanten der Nation!«

»Der deutsche Arbeiter trägt die Freude hinaus in die Welt. Das Gesicht des neuen Deutschland ist das strahlende, glückliche Gesicht des deutschen Arbeiters!«

Propagandabericht über die Einschiffung zu einer KdF-Reise von Hamburg nach Madeira aus dem Jahre 1937.

kelträger vom Regierungsviertel in die Wilhelm-straße, die in gleißendes Licht getaucht war. Festliche Schul- und Universitätsfeiern, SA-Appelle und die Kameradschaftsabende in ganz Deutschland führten dazu, daß Millionen von Menschen unmittelbar an den Feierlichkeiten beteiligt waren.

Während des Krieges wurden in Berlin sämtliche Großveranstaltungen in den Sportpalast verlegt; die vorgeschriebenen reichseinheitlichen Morgenfeiern wurden auf den Sonntag beschränkt, damit die »Arbeitsschlacht« ungestört weitergehen konnte.

Am 24. Februar 1920 waren im Festsaal des Münchner Hofbräuhauses die 25 Punkte des NS-Parteiprogramms verabschiedet worden. Der aus diesem Anlaß ab 1933 eingeführte Gedenktag hatte für die breite Masse der Bevölkerung eine verhältnismäßig geringe Bedeutung – es handelte sich um eine fast exklusive Veranstaltung der »Alten Kämpfer« der Bewegung. Lediglich 1934, als über eine Million Menschen an der geschlossenen Vereidigung der »Parteiführerschaft« in München teilnahmen, wurde dieser Tag zu einem Monumentalereignis ausgestaltet. Erst während des Krieges besann man sich in stärkerem Maße auf den 24. Februar – er wurde nach einheitlichen Richtlinien als »Morgenfeier« im ganzen Reichsgebiet begangen.

Sehr viel stärker im öffentlichen Bewußtsein verankert war der »Heldengedenktag« am 16. März. Das Regime hatte sich nicht gescheut, den Volkstrauertag, der seit 1925 vom Volksbund Deutscher Kriegsgräberfürsorge ausgerichtet wurde, zu seinen Zwecken umzufunktionieren. Letztmalig wurde der Volkstrauertag, der jeweils auf den 5. Sonntag vor Ostern fiel, 1933 in herkömmlicher Form begangen. Bereits 1934 hielt der damalige Reichskriegsminister von Blomberg die Feieransprache, und zwei Tage später wurde der Gedenktag als pazifistisches Relikt der Weimarer Republik per Gesetz abgeschafft.

Ein Jahr später nahm man den Heldengedenktag zum Anlaß, die Wiedereinführung der allgemeinen Wehrpflicht zu verkünden: Gleichzeitig wurde die Wehrparole »Sie sind nicht umsonst gefallen!« zum Leitmotto aller Veranstaltungen erhoben. Der Heldengedenktag sollte künftig nicht dem Andenken der Millionen Gefallener des Ersten Weltkrieges gewidmet sein, er sollte vielmehr als Symbol dafür dienen, daß der »Kampf um Deutschlands Größe« weiterging. Die Trauerbeflaggung wurde vom Reichsinnenminister abgeschafft; eine Verordnung regelte den »soldatischen und heroischen« Ablauf des Tages. Während des Krieges verlagerte sich das Schwergewicht der Feierlichkeiten von den pompösen Paraden der Ehrenformationen der drei Wehrmachtsteile in Berlin auf örtliche Feiern an den Ehrenmalen, ausgerichtet von Wehrmacht und Parteigliederungen. Die Regieanweisung der Propagandafachleute war verbindlich: »Trotz des Ernstes der Zeit und der Größe der Opfer sollen die Feiern zum Heldengedenktag aber nicht im Zeichen der Trauer stehen, sondern wie stets Ausdruck der Stärke und des unbändigen Lebens- und Siegeswillens des deutschen Volkes sein.«

Ein großer Teil der Jugendlichen sowie deren Eltern waren angesprochen, wenn die »Feiertage der Jugend« begangen wurden, insbesondere die »Woche des Jungvolks«: Am Vorabend von Hitlers Geburtstag fand zunächst der Aufnahmeappell der Zehnjährigen für das »Jungvolk« statt, dann erfolgte mit feierlichem Zeremoniell die Übernahme der Vierzehnjährigen in die HJ. Nach einer Verfügung des Reichsjugendführers Baldur von Schirach wurde diese Feier als »Verpflichtung der Jugend« am letzten Märzsonntag begangen und fiel zeitlich zusammen mit der Schulentlassung der Vierzehnjährigen. Auch in diesem Fall war wieder genau festgelegt, wie der Ablauf auszusehen hatte – vor allem die Wichtigkeit der Verpflichtungsfeier konnte nicht deutlich genug herausgestrichen werden, denn

Am Abend, um 10 Uhr, war eine große Versammlung vor dem Blücher-Denkmal. Wir hatten von den SA-Männern Fackeln gekauft und nahmen nun unseren Platz bei den Hitler-Legionen ein. Zahlreiche Leute standen in Formation. SS- und SA-Männer, Hitlerjugend, nationalsozialistische Frauen- und Mädchengruppen, Stahlhelmer, Pfadfinder, Wandervögel und Tausende andere bildeten die endlosen Reihen der Teilnehmer der Sonnenwendfeier. An den Flügeln standen die Standartenträger mit ihren blutroten Hakenkreuzfahnen, und zahlreiche Wimpel flatterten im Abendwind. Wir standen in Reih und Glied für mehr als zwei Stunden. Um Viertel nach zwölf kam der große Augenblick. Der Abmarschbefehl kam, und die Fackeln wurden entzündet. Wir marschierten mit einem fröhlichen Lied, das die Lauten begleiteten, durch die Straßen der kleinen Stadt. Nach kurzer Zeit waren wir alle formiert. Als wir den Marktplatz betraten, gab es ein großes ›Heil‹-Rufen. Fliegerkapitän Hermann Göring stand da, die Hand zum Hitlergruß erhoben, und er besah die langen Reihen der Marschierenden, während die ›Heil‹-Rufe auf dem Marktplatz widerhallten. Nachdem wir die Stadt verlassen hatten, führte uns der Weg hoch hinauf in die Berge zum Sonnenwendfeuer. Die Aussicht war überwältigend. Die Straße ging in Kurven und Serpentinen den Berg hinauf. Von oben konnten wir auf die langen Marschkolonnen zurückblicken.

Der Feuerschein der Fackeln in der Nacht war großartig. Es war ein überwältigender Anblick. Mir fehlt es an Worten, diesen Eindruck zu beschreiben. Für lange Zeit ließen wir diesen Anblick in unsere durstigen Seelen dringen, bis unsere Augen von einem riesigen Feuer gefangen wurden. Es war unsere Feier zur Sonnenwende. Wir wurden von den Klängen eines preußischen Militärmarsches empfangen. Dann begann die Feier mit dem Holländischen Erntedankgebet. Man nahm die Mützen ab. Mit gefalteten Händen standen wir hingegeben und hörten die getragene Melodie »Wir beten zu Dir, dem gerechten Gott ...«.
Am Ende stand Hermann Göring auf und hielt noch eine flammende Ansprache. In seinen Aufruf hinein, für Deutschlands Freiheit zu kämpfen, klang das Rauschen des Rheines wie ein Gebet um Erlösung von der Fremdherrschaft. In der tiefen Dunkelheit der Nacht klangen die eisernen Worte von Ernst Moritz Arndt kräftig und donnernd aus Hermann Görings Mund: »Der Rhein, Deutschlands Strom, nicht Deutschlands Grenze!«
Nachdem wir die Nationalhymne gesungen hatten, ließen wir uns alle ums Feuer nieder und sangen unsere Lieder. Göring trat in den Kreis und blieb dort stolz und aufrecht stehen. Es war ein beeindruckender Anblick, der große Luftheld im Widerschein des Sonnenwendfeuers. Sein Gesicht blieb allerdings ein wenig im Dunkeln, denn die Flammen reichten nicht

so weit. Zum Glück saß ich direkt hinter ihm. Mit einem schnellen Entschluß sprang ich auf und hielt meine Fackel über seine Schulter, so daß sein Gesicht nun auch vom Feuerschein beleuchtet wurde. Dann kam der große Augenblick für mich. Er drehte sich um und nickte mir dankend zu. Wer konnte in diesem Moment glücklicher sein als ich? Dann sangen wir Löns' Lied von den roten Husaren. Und wieder trat der Hauptsprecher in unsere Mitte und redete in flammenden und mitreißenden Worten, begleitet von ›Heil‹-Rufen. Unsere Augen folgten ihm lange Zeit, bis er im Dunkeln verschwunden war. Ich dachte, daß ich ihn nun für lange Zeit nicht wiedersehen würde. Ich hatte nicht bemerkt, daß in der Zwischenzeit ein SA-Mann neben mich getreten war. Ich drehte mich erst um, als ich bei meinem Namen genannt wurde, und blickte in das männliche Gesicht von SA-Mann Jensen. Er schüttelte meine Hand und fragte mich, wie mir die Sonnenwendfeier gefallen habe. Ich fing an, ihm zu erzählen, stürmisch und aufgeregt, wie ich war. Er sah mich mit frohen und glänzenden Augen an und teilte meine Begeisterung. Dann sagte Wolfgang Jensen ermahnend, fast feierlich zu mir: »Vergiß nie das Sonnenwendfeuer. Laß es in deinem Herzen brennen und seine Flammen deine Rassenkameraden anzünden. Dann wirst du wirklich beim großen Werk Adolf Hitlers helfen.«

Die an Fanatismus grenzende Begeisterung vieler Jugendlicher für die Nazi-Bewegung drückt dieser Text einer überzeugten Anhängerin des Systems aus.

»sie ist eine Parteifeier und muß daher in den örtlichen Hoheitsbereichen mit stärkster Nachhaltigkeit und unter Einsatz aller hierfür in Frage kommenden Kräfte in das Gemeinschaftsbewußtsein der Bevölkerung hineingetragen werden«. Die traditionellen Schulentlassungs-, Konfirmations- und Firmungsfeiern sollten möglichst weitgehend abgeschafft oder in den privaten Raum verdrängt werden – den Schritt ins Leben der »Bewegung« gestaltete die Partei. Wie die späteren »Aufnahmefeiern in die NSDAP«, so sollten auch diese Veranstaltungen durch ihren öffentlichen Charakter und die unabdingbare Festlegung auf Partei oder Führer die totale Erfassung des einzelnen deutlich werden lassen. Zehntausende von Jugendlichen und Eltern, die dem Regime zunächst abwartend oder gar ablehnend gegenüberstanden, waren geblendet von dem glänzenden Rahmen; die würdevollen und mit allem propagandistischen Pomp ausgestatteten Feiern ließen nur wenige abseits stehen.

Hitlers Geburtstag wurde in größerer Pracht ausgerichtet, als dies zu »Kaisers Zeiten« jemals üblich war. In Berlin und allen Garnisonsstädten des Reiches fanden als »Demonstration der deutschen Wehrkraft« Militärparaden statt, die Millionen von Zuschauern anlockten. Das imposanteste Schauspiel wurde in Berlin geboten, doch über Volksempfänger konnte das ganze Reich daran teilnehmen. Stundenlang zogen die Regimenter im Paradeschritt an Hitler, an Tausenden von Ehrengästen und Hunderttausenden von Zuschauern vorüber, das martialische Rasseln der Gleisketten, das Donnern der Flugzeugmotoren und das Dröhnen der Zugmaschinen lag über der ganzen Innenstadt – hier wurde dem zukünftigen Feldherrn gehuldigt, der der Wehrmacht wieder zu altem Glanz und zu neuer Größe verholfen hatte. Die zentrale Parteifeier, mit Parallelveranstaltungen im ganzen Reich, fand meist auf dem Königsplatz in München statt, wo die neuen Leiter und Funktionäre auf Hitler persönlich eingeschworen wurden.

Die Umgestaltung des 1. Mai zum »Fest der nationalen Verbrüderung« hatte Hitler auf Empfehlung von Goebbels verordnet – dieser Tag sollte an die »Volksgemeinschaft« appellieren und den traditionell »roten« Feiertag vergessen machen. Hitler verkündete die Überwindung des Klassengedankens in Deutschland: »Es muß jetzt jeder in einer solchen Stunde tief durchdrungen sein von dem Gefühl, jetzt stehe nicht ich dem deutschen Schicksal gegenüber, sondern eine Millionenarmee ist angetreten. Ich bin ein Teil von ihr, einzeln mögen wir vielleicht noch schwach sein, zusammengezogen sind wir unzerbrechlich.« 1933 wird der 1. Mai zum erstenmal im gesamten Reich als »Nationaler Feiertag des deutschen Volkes« begangen. Millionen sind erfaßt vom neuen Gefühl der Eintracht und des Miteinanders. Die gewaltigen Menschenmassen auf dem Tempelhofer Feld in Berlin – man schätzt sie auf über eine Million – sind kein geschickt inszenierter Propagandatrick. Ein Zeuge des Berliner Schauspiels gibt die Stimmung wohl recht zutreffend wieder, wenn er schreibt, man nehme den Eindruck mit, als wehe »ein Hauch der Versöhnung und Einigkeit über das Dritte Reich«.

In den späteren Jahren wurde dieser »höchste Feiertag«, an dem alles zum Einsatz kam, »was Bewegung und Staat an Glanz, Macht und Schönheit aufzubringen haben«, in sämtlichen Städten und Dörfern als »Maifeier« abgehalten. Mit geschmückten Maibäumen, Maifeuern, Wahl des Maikönigspaares, Tanz der Brauch- und Volkstumsgruppen und bunten Umzügen sollte die ursprüngliche Bedeutung des Tages übertüncht werden.

Der Muttertag, vom Regime auf den zweiten Sonntag im Mai festgesetzt, blieb bis 1938 im wesentlichen von nationalsozialistischer Propaganda verschont – erst 1939 wurde durch die Verleihung des »Ehrenkreuzes« auch dieser Tag zu einem besonderen, meist von NS-Frauenschaft und HJ ausgerichteten NS-Feiertag. Die

»Mütterehrungsfeiern« erhielten während des Krieges eine besondere Bedeutung, als es galt, das Verdienst der deutschen Frauen und Mütter um den »gewaltigen Freiheitskampf des deutschen Volkes« zu würdigen. In falschem und verlogenem Pathos wurde Hunderttausenden von Frauen gedankt für ihre »stillen Opfer und ihre unbeugsame Kraft«.

Sommer- und Wintersonnenwende sowie das Julfest knüpften bewußt an die altgermanischen Jahresfeste an, von denen zumindest die Sommersonnenwende als ländliches Fest noch in Teilen der Bevölkerung verwurzelt war. So bedurfte es im Grunde gar keiner aufwendigen »Reichssonnenwenden« wie 1935, als an der Lübecker Bucht 800 gleichzeitig entfachte Feuer aufflammten und auf den Hügeln und Höhen im ganzen Reich die Flammen loderten; auch den aufwendigen Rahmen der Massenveranstaltungen im Berliner Olympiastadion, wo zwischen 1937 und 1939 jeweils gut 100 000 Menschen zusammenströmten, um gemeinsam die Mittsommernacht zu feiern, hätte man in diesem aufwendigen Rahmen nicht inszenieren müssen. Aber dem Regime ging es in erster Linie darum, das bereits bestehende, echte Brauchtum auf dem Weg über die NS-Feiergemeinschaften bis hinunter zu den Ortsgruppen für seine Zwecke zu nutzen.

Die Wintersonnenwende, 1935 von einer Feiergemeinschaft der SS mit dem Anzünden eines riesigen Feuers auf dem Brocken eingeläutet, konnte sich nicht in dem Maße durchsetzen, und das gleiche galt für die Veranstaltungen der »NS-Volksweihnacht«, des Julfestes. Die Leugnung des ursprünglich christlichen Charakters des Festes, die Verklärung des Tannenbaums zum »immergrünenden Lebensbaum« und der Versuch, das Hakenkreuz als ältestes und »heiligstes Siegeszeichen« zum höchsten Symbol des Ereignisses zu erheben, entsprach nicht der Mentalität des größten Teils der Bevölkerung und stieß auf wenig Gegenliebe. Einzig die von NS-Volks-

wohlfahrt und Winterhilfswerk anläßlich des Festes verteilten Sachspenden an Bedürftige und die auf öffentlichen Plätzen aufgestellten Gabentische wurden positiv aufgenommen – von einer regen, aktiven Beteiligung an den offiziellen Feiern konnte keine Rede sein.

Den Höhepunkt des »Feierjahres« bildete der alljährlich abgehaltene Reichsparteitag in Nürnberg. Hitler legte den Ablauf der zunächst vier-, später sieben- und achttägigen Mammutveranstaltung größtenteils persönlich fest. Es sollte die grandioseste »Heerschau« der Nation sein – »glanzvoller als der Reichstag der alten Kaiser«. Hitler stand die ganze Zeit hindurch im absoluten Mittelpunkt der Parteitage, die als quasi neue Form der alten Reichstage im Bewußtsein des Volkes verankert werden sollten. Auf dem Zeppelin- und dem Märzfeld bei Nürnberg marschierten alljährlich Hunderttausende von SA- und Reichsarbeitsdienstmännern, von BDM- und HJ-Angehörigen und Pimpfen auf; sie formierten sich zu riesigen Blöcken und verharrten unbeweglich, während Hitler die mystische Totenehrung der »Gefallenen der Bewegung« vornahm. Bis zu einer Viertelmillion Menschen waren dabei, wenn die Lichtbündel von 150 Flakscheinwerfern in den Himmel schossen, wenn 30 000 Fahnen und 600 Fanfaren die rechte Atmosphäre schufen für die Weihe der Standarten neuer Parteiformationen mit der »Blutfahne«. Presseberichterstatter, Wochenschaukameras und der Rundfunk trugen die unvergeßlichen Eindrücke in das ganze Reich hinaus. Millionen nahmen über die Jahre an dem grandiosen Schauspiel teil – Millionen erlagen dem Bann des Geschehens und dem aus Hunderttausenden von Kehlen erklingenden »weltanschaulich-volklichen Glaubensbekenntnis einer neuen Generation«, die, wie Hitler selbst bemerkte, »unter dem Banne eines tiefen Gebetes« stand. Originalbericht eines Zeitungskorrespondenten aus dem Jahre 1936: »Es ist eine einzige braune Fläche, dieses weite Oval des

Stadions, unterbrochen nur durch zwei weiße Sektoren, die Mädel des BDM... Das sind unsere Soldaten von morgen. Ein Ruck, eine Blickwendung, ein Schrei, ein Heil... Adolf Hitler ist bei seinen Jungen und Mädeln. Salven von Heilrufen grüßen ihn. Die Klänge des Badenweiler Marsches... scheinen unterzugehen in diesen hellen Rufen.«

Um ihre Blut-und-Boden-Mystik vom Bauern als »Lebensquell des deutschen Volkes« wirksam darzustellen, griff die NS-Regie auf den traditionellen Brauch des Erntedanks zurück. Am 1. Oktober 1933 versammelten sich erstmals eine halbe Million Bauern aus ganz Deutschland am Bückeberg bei Hameln, um das Erntedankfest, nunmehr »Tag des deutschen Bauern«, als große Demonstration feierlich zu begehen. Die Bauern waren dem NS-Staat »Träger der Gegenwart« und »Garanten der Zukunft« zugleich, und die parteiamtlichen Huldigungen verfehlten ihre Wirkung nicht: 1934 sollen 700 000, 1935 und 1936 je eine Million und 1937 sogar 1,2 Millionen Menschen an diesem Spektakel teilgenommen haben. Die örtlichen Feiern traten dagegen fast völlig in den Hintergrund: Es war Brauch, daß die Dorfgemeinschaft in einem Festzug zum Erntebaum zog, um sich dort die Übertragung der Hitler-Rede anzuhören und anschließend ein Volksfest zu feiern, das allerdings nie ganz den Vorstellungen der Regisseure des »echt völkischen Gemeinschaftslebens« entsprach.

Dem Andenken des Hitlerschen Novemberputsches von 1923 diente der Kult um die »Gefallenen der Bewegung« am 9. November: Seit 1933 versammelten sich an diesem Tag in München, der »Hauptstadt der Bewegung«, alljährlich Zehntausende »alter Kämpfer«, um mit endlosen Vorbeimärschen an Feldherrnhalle und Bürgerbräukeller und schließlich mit dem »letzten Appell« auf dem Königsplatz der »Märtyrer« und »Blutzeugen« der NSDAP von Dietrich Eckart bis Horst Wessel zu gedenken. Die Schwülstigkeit dieses Totenkults war kaum noch

zu überbieten: 16 Artilleriesalven erinnerten an die »gefallenen« Kämpfer gegen die demokratische Republik von Weimar, ihre Namen wurden einzeln aufgerufen, bevor die Särge in die Feldherrnhalle überführt und vor 16 düster lodernden Pylonen aufgebahrt wurden.

Doch damit nicht genug, neben diesen großen offiziellen Feiern im Jahreslauf gab es noch zahlreiche andere öffentlich wirksame Veranstaltungen, die den Alltag des einzelnen prägten: Am »Tag der nationalen Solidarität«, dem ersten Dezembersonntag, sammelte die Parteiprominenz mit der Sammelbüchse in der Hand höchstpersönlich für das Winterhilfswerk; das WHW führte sogenannte »Opfersonntage« ein, an denen dem deutschen Volk ein Eintopfessen verordnet wurde; auch »Gauparteitage« in den Gauhauptstädten waren Großveranstaltungen, zu denen sich Hunderttausende versammelten; die SS feierte nächtens am 1. Juni im Quedlinburger Dom Heinrich I. als »Schöpfer des ersten Reiches«; Betriebsappelle der DAF sollten der deutschen Arbeiterschaft »täglich erneut die große Wandlung« vor Augen führen; die Rückgliederung der Saar und der Anschluß Österreichs waren ebenso feierwürdig wie der Todestag des Freikorpskämpfers Albert Leo Schlageter oder der »Tag der Skagerrak-Schlacht«; das Deutsche Turn- und Sportfest und das Fest des Deutschen Sängerbundes mußten ebenso zu »volksdeutschen Bekenntnissen« herhalten wie die Pfingsttreffen der Auslandsdeutschen.

Daß eine derart ausgeprägte Feiertätigkeit im Dienste der Bewegung und des Volkes auch Nachteile mit sich brachte, liegt auf der Hand – nicht selten waren Überdruß, Langeweile und eine weitgehende Lähmung des Alltagslebens die unerwünschte Folge. Doch für die Nazis überwogen die Vorteile, denn nur indem die Bürger immer wieder von neuem auf eine Sache eingeschworen wurden, die im Grunde nicht die ihre war, konnten sie über so lange Zeit bei der Stange gehalten werden.

86

Die NS-Gemeinschaft »Kraft durch
Freude« (KdF), im Herbst 1933 gegründet, war der Deutschen Arbeitsfront
angeschlossen und sollte vor allem die
Freizeit der »Volksgenossen« im Sinne
des NS-Regimes organisieren. Verbilligte Theater- und Konzertbesuche,
bunte Abende und Volksfeste, Erwachsenenbildung und Hobbyklubs, Mal-
und Zeichenkurse (84) wurden von über
150 000 Funktionären betreut.
Besonders beliebt waren die billigen
Ferienreisen mit insgesamt zwölf KdF-
Dampfern nach Norwegen (85), Madeira oder durch das Mittelmeer (86).
Tausende von Menschen kamen in den
Anfangsjahren des Dritten Reiches in
den Genuß solcher Reisen, für die meisten eine einmalige Gelegenheit, Freizeit und Erholung in einer Weise zu
erleben, von der sie früher nur geträumt
hätten (87).
Die unpolitische Parole »Freut euch des
Lebens!« stand als Motto auch über den
von KdF und der Nationalsozialistischen
Betriebszellen-Organisation durchgeführten Gemeinschaftsfeiern, wie etwa
dem Tanz unter dem Maibaum in einer
Berliner Brauerei 1938. Die Teilnahme
war freiwillig, und die Veranstaltungen
erfreuten sich in der Regel großen Zu-
spruchs (88).

89

Das Erntedankfest wurde vom NS-Regime ganz und gar im Sinne der Blut- und-Boden-Mystik umgestaltet. Selbst traditionelle Dorfgemeinschaftsfeiern standen unter dem Zeichen des Hakenkreuzes (89). Die Bauern galten als »Lebensquell des deutschen Volkes« und »Garanten der Zukunft«, und die parteiamtlichen Feiern auf dem Dorf (91) und in den Städten (92) verfehlten selten ihre propagandistische Wirkung.

Höhepunkt der Feiern im Reich war der Massenaufmarsch Hunderttausender von Bauern auf dem Bückeberg bei Hameln, wo Hitler alljährlich die Huldigung seines neuen »Bauernadels« entgegennahm (90). Allein 1937 nahmen über eine Million Menschen an diesem Spektakel teil.

93

Der Höhepunkt des nationalsozialistischen Feierjahres war der alljährlich abgehaltene »Reichsparteitag« in Nürnberg. Den Ablauf dieser zunächst vier-, später sieben- und achttägigen Mammutveranstaltung hatte Hitler persönlich festgelegt.

»Reichsbühnenbildner« Benno von Arendt ließ den Massenaufmarsch der Parteiorganisationen von einem Lichtdom überstrahlen, der von 150 Flakscheinwerfern gebildet wurde (93).

30 000 Fahnen und 600 Fanfaren schufen darüber hinaus bei der Weihe von Standarten neuer Parteiformationen jenen mystischen Hintergrund, der Millionen in seinen Bann zog.

Dem Andenken des Hitlerschen Novemberputsches von 1923 diente der Kult um die »Gefallenen der Bewegung« am 9. November. In München, der »Hauptstadt der Bewegung«, versammelten sich an diesem Tag alljährlich Tausende alter Kämpfer, um der

»Märtyrer« von Dietrich Eckart bis Horst Wessel zu gedenken: vor der »Blutfahne« der fränkische Gauleiter Julius Streicher, dahinter Göring mit Hitler und Parteiprominenz (94).

Die »Ewige Wache« an der Feldherrnhalle zum Gedenken der 16 »Gefallenen« des 9. November 1923 hatte jeder Vorbeigehende mit Hitler-Gruß zu ehren (95).

94

95

98

99

Ob Mittsommernacht (96, 97) oder Wintersonnenwende (99) – wenn im gesamten Reich die Flammen loderten, geschah dies unter der Aufsicht der Partei. Die ländlichen Feste wurden von offiziellen Feiergemeinschaften ebenso im Sinne des NS-Regimes umgestaltet wie das Aufrichten des Maibaums (100), an dessen Stamm die Hakenkreuzfähnchen nicht fehlen durften.

Die »Verpflichtung der Jugend« am letzten Märzsonntag des Jahres (98) war nach einer Verfügung des »Reichsjugendführers« Baldur von Schirach mit »stärkster Nachhaltigkeit und unter Einsatz aller hierfür in Frage kommenden Kräfte« als Gemeinschaftsfeier zu gestalten: Der Schritt ins Erwachsenenleben vollzog sich unter den Augen von Partei und Staat.

»Es wird einmal ein Wunder geschehn«

Der totale Staat kontrolliert alle Lebensnerven der Nation; niemand darf beiseite stehen. Alle müssen sich in den Dienst der Sache und der »Bewegung« stellen. Nur ein starker Staat, so hatte Hitler betont, garantiert »die willensmäßige Einheit unseres Volkes«. Es könne keine Gesinnung geduldet werden, die der nationalsozialistischen entgegenstehe: »Wer sich nicht bekehren läßt, muß gebeugt werden.«
Natürlich war es nicht möglich, ein ganzes Volk einzusperren oder auf seine Gesinnung hin zu überprüfen, aber die bedeutenden staatlichen, wirtschaftlichen, gesellschaftlichen und kulturellen Organisationen konnte man »gleichschalten«, was auch sofort nach der Machtübernahme in Angriff genommen wurde.
In der »organischen« Gesellschaft, die Hitler vorschwebte, waren Politik und Alltagsleben nicht voneinander zu trennen. Der Staat wachte nicht nur über die Einhaltung seiner Ideologie, über das gesamte öffentliche Leben, sondern auch über seine Bürger. Bis in das letzte Glied mußte des Führers »gute Gesellschaft« funktionieren. Ein ganzes Netzwerk von Institutionen und Organisationen wurde geschaffen – es reichte vom gleichgeschalteten Sekretär der Deutschen Arbeitsfront bis zum Blockwart. Für den einzelnen spielten gerade diese untergeordneten Chargen eine entscheidende Rolle, wenn es um die Nutzung des wenigen Freiraumes ging, der einem noch blieb. Cornelia Aderhold und Brigitte Nölleke haben in ihrer Studie »Es war eine ganz erbärmliche Zeit« den Alltag in einem Hamburger Stadtteil dokumentiert. Ein Bürger berichtete ihnen: »Die da oben, die sind nicht so schlimm, am schlimmsten sind die Kleinen, die Blockwarte, die können einen triezen und bedrohen wegen jeder Äußerung. Da muß man vorsichtig sein. Der hat die Funktion, die Leute zu kontrollieren, ob sie die Fahne raushängen und so. Der ist klar 'ne Parteiinstanz.« Es waren rosige Zeiten für übelwollende Nachbarn, Denunzianten und Karrieremacher. Im übrigen, so der Schriftsteller Hans Erich Nossack, ließ man »die Leute in dem Glauben, daß sie ihr kleines privates Leben weiterführten. Hinter seinen vier Wänden durfte der Gefangene aufbegehren und Witze reißen, wenn ihn das befriedigte und über seine Unfreiheit täuschte. Die Gefangenenwärter lachten selber mit, denn auch die Wärter waren die Gefangenen des Systems. Die furchtbare Täuschung beruhte darin, daß es unter einem totalitären Regime kein Privatleben und keinen wirklich selbständigen Gedanken gibt. Alles ist vom Bazillus der Epidemie infiziert, selbst der Gegner, der sich immun zu machen glaubt, steht schon unter ihrem Gesetz. Wie eine Dunstglocke lagert die Ideologie der

Machthaber über allem und nimmt allen menschlichen Handlungen die Wirklichkeit.«

Und doch gab es Nuancen. Wer die innere Emigration suchte, der fand sie auch im Reich der Braunhemden. Die ständige Berieselung durch Presse und Rundfunk, die Appelle und Mahnungen der Regierung, die Sammlungen, die Versammlungen und die Aufmärsche weckten bei vielen das Bedürfnis, sich beim Sport oder Tanz, im Theater oder im Kino vom Nationalsozialismus zu erholen. Boxkämpfe und Fußballspiele können natürlich immer auch politisch gewertet und mißbraucht werden. Doch daran dachten damals allenfalls diejenigen, die in den Schaltzentralen der Macht saßen, kaum aber die »Schlachtenbummler« oder »Boxfans«.

Ein krasses Beispiel dafür, wie der Sport als bewußtes Mittel der Politik benutzt werden kann, sind die Olympischen Sommerspiele von 1936, die in Berlin und Kiel stattfanden und die vom NS-Regime skrupellos für dessen ureigenste Interessen ausgeschlachtet wurden. Die uniformierte Perfektion dieser Spiele – bis heute, so heißt es, war keine Olympiade besser organisiert als die von 1936 – begeisterte viele und beunruhigte wenige. Nur aus dem Ausland – vorwiegend aus den Vereinigten Staaten – waren einige kritische Stimmen zu vernehmen, und die richteten sich vornehmlich gegen eine »rein arische« deutsche Mannschaft. Hitler konnte diese ausländischen Kritiker jedoch schnell beruhigen, indem er einige »Konzessions-Juden« in die Mannschaft aufnahm. Mit 33 Gold-, 26 Silber- und 30 Bronzemedaillen wurde Deutschland vor den USA die erfolgreichste Nation dieser XI. Olympischen Spiele. Der Amerikaner Jesse Owens, der die 100 Meter in 10,3 Sekunden lief und 8,06 Meter weit sprang, prägte mit seinen sportlichen Leistungen diese Olympiade ebenso wie der deutsche Speerwurfsieger Gerhard Stöck, der Turner Karl Schwarzmann, der Hammerwerfer Karl Hein oder die Speerwerferin Tilly Fleischer, um nur einige zu nennen.

Sportlich und organisatorisch waren es die Spiele der Superlative. Viele Welt- und Olympische Rekorde, die damals aufgestellt wurden, sind erst in den 60er Jahren gebrochen oder verbessert worden. Es kann kein Zweifel daran bestehen, daß die Olympischen Spiele das Hitler-Regime international aufwerteten, daß sie die Deutschen mit Stolz erfüllten, von inneren Schwierigkeiten ablenkten und die Identifikation mit dem »Führer« förderten.

Im selben Jahr boxte Max Schmeling den farbigen amerikanischen Schwergewichtsweltmeister Joe Louis k. o. Schmeling selbst schilderte später mit kühler Präzision und Brutalität die letzten Minuten dieses Kampfes, den Millionen von Deutschen an den Volksempfängern verfolgt hatten: »Joe Louis wehrt sich verzweifelt und landet einen tiefsitzenden linken Haken. Jetzt wird es Zeit für mich, ein Ende zu machen! Ich schieße die Linke ab. Joe weicht ihr aus. Doch er kann mir nun nicht mehr entrinnen. Mit einer erbarmungslosen Rechten fege ich ihn an die Seile.

Noch eine Rechte! Der Bomber läßt kraftlos die Arme fallen. Sein Kinn ist ungedeckt.

Der Augenblick, auf den ich elf Runden vergeblich gelauert habe, ist da: Alle Kraft, allen Ehrgeiz lege ich in den Schlag, der der letzte dieses Kampfes sein soll.

Joe wird durch den Volltreffer zur Seite gerissen. Er bricht in die Knie, versucht, sich in den Seilen festzuklammern.«

Goebbels stilisiert Schmeling daraufhin zum Nationalhelden. Mit diesem Sieg über einen Schwarzen bestätigt Schmeling Hitlers Rassentheorie und repräsentiert das wiedererstarkte Deutschland. Wie geschickt es die Nationalsozialisten verstanden, aus Sportidolen Helden zu machen, bewies Goebbels einmal mehr, als Schmeling im Krieg als Fallschirmjäger eingesetzt wurde und über Kreta absprang. Mit dem Schausportler Schmeling machten die Nationalsozialisten Staat – und Politik.

König Fußball blieb auch in den 30er Jahren und zu Beginn des Krieges Volkssport Nummer eins. Nachdem es vor der Machtübernahme Hitlers einen handfesten Skandal gegeben hatte, als 16 Mitglieder des FC Schalke 04 unerlaubte Geldzuwendungen erhalten hatten, beherrschte dieser Verein zusammen mit dem 1. FC Nürnberg, dem SV Fürth, dem Mannheimer SV, dem Dresdner SC und dem Hamburger SV die Fußballwelt im Dritten Reich.

Die Nationalmannschaft allerdings konnte die hochgespannten Erwartungen nicht erfüllen. Sie enttäuschte sowohl 1936, als sie Olympiasieger werden sollte, aber bereits in der Vorrunde an Norwegen scheiterte, wie auch bei der zwei Jahre darauf stattfindenden Weltmeisterschaft. Die Parole »Deutscher sein, heißt Sieger sein«, die von höchster Stelle ausgegeben wurde, zog nicht. Auch der legendäre Sepp Herberger, seit 1936 Reichstrainer, konnte nicht verhindern, daß die Deutschen schon in ihrem zweiten WM-Spiel – das erste endete unentschieden – von den Schweizern mit 4:2 besiegt wurden. Kurz zuvor war durch den Anschluß Österreichs für die Nationalelf eine neue Situation entstanden. Herberger mußte eine »großdeutsche« Elf präsentieren. Doch die Schweizer mit Minelli, Bichel und Amado triumphierten über Paul Janes, Fritz Szepan...

1942 fanden noch zehn Länderspiele statt, doch die Gegner waren nicht mehr die alten, denn der Kreis jener, die noch gegen die deutsche Mannschaft antraten, beschränkte sich auf besetzte und verbündete Staaten sowie einige umliegende neutrale Länder. Während des Länderspiels gegen Italien im November 1939 hatten die 70 000 Zuschauer in der Pause noch lauthals in das Lied »... denn wir fahren gegen Engelland« eingestimmt, doch je mehr der Krieg auf Deutschland übergriff, um so mehr Sportveranstaltungen fielen aus und um so weniger siegesgewiß wurden die Fans, denn viele Aktive waren bereits zum Wehrdienst eingezogen.

Im Winter 1941/42 wurde sogar der Skisport verboten, sämtliche Wettkämpfe und Meisterschaften abgesagt. Die gesamte Skiproduktion mußte an die Wehrmacht abgeliefert werden, die Bevölkerung hatte sämtliche Skier und Rodelschlitten zur Verfügung zu stellen.

Zwar blieb der Oberliga-Fußball weiterhin als attraktivste Sportart erhalten, doch die großen internationalen Wettkämpfe und Meisterschaften waren seit Anfang 1943 verboten. 1942 wird die »Friedensmannschaft« von Schalke 04 mit einem 2:0-Sieg über Vienna Wien zum sechstenmal deutscher Meister, aber schon ein Jahr später, als im Endspiel um die Kriegsmeisterschaft der Dresdner SC den FC Saarbrücken mit 3:0 besiegt, sind von den 22 Spielern 16 Soldaten, einer hatte nur einen Arm, zwei waren extra aus dem Lazarett geholt worden. Die letzte Kriegsmeisterschaft findet 1944 im vollbesetzten Berliner Olympiastadion vor über 75 000 Zuschauern statt – der Dresdner SC gewinnt mit 4:0 gegen den Hamburger Luftwaffen-Sportverein. Es war das letzte deutsche Großsportereignis, danach empfahl die Sportführung nur noch Schneeballschlachten, Querfeldeinrennen, Gesundheitsläufe und Kameradschaftsabende – der Sport war dem totalen Krieg zum Opfer gefallen.

Auch Sechstagerennen und die großen Automobilveranstaltungen waren in den letzten Friedensjahren außerordentlich populär. Im Motorsport kämpften drei Firmen um die höchsten Trophäen: Mercedes Benz, Auto Union und Alfa Romeo. In Deutschland waren der Nürburgring und die Berliner Avus Schauplatz großer Grand-Prix-Rennen. Manfred von Brauchitsch, Bernd Rosemeyer, Hans Stuck, Hermann Lang und Rudolf Caracciola lieferten sich spannende Duelle mit den Italienern Alberto Ascari und Tazio Nuvolari.

Am 26. Juli 1936 fuhr Bernd Rosemeyer auf dem Nürburgring einen Rekord, der rund 20 Jahre Bestand haben sollte. Er blieb unter der »Schallmauer« von zehn Minuten und rückte mit dieser Rundenzeit endgültig unter die Großen im Automobilsport auf. In einem Wagen der Auto Union mit 6,3-Liter-Motor erreichte er als erster Fahrer der Welt auf einer ganz normalen Straße eine Geschwindigkeit von mehr als 400 km/h. Am 28. Januar 1938 konnte Rudolf Caracciola auf dem Autobahnstück zwischen Frankfurt und Darmstadt diesen Rekord auf 432,7 km/h verbessern; am selben Tage gegen 11 Uhr startete Rosemeyer mit einem noch stromlinienförmigeren Auto Union. Bei Tempo 440 erwischte ihn eine Windbö. Er hatte keine Chance mehr.

Noch populärer als Bernd Rosemeyer, der so tragisch ums Leben kam, war Rudolf Caracciola – das Idol der sportbegeisterten Jugend. Ihm räumten selbst die Machthaber des Dritten Reiches Sonderrechte ein, die sonst niemandem gewährt wurden: Sogar während des Krieges wohnte Caracciola in der Schweiz.

Noch mehr als in »normalen Zeiten« hatte der Sport im Dritten Reich eine Kompensationsfunktion. Ihren Idolen jubelten die Massen nicht zu, weil sie die Erfolge des Regimes repräsentierten, sondern weil sie den grauen Alltag vergessen ließen.

Die Sonderrechte, die dem Sport und seinen Idolen lange Zeit gewährt wurden, standen den Stars von Film und Bühne nicht zu. Sportliche Meisterschaften und Wettkämpfe konnten kaum von oben gesteuert werden, Schlagerkomponisten, Filmregisseure und Schauspieler hingegen waren dem Regime von Anfang an suspekt, denn sie zogen täglich Millionen in ihren Bann – eine Möglichkeit, auf Massen einzuwirken, die der NS-Staat gerne für sich nutzen wollte.

Mit der Bildung der »Reichskulturkammer« (RKK) am 15. November 1933 wurde das gesamte kulturelle Leben dem Kontrollapparat der Goebbelsschen Propagandamaschinerie unterstellt. Zwangsmitglied in der RKK mußte sein, wer in Deutschland »bei der Erzeugung, der Wiedergabe, der geistigen und technischen Ver-

arbeitung, der Verbreitung, der Erhaltung, dem Absatz oder der Vermittlung des Absatzes von Kulturgut« mitwirken wollte.

Der totale Staat erfaßte konsequenterweise auch den Kulturbereich total – das blühende Kulturleben der Weimarer Republik, das innerhalb Europas als einmalig galt, sollte auf die Bedürfnisse des Dritten Reiches zugeschnitten werden. Die »Reichsmusikkammer« betreute Schlagerkomponisten und Dirigenten, Maler und Bildhauer waren in der »Reichskammer der bildenden Künste« erfaßt, Schauspieler, Drehbuchautoren und Regisseure, Intendanten und Komödianten standen unter dem Kuratel von »Reichstheater-« und »Reichsfilmkammer«, Autoren und Verlage wurden von der »Reichsschrifttumskammer« kontrolliert.

Für die Öffentlichkeit machte sich die totale Kontrolle des kulturellen Lebens nicht sofort als gravierender Einschnitt bemerkbar. Goebbels bemühte sich, im kulturellen Bereich einen möglichst gleitenden Übergang in die neue Zeit zu schaffen. Schließlich war man sich auch im Propagandaministerium über die Freizeitbedürfnisse der breiten Massen im klaren und versuchte, diese auf zunächst traditionelle Weise zu befriedigen – immerhin war die Loyalität der Mehrheit des Volkes einer der Grundpfeiler, auf die das NS-Regime in den ersten Jahren bauen mußte.

Aber der Weg, den man zu gehen gedachte, war von vornherein vorgezeichnet: Die staatliche oder parteiamtliche Kulturführung bestimmte, was dem Volk nutzen oder schaden würde, der »Dienst am Volksganzen« hatte nach Hitlers Worten »hygienischen Erfordernissen« und der »Sanierung des Volkskörpers« Rechnung zu tragen – allein diesen Zielen sollte die Kulturlenkung dienen.

Die Schriftsteller traf die neue Kulturpolitik als erste und am härtesten. Wer nicht gleich am Anfang wegen pazifistischer, sozialistischer oder einfach nur aufrechter demokratischer Gesinnung aus der Preußischen Dichterakademie ausgeschlossen und ins Exil vertrieben worden war (Alfred Döblin, Heinrich und Thomas Mann, Franz Werfel, Jakob Wassermann, René Schickele und viele andere), mußte nun seinen Ariernachweis erbringen und sich schriftlich verpflichten, dem NS-Staat treu zu dienen. Und Tausende von Verlegern, Schriftstellern und Lektoren paßten sich an. 1941 unterstanden der Reichsschrifttumskammer 5000 Schriftsteller, 5000 Verleger, 7000 Buchhändler, über 3200 Buchvertreter, 1500 Bibliothekare sowie Tausende von Angestellten dieser Branche.

Die neuen Namen kannte bis dahin fast niemand: Hanns Johst und Werner Beumelberg, Erwin Kolbenheyer und Hermann Stehr sowie Will Vesper waren nun Repräsentanten deutscher Literatur. Nachdem Hitler im März 1933 im »Börsenblatt für den deutschen Buchhandel« verkündet hatte, daß »Theater, Kunst, Literatur, Kino, Presse, Plakat und Auslagen... von den Erscheinungen einer verfaulenden Welt zu säubern« seien, wußte jeder, was die Stunde geschlagen hatte. Über 250 der bedeutendsten deutschen Schriftsteller emigrierten, annähernd 12 500 Buchtitel kamen zwischen 1933 und 1945 auf den Index. »Volkhafte Dichtung« war verlangt, und die wurde dann auch in großen Auflagen vertrieben – während des Krieges in Form der »Feldpostbücher«, die zunächst nur für die Frontsoldaten bestimmt waren, dann aber auch über den normalen Markt verkauft wurden.

Daneben blieben harmlose, unpolitische Bücher dem breiten Publikum erhalten: Waldemar Bonsels »Biene Maja« verkaufte sich bis 1938 über 750 000mal, Rilkes »Cornet«, Felix Dahns »Kampf um Rom« und der »Werwolf« von Hermann Löns erreichten Auflagen von jeweils über einer halben Million. Die Parteigliederungen förderten insbesondere Kriegsliteratur und solche Geschichts- und Heimatromane, die der Blut-und-Boden-Mystik und dem Rasse-Denken des NS-Regimes entsprachen: Hans

Grimms Epos »Volk ohne Raum« kam diesen Vorstellungen ebenso nahe wie »Hitlerjunge Quex« von Karl Aloys Schenzinger; Manfred von Richthofens »Der rote Kampfflieger« (750 000 Exemplare in drei Jahren) und »Sieben vor Verdun« von Josef Magnus Wehner waren mindestens so beliebt wie die »nordischen« Romane der Norweger Knut Hamsun und Trygve Gulbranssen (»Das Erbe von Björndal«; »Und ewig singen die Wälder«).

Die Auflage der Bildbandreihe des »Reichsbildberichterstatters« Heinrich Hoffmann über den »Menschen«, »Feldherrn« und »Befreier« Adolf Hitler überschritt bis 1940 schon die Zwei-Millionen-Grenze: »Das Antlitz des Führers« (230 000); »Hitler, wie ihn keiner kennt« (400 000); »Hitler befreit Sudetentland« (160 000) oder »Mit Hitler in Polen« (300 000) waren die Bestseller jener Unkultur; bei einzelnen Titeln war die Nachfrage so groß, daß sie kaum befriedigt werden konnte. Daß zur selben Zeit Hunderte deutscher Dichter und Schriftsteller ihr Land verlassen mußten, wurde von der breiten Masse kaum bemerkt, denn auch schon damals befaßte sich lediglich eine gebildete Minderheit mit anspruchsvoller Literatur.

Auch ausländische Autoren kamen auf den Index, doch gelang es einer Reihe von schöngeistigen Verlagen, mit anspruchsvollen Werken aus dem Ausland die Klippen eines Verbots zu umschiffen: Ausgewählte Titel von zwar offiziell »unerwünschten«, tatsächlich aber geduldeten Autoren konnten weiterhin erscheinen, so etwa Werke von William Faulkner und Ernest Hemingway, Thomas Wolfe und D. H. Lawrence. Auch Hermann Melville, Somerset Maugham und William Saroyan blieben mit einigen wenigen Titeln einer treuen Gemeinde von Lesern erhalten.

Die Werke jüdischer Autoren und Künstler durften seit 1933 nicht mehr verbreitet werden. Nur innerhalb des im Sommer 1933 gegründeten »Kulturverbandes Deutscher Juden« war es bis

1938, teilweise sogar bis 1941, jüdischen Kulturorganisationen gestattet, mit annähernd 2000 Künstlern in etwa 100 deutschen Städten Symphonieorchester, Schauspielensembles und eine Oper zu unterhalten sowie Kunstausstellungen, Vorträge und Lesungen zu veranstalten.

Der Normalbürger bemerkte auch kaum das Fehlen der großen Bühnenregisseure, Komponisten und Interpreten: Zwar gingen Otto Klemperer und Richard Tauber, Bruno Walter, Alban Berg, Paul Hindemith und Arnold Schönberg, Max Reinhardt und Erwin Piscator, doch es blieben genug: Werner Egk und Carl Orff, Herbert von Karajan und Wilhelm Furtwängler, Richard Strauss und Hans Pfitzner erlagen den Verlockungen des Regimes ebenso wie viele ungenannte Bühnendarsteller und Interpreten, denen zwar keine großen Staatsehren zuteil wurden wie dem erfolgreich angepaßten Opportunisten Gustaf Gründgens, denen aber trotzdem das Hemd näher war als der Rock und die keine Möglichkeit sahen, in der Emigration weiterhin erfolgreich zu wirken. Und das Regime bot genug Entfaltungsmöglichkeiten: Rührstücke und »Volkskomödien«, klassische Lustspiele und nazistische Heldenepen, ob »Der Etappenhase«, »Krach im Hinterhaus« oder klassische Dramen von Goethe, Schiller und Kleist – alles war darauf abgerichtet, dem normalen Bürger die Flucht aus dem Alltag zu ermöglichen. Das Publikum nahm das Angebot dankbar an, und abgesehen von eindeutig nationalsozialistischen Stücken waren die Vorstellungen ausverkauft – die Steuerung von oben funktionierte perfekt, und Millionen von Menschen wurden erfolgreich bevormundet.

Operettenmusik blieb erlaubt, denn sie »erheiterte den Volkscharakter«, und harmlos war ihr Inhalt allemal. Melodien von Nico Dostal (»Nofretete«) oder Fred Raymond (»Maske in Blau«) plätscherten aus dem Volksempfänger; nicht mehr zu hören war hingegen der »Nigger-Jazz«, der als dekadente Produktion von »Untermenschen« nicht länger die Grundlagen der deutschen Kultur »zersetzen« sollte. Dennoch ließ es das Regime zu, daß vor allem in den großen Städten auch weiterhin englische und amerikanische Jazz-Bands auftraten – bis zum Ausbruch des Krieges gab es regelmäßig Gastspiele in Deutschland; die deutschen Orchester umgingen ein Jazz-Verbot, indem sie ihre Musik »Swing« nannten, der offiziell noch nicht verpönt war.

Bis 1939 konnte das interessierte Publikum sogar noch Aufnahmen von Tommy Dorsey, Artie Shaw, Count Basie, Duke Ellington und Louis Armstrong kaufen, doch regionale Verbote gegen »Swing- und Niggermusik« schränkten zunehmend den Kreis der Fans ein. Der Gauleiter von Pommern etwa hatte schon 1938 kein Verständnis mehr für »Narren, die Urwaldsitten nach Deutschland verpflanzen wollen... Jaulende Orchester und ›swingende‹ Paare gehören in den Urwald, aber nicht in unsere Unterhaltungslokale.«

Der Krieg brachte dann erhebliche Einschränkungen für die großen Tanzorchester, denn auch hier wurden die Reihen für Einberufungen gelichtet. Bei den Plattenfirmen erschien zunehmend die Gestapo und beschlagnahmte Aufnahmen »nichtarischer« Musik und jüdischer Textdichter und Komponisten.

Die »Original Teddies« unter der Leitung von Teddy Stauffer im Berliner »Delphi« und das Orchester Max Rumpf erreichten zwar noch Hunderttausende, doch die klassischen Big Bands von Michael Jary und Willy Berking waren nicht mehr gefragt in einer Zeit, die das typische »Deutsche Tanz- und Unterhaltungsorchester« forderte und sogar simple Schlagermelodien zu monströsen Arrangements aufbauschte.

Das am 1. Oktober 1939 vom »Großdeutschen Rundfunk« erstmalig übertragene »Wunschkonzert für euch an allen Fronten« wird zum Erlebnis für Millionen, bereits nach einer Woche liegen fast 30 000 Briefe und über ein Zentner Postkarten mit Musikwünschen vor. Gespielt wird, was gefällt, und es sind meist die Schlager aus den großen Filmen, die ganz oben auf der Wunschliste stehen: »Der Wind hat mir ein Lied erzählt« von Zarah Leander aus dem Film »La Habañera«, »Das kann doch einen Seemann nicht erschüttern« von Heinz Rühmann, Josef Sieber und Hans Brausewetter – der größte »Hit« des ersten Kriegsjahres – oder »Heimat, deine Sterne«, das meistgewünschte Wehrmachts-Wunschkonzert-Lied.

Nach dem Kriegseintritt der USA hatte Goebbels in seinem Tagebuch notiert: »Die gute Laune muß erhalten bleiben« – Schlagerkomponisten, Textdichter und Interpreten waren aufgerufen, dieser Forderung mit entsprechenden Produkten nachzukommen, und kaum einer verweigerte sich. Ob Ilse Werner mit »Wir machen Musik« aus dem gleichnamigen Film, Marika Rökk mit »In der Nacht ist der Mensch nicht gern alleine« oder die junge Evelyn Künneke mit ihrem ersten Schlager »Sing, Nachtigall, sing« – alle schufen jene Überlebenswelt, die amtlich gefordert wurde. Johannes Heesters, der holländische Charmeur, äußerte rückblickend: »Unsere Arbeit war die verlogenste, die es in jener Zeit gab. Wir spielten heile Welt in Frack und Abendkleid. Aber andererseits gab es noch immer ein riesiges Publikum, das inmitten der Not und des Elends in den Kinos Vergessen und Zerstreuung suchte und von uns ... nichts anderes als Gesang und Tanz und Heiterkeit erwartete.«

Die größte Filmgesellschaft der Weimarer Zeit, die Ufa, ließ Goebbels zusammen mit einigen kleineren Produktionsfirmen einfach aufkaufen – bis 1942 hatte er sämtliche Filmgesellschaften unter nationalsozialistische Leitung gebracht. Die beliebtesten Stars, die großen Mimen der zwanziger Jahre, waren bis auf wenige Ausnahmen auch weiterhin mit von der Partie – kaum einer verweigerte die Mitarbeit, wie etwa Max Pallenberg oder Fritz Kortner. Alles was Rang und Namen hatte, versammelte sich unter der Schirmherrschaft der allmächtigen »Reichsfilmkammer«.

Ganz und gar nationalsozialistisch ausgerichtete Filme konnten sich freilich nicht durchsetzen, Streifen wie »S.A.-Mann Brand« oder »Hitlerjunge Quex« blieben die Ausnahme, denn das Publikum äußerte sein Ge- oder Mißfallen durch den Kauf der Eintrittskarte, und die filmische Dramatisierung von Leitartikeln, die einen schon allmorgendlich beim Frühstück langweilten, wollte niemand sehen.

Was das Publikum wollte, wußte man im Propagandaministerium nur zu genau: Musikfilme mit Zarah Leander, Tanzfilme mit Marika Rökk, Abenteuerszenen mit Hans Albers, Lustspiele mit Luise Ullrich und Victor de Kowa, klassische Liebesfilme mit den Stars Johannes Heesters und Willy Birgel, Brigitte Horney oder Heidemarie Hatheyer.

In den Unterhaltungsfilmen des Dritten Reiches kamen zwar äußerliche Nazi-Merkmale wie der Hitler-Gruß nicht vor, dafür schlich sich aber die Ideologie des NS-Regimes immer stärker in die Streifen ein. Helmut Käutners großartige Regieleistungen »Romanze in Moll« (1943) und »Große Freiheit Nr. 7« mit Hans Albers (1944) oder »Unter den Brücken« (1945) waren wegen ihrer friedlichen, das Private umfassenden Perspektive zwar noch geduldet, entsprachen aber längst nicht den Anforderungen des Propagandaministeriums. »... reitet für Deutschland« mit Willy Birgel verkörperte schon eher die Klischees und Wertvorstellungen der Nazis, und da, wo das »Sterben für Deutschland« vorbildlich dargestellt wurde, etwa in dem U-Boot-Film »Morgenrot« oder dem Erster-Weltkriegs-Streifen »Unternehmen Michael«, versagte das Ministerium auch nicht seine Unterstützung. Ausgesprochene Kriegsfilme mit »bewährten« Schauspielern und perfekten Regieleistungen (»Stukas«, »Pour le Mérite«, »Kampfgeschwader Lützow«) standen in der Gunst des Publikums ebenso hoch wie der unter der Regie des Altmeisters Josef v. Baky mit Hans Albers gedrehte Farbfilm »Münchhausen«, zu dem ein gewisser Berthold Bürger, besser bekannt unter dem Namen Erich Kästner, das Drehbuch geschrieben hatte. Auch der antienglische Film »Ohm Krüger«, in dem dem deutschen Publikum mit eindeutiger Tendenz die KZs vorgeführt wurden, die die Engländer im Burenkrieg eingerichtet hatten, sollte ein Erfolg werden -- der großartige Schauspieler Emil Jannings gab sich für die Hauptrolle her.

Die seit 1940 reichseinheitlich gezeigte »Deutsche Wochenschau« wurde zu einem Hauptanziehungspunkt des Vorprogramms. Wöchentlich erlebten rund 20 Millionen Kinobesucher in den technisch hervorragend gemachten Dokumentationen »hautnah« die scheinbar immerwährenden Erfolge der deutschen Truppen mit. Niederlagen wurden systematisch verschwiegen, die Lügenpropaganda perfekt inszeniert. Untersuchungen ergaben, daß wegen der blendenden Qualität der Wochenschauaufnahmen von den Kriegsschauplätzen Europas allein im Sommer 1940 ein um 90 Prozent höherer Kinobesuch verzeichnet werden konnte als im gleichen Zeitraum des Vorjahres.

In den Jahren der großen Siege erfreuten sich sowohl eindeutige Propagandafilme wie scheinbar harmlose Liebesklamotten, Unterhaltungsfilme mit politischer Tendenz wie auch einfältigharmlose Komödien großer Beliebtheit. Ob der erste Farbspielfilm »Frauen sind doch bessere Diplomaten«, Willi Forsts Ausstattungsoperette »Wiener Blut«, der rassistische Veit-Harlan-Streifen »Jud Süß«, Rabenalts »... reitet für Deutschland« oder Kurt Hoffmanns »Quax der Bruchpilot«: Millionen von Deutschen blieb der Film eine willkommene Ablenkung vom zunehmend trister werdenden Alltag.

Angesichts des heraufziehenden Debakels entwickelt das Publikum ein Bedürfnis nach Ausgleich, Frieden und Harmonie, das durch die größten Filmerfolge am weitgehendsten befriedigt wird: In »Wunschkonzert« wird das magische Band zwischen Front und Heimat geschlungen, der Film bietet für jeden etwas: »Gute Nacht Mutter« läßt das Publikum mitschluchzen, Marika Rökk schmettert flotte Schlager, die Berliner Philharmoniker spielen auf, der Weiß Ferdl trägt vorgeblich gewagte Witze vor.

Und dann der Film »Die große Liebe«, in dem der Krieg schon näherrückt und auch die elegante Primadonna im Luftschutzkeller in die Reihen der Volksgemeinschaft findet. Die Durchhaltelieder des Films sind exemplarisch für ihre Zeit – Zarah Leander hatte sich mit »Ich weiß, es wird einmal ein Wunder geschehn« und »Davon geht die Welt nicht unter« endgültig in die Herzen einer nach Millionen zählenden Anhängerschaft gesungen. Das Publikum schmolz dahin, wenn die ungekrönte Diva des deutschen Films mit erotisch-rauchiger Stimme den Durchhaltewillen und die Hoffnung aller auf eine schönere Zukunft beschwor: »Ich weiß, es wird einmal ein Wunder geschehn, und dann werden tausend Märchen wahr.« Die Schlußzeile »... und ich weiß, daß wir uns wiedersehn!« ließ ausgestandene Ängste verblassen – es war ja alles gar nicht so schlimm: »Davon geht die Welt nicht unter, sieht man sie manchmal auch grau. Einmal wird sie wieder bunter, einmal wird sie himmelblau! Geht's mal drüber und mal drunter, wenn uns der Schädel auch raucht: Davon geht die Welt nicht unter, die wird ja noch gebraucht!«

102

Die »willensmäßige Einheit des Volkes«, wie Hitler sie sich vorstellte, war
nur durch die totale Erfassung des einzelnen möglich. Durch die Gleichschaltung aller bedeutenden staatlichen, gesellschaftlichen und kulturellen Organisationen schien dies auch zunächst zu
gelingen, obwohl es Freiräume gab.
Künstler von Bühne und Film konnten
sich noch am ehesten dem direkten
Zugriff des Regimes entziehen, denn
was über die Leinwand flimmerte, sollte

sich möglichst unterhaltsam und pro-
pagandafrei anhören und -sehen. Am
Silvesterabend 1938 feiern im Atelier
der Tobis-Filmgesellschaft die Schauspieler Irene von Meyendorff, Victor de
Kowa, Dorothea Wieck (auf dem
Tisch), Olga Tschechowa und Karl Mar-
tell scheinbar unbeschwert in das
Kriegsjahr 1939 hinein (101).
Für den normalen Bürger war der Alltag
jedoch viel stärker im Sinne der nationalsozialistischen Ideologie ausgerich-

tet: Die Kleinen durften sich während
öffentlicher Demonstrationen der
Wehrmacht im Tarnen von Fahrzeugen
üben (102), Millionen von Volksempfängern sorgten für eine ständige Berieselung der Erwachsenen (104).
Für den »Gemeinschaftsempfang« war
ebenfalls gesorgt: Während einer offiziellen Führer-Rede wagte niemand,
den »Deutschen Gruß« zu verweigern –
hier in den Warteräumen einer Münchner Behörde (103).

103

104

105

Die Olympischen Sommerspiele von 1936, die in Berlin und Kiel stattfanden, wurden vom NS-Regime für dessen ureigenste Interessen ausgeschlachtet. Die perfekte Organisation, die offiziell verordnete Festlichkeit und die ehrliche Gastfreundschaft vieler Bürger begeisterte auch die ausländischen Teilnehmer. Die Wettkämpfe zogen fast vier Millionen Zuschauer an, die enthusiastisch die großartigen sportlichen Leistungen eines Jesse Owens oder Lutz Long (105), des Speerwurfsiegers Gerhard Stöck oder des Hammerwerfers Karl Hein feierten.

In den letzten Friedensjahren war der Automobilsport besonders populär geworden und das Rennfahrer-Kleeblatt Hans Stuck, Hermann Lang, Rudolf Caracciola und Bernd Rosemeyer heimste die großen nationalen und internationalen Preise ein. Caracciola nach einem Sieg mit einem Mercedes-Benz-Zwölfzylinder (106).

106

07

08

Die Olympischen Winterspiele 1936 fanden in Garmisch-Partenkirchen statt. Auch hier regnete es für die Deutschen Medaillen: Gold für Christl Cranz und Franz Pfnür in der Alpinen Kombination sowie für die Publikumslieblinge Maxie Herber und Ernst Baier im Paarlauf (107).

Im selben Jahr feierte Max Schmeling, hier mit seiner Frau, der Schauspielerin Anny Ondra (108), seinen größten sportlichen Triumph: Am 19. Juni boxt Schmeling den farbigen amerikanischen Schwergewichtsweltmeister Joe Louis k.o. Millionen von Deutschen verfolgen diesen Kampf an den Volksempfängern, und die nationalsozialistische Presse feierte diesen Sieg als Beweis für die Überlegenheit der weißen Rasse. Goebbels telegraphierte an Schmeling: »Ich weiß, Du hast für Deutschland gekämpft, es war ein deutscher Sieg. Wir sind alle stolz auf Dich. Heil Hitler!«

109

110

Der Normalbürger hatte den Exodus einiger Schauspieler, Regisseure und Interpreten kaum bemerkt und die Goebbelssche Reichskulturkammer bemühte sich, den Bühnenbetrieb, soweit es in den Rahmen der offiziellen Propaganda paßte, so wenig wie möglich zu reglementieren. Klassische Dramen und »Volksstücke«, Lustspiele und Rührstücke standen weiterhin auf dem Programm. Bernhard Minetti, Käthe Dorsch und Gustaf Gründgens feierten unter der Regie von Jürgen Fehling (109) ebenso Triumphe wie das zunächst noch geduldete »Kabarett der Komiker« (110) in Berlin.

Viele Ufa-Filmgrößen ließen sich in die von Goebbels kontrollierte Filmindustrie einspannen: Werner Krauss und Ferdinand Marian im antisemitischen Hetzstreifen »Jud Süß« (111), Paul Hörbiger und Zarah Leander im Kassenschlager »Die große Liebe« (112) oder Willy Birgel in ». . . reitet für Deutschland« (113).

111

112

Kanonen statt Butter

»Wir sind geboren, um für Deutschland zu sterben«, stand über der Eingangstür eines HJ-Heimes, doch das romantisierte »heldische« Sterben für Fahne und Führer schien bei Kriegsausbruch im September 1939 zunächst noch in weiter Ferne. Aber die Jugend war vorbereitet: Feuersprüche und Fahnenlieder, Schwertworte und Verpflichtungsschwüre hatten längst ihre Wirkung getan, als der »Führer« sein Volk ans Gewehr rief und seine Soldaten in einen wahnwitzigen Eroberungskrieg schickte.

Die »Dritte Durchführungsverordnung zum Gesetz über die Hitler-Jugend« erschien am 11. November 1939, als die deutschen Truppen bereits tief in Polen eingedrungen waren und die täglichen Nachrichten fast ausschließlich aus Siegesmeldungen bestanden. Von diesem Zeitpunkt an war es der Reichsjugendführung möglich, konsequent dafür zu sorgen, daß die »Jugenddienstpflicht« ordnungsgemäß abgeleistet wurde. Der Jahrgang 1923 wurde als erster zum Jugenddienst herangezogen, und gleichzeitig mußten sich alle zehnjährigen Mädchen und Jungen zum HJ-Dienst melden.

Die HJ durfte sich zunächst an der »Heimatfront« bewähren: Die Jungen trugen mit Begeisterung Zehntausende von Einberufungsbefehlen aus. Die Mädchen halfen beim Verteilen der neu eingeführten Lebensmittelkarten. Von nun an waren Verdunkelungsübungen und Probealarme des Luftschutzes an der Tagesordnung, auch das korrekte Anlegen der »Volksgasmaske« wollte gelernt sein. In erster Linie aber waren es Staat und Wehrmacht, die auf die Dienste der Jugendlichen zurückgriffen. Hatten die Jungen bereits während des ersten Vierjahresplans Altmaterialsammlungen durchgeführt, so wurden sie jetzt systematisch eingesetzt, um auch die letzten Reserven an Altpapier, Alteisen, Kupfer, Stanniol, Blech oder gar Rasierklingen im Reich zusammenzukratzen. Diese Aktionen wurden zentral von der Reichsjugendführung gesteuert. Die BDM-Angehörigen bastelten Geschenke für die aus dem Polen-Feldzug »siegreich« heimgekehrten Verwundeten oder gingen, sofern sie über 18 Jahre alt waren, in den sozialen »Einsatz«: Über 300 000 halfen 1940 in Haushalten, 65 000 beim Roten Kreuz, 60 000 in Lazaretten und über 100 000 im Bahnhofsdienst. Was als fröhlich-muntere »Sonderaktion« im Herbst 1939 begonnen hatte, wurde nun zum systematisch organisierten und gesteuerten Großeinsatz – schon ehe es richtig losging, lief die Kriegsmaschinerie bereits auf vollen Touren.

Der »Stellvertreter des Führers«, Rudolf Heß, hatte die neuen, ernsten Pflichten auf die Formel gebracht: »Stellt alles über euer Volk!« 1940 wurde zum »Jahr der Bewährung« ausgerufen –

der Krieg gegen Polen war siegreich beendet, und der »Frankreich-Feldzug« stand vor der Tür. Innerhalb des Reichsgebietes war vom eigentlichen Krieg wenig zu spüren, noch beherrschte die Luftwaffe des Reichsmarschalls Göring den deutschen Luftraum, noch blieben die deutschen Städte und Industriezentren von massierten Bombenangriffen verschont. Doch der Einsatz Jugendlicher im Dienst des Krieges wurde weiter systematisiert, und die verstärkten Einberufungen zur Wehrmacht ließen viele Arbeitsplätze unbesetzt. HJ und BDM konnten beweisen, daß sie bereit waren, sich mit Haut und Haaren für Volk und Vaterland einzusetzen: bei der Post als Briefträger, in der Wehrmacht beim Telefondienst und beim Ein- und Ausladen von Nachschub, in Geschäften und Betrieben beim Transport von Waren, in Alten- und Kinderheimen als Sozialhelfer, in Lazaretten, Krankenhäusern und Sanitätsstellen. Zum »Kriegsehrendienst« gehörten weiter das Heranschaffen von Brennmaterial, hauswirtschaftliche Arbeit bei alleinstehenden Müttern und schließlich die große Bewährungsprobe: die Aktion »Kinderlandverschickung« (KLV).

Dieses Unternehmen, von der Reichsjugendführung als »größte soziale Aktion des Krieges« gepriesen, begann ab 1940/41 anzulaufen, als die deutschen Großstädte erstmals in die Reichweite der englischen Bombergeschwader gerieten. Die Kinderlandverschickung wurde von der Reichsjugendführung organisiert und finanziert; von Schirach prahlte Anfang 1941 damit, daß die Verpflegung um mindestens 20 Prozent besser sei als im Reich – die Lager innerhalb Deutschlands waren nämlich mittlerweile überbelegt, und man hatte damit begonnen, in den von »Volksdeutschen« besiedelten Gebieten Ungarns, Böhmens und der Slowakei neue Lager einzurichten. Die Evakuierung erfolgte jahrgangs- oder klassenweise, zu einem Lager gehörten etwa 30 bis 50 Jugendliche, deren Betreuung »NS-Vertrauenslehrer« übernahmen, die aus-

schließlich von der HJ und von der Partei ernannt wurden. Allein Eltern aus Hamburg meldeten während des Krieges freiwillig mehr als 100 000 Kinder zur KLV an. Die Trennung vom Elternhaus erleichterte naturgemäß die stramme ideologische Ausrichtung dieser Kinder. Die Lager unterstanden nicht der normalen Schulverwaltung, sondern Inspekteuren des NS-Lehrerbundes, und die HJ-Betreuer waren auf einer speziellen »Reichsführerschule KLV« ausgebildet worden.

Ab 1942 werden die Jugendlichen immer weitgreifender und unverblümter in das Kriegsgeschehen einbezogen. Um die Rekrutenausbildung abzukürzen, müssen alljährlich Zehntausende in den »Wehrertüchtigungslagern« ihren »K-Ausbildungsschein« erwerben: Unter der Leitung von HJ-Führern und Wehrmachtsoffizieren wird der Fronteinsatz geprobt, Schüler rücken klassenweise ein, berufstätige Jugendliche sind verpflichtet, den Lehrgang während ihres Urlaubs zu absolvieren. Für die Lager wurden Standorte ausgewählt, wo Geländedienst und Schießübungen »problemlos« durchgeführt werden konnten. Der Öffentlichkeit blieb dies zwar nicht verborgen, doch man konnte sich dank der Entfernungen über den Ernst der Dinge hinwegtäuschen. Die Lager wurden aus Wehrmachtsbeständen verpflegt, zu Versorgungsengpässen kam es dabei kaum. Ganz anders hingegen stellte sich die Ernährungssituation für die »normale« Zivilbevölkerung dar, denn schon seit Kriegsbeginn war schrittweise die Versorgung der »Heimatfront« mit Brennmaterial, Kleidung, Waren des täglichen Bedarfs und vor allem Lebensmitteln stark eingeschränkt worden. Auch die Wohnverhältnisse hatten sich ab 1941/42 rapide verschlechtert. Schon in der Anfangsphase des Dritten Reiches waren auf dem Gebiet des Wohnungsbaus die Planungsvorgaben nie erfüllt worden, erst 1936 erreichte man wieder den ungefähren Stand von 1928/30, und 1938 lag der Zuwachs noch um etwa zehn

Prozent unter dem Niveau von 1929. Ab 1940 (rund 100 000 neue Wohnungen) und 1941 (60 000) gingen die Zahlen im Wohnungsneubau rapide zurück, da das Bauhandwerk zunehmend für den Bau von Bunkern und die Reparatur von Kriegsschäden herangezogen wurde.

Die Konsumgüterindustrie arbeitete zu diesem Zeitpunkt noch weitgehend auf dem Niveau des letzten Friedensjahres, denn man ging davon aus, daß die »Blitzkriegs«-Strategie die Kampfhandlungen auf einen kurzen Zeitrum begrenzen würde. Aber bereits 1939 kam es bei Fleisch, Milchprodukten, Eiern und Fett zu beträchtlichen Versorgungslücken. So erhielt der »normale« Konsument, der weder besonders schwer arbeitete noch Nachtdienst zu verrichten hatte, nur die halbe Menge der Friedensrationen. Brot war bis 1941 in ausreichender Menge vorhanden, doch ging seine Qualität derartig zurück, daß sogar die Wochenzeitung »Das Reich« im Sommer 1942 offen davon sprach, daß die Bekömmlichkeit nachgelassen habe – es durfte in frischem Zustand nicht mehr verkauft werden.

Textilien und Schuhe konnten ebenfalls nur noch gegen Bezugsscheine ausgegeben werden; zwar besaßen die meisten Normalbürger zunächst einen gewissen Kleidervorrat, doch waren die in späteren Jahren produzierten Kleidungsstücke sowie das Schuhwerk von nur minderer Qualität. Wer es sich erlauben konnte, beschaffte sich Ersatz auf dem »grauen« Markt – der Schleich- und Tauschhandel, obwohl offiziell verpönt, florierte. Was unter Bewirtschaftung stand und nur auf Bezugsscheine abgegeben wurde, konnte gegen zusätzliches Geld »unter der Ladentheke« erworben werden. Für die Mehrzahl der arbeitenden Menschen kam diese Möglichkeit jedoch gar nicht in Frage, denn ihnen fehlten ganz einfach die nötigen finanziellen Mittel: Zwar läßt sich bis Ende 1942 bei den durchschnittlichen Stundenlöhnen eine konstante Steigerung beobachten, und darüber hinaus brachte die Erhöhung der durchschnittlichen wöchentlichen

Arbeitszeit auf knapp 50 Stunden (September 1941) zusätzliches Geld in die Lohntüte des Arbeiters, doch stiegen die Lebenshaltungskosten allein zwischen 1940 und Anfang 1943 um knapp zehn Prozent. Für überhöhte Preise auf dem »freien« Markt war da nicht viel übrig, und was den Tauschhandel anging, so hatte der normale Durchschnittsbürger wenig anzubieten – dabei verlangten die Landwirte für die Abgabe von Lebensmitteln zunehmend hochwertige Gebrauchsgüter wie Silberbestecke, Porzellanservice oder Kleidungsstücke (Pelzmäntel, Kleider und Anzüge aus Stoffen, die noch aus »Friedenszeiten« stammten).

Die geheimen Lageberichte des Sicherheitsdienstes (SD) der SS aus diesen Jahren sprechen eine deutliche Sprache.

6. November 1939: »Auf dem Lebensmittelmarkt halten trotz der Erhöhung des Butterkontingents die Klagen insbesondere aus den Industriegebieten über die ungenügende Fettzuteilung (Margarine, Speiseöl, Schmalz) weiterhin an. Als besonders schwierig wird die Lage nach wie vor für kinderreiche Familien bezeichnet...«

18. März 1940: »Aus dem gesamten Reichsgebiet liegen Meldungen vor, die besagen, daß in der Bevölkerung große Mißstimmung über die Schwierigkeiten beim Einkauf bezugsscheinfreier Waren besteht. Hier handelt es sich vor allem um Nahrungs- und Genußmittel, Gemüse, Obst und Südfrüchte...«

1. August 1940: »In den Stimmungsberichten der vergangenen Monate und Wochen ist... übereinstimmend zum Ausdruck gebracht worden, daß die Brotration von den Werktätigen, einschließlich derjenigen Gruppen, die eine Sonderbehandlung erfahren haben, wie Schwer-, Lang- oder Nachtarbeiter, als unzureichend angesehen wird...«

3. April 1941: »Über das Anstehen vor Pferdemetzgereien wird berichtet, daß sich in der letzten Zeit einzelne Leute bereits am vorhergehenden Tage um 20 Uhr angestellt hätten, um

dann auch wirklich am nächsten Tage zu dem begehrten markenfreien Pferdefleisch zu gelangen.«

17. August 1942: »In den luftgefährdeten Städten des Westens, die oft mehrmals in der Nacht Luftalarm haben, wird seitens der Bevölkerung immer wieder der Wunsch nach einer zusätzlichen Lebensmittelzuteilung geäußert. Besonders kinderreiche Mütter klagen oft, daß sie bei der augenblicklichen Zuteilung außerstande seien, den nach Beendigung des nächtlichen Luftalarms sich stets einstellenden Hunger ihrer Kinder zu stillen.«

In konkreten Zahlen sah die Versorgung des Normalkonsumenten folgendermaßen aus: Zwischen September 1939 und Oktober 1942 fiel die wöchentliche Brotration von 2400 Gramm auf 2000 Gramm, die Fleischzuteilung sank von 700 auf 300 Gramm, bei Fett wurde die Zuteilung von 340 auf durchschnittlich 206 Gramm zurückgesetzt. Schwer- und Schwerst- sowie Lang- und Nachtarbeiter erhielten jedoch zunächst weiterhin ausreichende Mengen an Lebensmitteln, denn ihr voller Arbeitseinsatz wurde für die Rüstungsindustrie gebraucht. Bei diesen Gruppen kam es auch bis Ende 1943 kaum zu Versorgungsmängeln, denn für derart wichtige Arbeitskräfte wurde die Nahrungsmittelzufuhr aus den besetzten Gebieten forciert.

Zwar kann nicht davon ausgegangen werden, daß die Verlängerung der Arbeitszeit, die Verschärfung der Akkordarbeit und die ständigen Versuche, das Lohnniveau möglichst niedrig zu halten, von der Mehrheit der Arbeiter protestlos hingenommen wurden. Dennoch kam es zu keinem organisierten Widerstand gegen die Sozial- und Versorgungspolitik des NS-Regimes. Der Druck der Gestapo und die totale Überwachung auch in den Betrieben verhinderten jegliche derartigen Aktivitäten. Wo es wirklich einzelne wagten, durch Arbeitsverweigerung oder Bummelei ihren Protest zu artikulieren – vor allem in den für die Rüstung wichtigen Betrieben –, schritt

sofort die Gestapo ein, die sich seit Kriegsbeginn in allen Fällen von Arbeitsverweigerung für allein zuständig erklärt hatte. Schon zwei Monate nach Kriegsausbruch wurden allein im Ruhrgebiet 1000 Arbeiter wegen Bummelei und Arbeitsverweigerung angeklagt.

Wo die Arbeitsdisziplin durch den »Betriebsführer« mit den ihm zur Verfügung stehenden herkömmlichen Mitteln der Verwarnung oder des Lohnabzugs nicht gewahrt werden konnte, schaltete sich der staatliche Zwangsapparat ein. Bereits 1940 hatte die Gestapo spezielle Konzentrationslager für arbeitsunwillige »Störenfriede« eingerichtet. Mit der »Verordnung zur Sicherstellung des Kräftebedarfs für Aufgaben von besonderer staatspolitischer Bedeutung« wurden Männer und Frauen verpflichtet, auf staatliche Anordnung hin eine neue Stelle anzutreten. Diese Dienstpflichtverordnung vom Juni 1938 betraf zunächst nur rund 400 000 Arbeiter, die am Bau des »Westwalls« beteiligt waren, doch schon 1939 wurden insgesamt 1,3 Millionen Dienstverpflichtungen zur Aufrechterhaltung bzw. Steigerung der Rüstungsproduktion ausgesprochen. Dennoch war man auch in späteren Jahren durchaus sparsam in der Anwendung dieses Zwangsmittels, denn die politische Führung machte sich keinerlei Illusionen darüber, wie unpopulär derartige Maßnahmen in weiten Kreisen der Arbeiterschaft waren – und man brauchte Ruhe an der Arbeitsfront, um den militärischen Nachschubhunger der Wehrmacht befriedigen zu können.

Bis Kriegsbeginn war die Zahl der ausländischen Arbeiter auf etwa eine halbe Million gestiegen. Dabei handelte es sich in erster Linie um Polen und Italiener, die aufgrund freiwilliger Verpflichtungen nach Deutschland kamen. Dennoch blieben viele Arbeitsplätze unbesetzt, denn die Mobilisierung der Frauen für den »Ehrendienst« in der Rüstungsindustrie scheiterte kläglich. Die von Goebbels während des Krieges inszenierte Aktion »Deutsche Frauen helfen siegen« brachte

Luftschutzmerkblatt
für die Bevölkerung

Verhalten nach Aufruf des zivilen Luftschutzes:

Der Aufruf des zivilen Luftschutzes wird öffentlich bekanntgegeben. Das gewohnte Leben geht weiter, die Vorbereitungen für den Luftschutz im Hause werden abgeschlossen.

Allen Anordnungen des Luftschutzwarts Folge leisten.

Luftschutzraum gebrauchsfähig herrichten.

Selbstschutzgeräte bereitstellen.

Wasser in Eimern, Bottichen usw. zum Trinken, Kochen, Löschen dauernd bereithalten.

Dachboden endgültig entrümpeln.

Stallungen von Großvieh vorschriftsmäßig gas- und splittersicher herrichten.

Verdunklungseinrichtungen anbringen.

Lebensmittel, möglichst auch Futtermittel, nur noch verpackt oder in gut schließenden Schränken oder sonstigen Behältern aufbewahren. Lebens- und Futtermittel bei Lagerung im Freien und auf Transporten nach Möglichkeit abdecken.

Gasmaske stets griffbereit halten und auf der Straße mitführen.

Luftschutzraumgepäck bereithalten (Gasmaske, warme Kleidung, Decken, Kissen, Taschenlampen, Lebensmittel, für Kinder und Kranke Thermosflaschen mit Getränk, Kinderspielzeug, wichtige Papiere).

Verhalten bei Fliegeralarm: Ruhe bewahren!

I. Im Hause:

Türen und Fensterläden zu, Haustür offen lassen, dabei Verdunklungspflicht beachten.

Gas und Strom in der Wohnung abstellen. Luftschutzwart stellt Hauptgashahn ab.

Luftschutzraum mit Luftschutzraumgepäck aufsuchen. Keine Tiere, außer Blinden- und Diensthunden, mitnehmen.

Im Luftschutzraum nicht rauchen, kein offenes Licht benutzen. Bei Kampfstoffgeruch oder Reizwirkung Gasmasken aufsetzen, notfalls feuchtes Tuch vor Mund und Nase. Undicht gewordene Stellen des Luftschutzraumes abdichten. Luftschutzraum nur auf Anordnung des Luftschutzwarts verlassen.

II. Auf der Straße:

Sofort Straße räumen.

Nächsten Luftschutzraum aufsuchen.

Fahrzeuge so abstellen, daß Durchfahrt nicht behindert wird.

Zugtiere ausspannen und anbinden.

In unbebautem Gelände jede Deckung ausnutzen und hinlegen.

Die gleichen Gebote gelten auch bei überraschendem Luftangriff.

Bei Kampfstoffgeruch oder Reizwirkung (nicht Leuchtgas) Gasmaske aufsetzen, notfalls feuchtes Tuch vor Mund und Nase, ruhig atmen, nicht laufen. Stellen mit öligen Spritzern meiden. Bei Feststellung flüssiger Kampfstoffe auf Haut oder Kleidung nächste Rettungsstelle oder Laienhelferin aufsuchen. Wenn dies nicht möglich, schnellstens vergiftete Kleidungsstücke ablegen und gründliche Körperreinigung mit Seife und warmem Wasser.

XII Haupt-bt. IV № 292   Herausgegeben vom Präsidium des

Überall in den Großstädten, wie hier in Berlin, wurden mit Beginn des Krieges und der Luftangriffe diese Merkblätter für die Bevölkerung ausgegeben.

kaum nennenswerte Ergebnisse. Aus den SD-Berichten vom Mai 1941: In Dresden seien »von 1250 zu einer Werbeveranstaltung geladenen Frauen nur sechshundert erschienen, von denen wiederum sich nur 120 zur Übernahme eines Arbeitsplatzes bereit erklärt hätten... Ebenso sind in Dortmund nach übereinstimmenden Meldungen... bisher keine praktischen Erfolge bezüglich des freiwilligen Arbeitseinsatzes der deutschen Frau bekannt geworden.«

Eine gewisse Entspannung der Arbeitsmarktlage, vor allem in der Landwirtschaft, brachte der Einsatz von Kriegsgefangenen aus Polen und Frankreich. 1942 arbeiteten auf deutschen Höfen bereits über eine Million Polen, von denen die wenigsten freiwillig gekommen waren. Die Aktionen zur Anwerbung von Arbeitskräften, die die deutschen Behörden in den besetzten Gebieten durchführten, waren weitgehend erfolglos geblieben – nur rund 80 000 Polen hatten sich gemeldet. Nach diesem Fehlschlag wurde rücksichtslos rekrutiert. Neben den Kriegsgefangenen machten auch arglose Bürger unfreiwillig Bekanntschaft mit deutschen Sicherheitskräften. Wahllos wurden im besetzten Polen Männer und Frauen, Jugendliche, Arbeiter, Bauern und Intellektuelle auf offener Straße aufgegriffen, Kino- und Kirchenbesucher sahen sich unvermittelt in Transportzüge nach Deutschland verfrachtet. Den Polen folgten 1940 Franzosen und Belgier, Holländer, Norweger und Luxemburger, 1941 Griechen und Jugoslawen. Im Mai 1941 hatte sich die Gesamtzahl der ausländischen Arbeiter auf 1,75 Millionen erhöht, hinzu kamen rund 1,25 Millionen Kriegsgefangene.

Die Ausländer lebten in Deutschland unter den denkbar schlechtesten Bedingungen in eigens errichteten Barackenlagern; die Kosten für Nahrung und Logis wurden von ihrem ohnehin kargen Lohn abgezogen, soziale Leistungen gab es kaum. Doch ohne ihre erzwungene Mithilfe hätte das NS-Regime zu weit schärferen Disziplinierungs- und Dienstverpflichtungsmaßnahmen gegenüber der eigenen Arbeiterschaft und den Frauen greifen müssen.

Hitlers Befürchtung vom November 1939: »Hinter mir steht das deutsche Volk, dessen Moral nur schlechter werden kann«, traf nicht in dem von ihm erwarteten Maße ein. Das Regime konnte in den ersten Kriegsjahren sowohl die Ernährung sicherstellen – wenn auch die allerorten beklagten Versorgungsmängel das Gegenteil vermuten ließen – als auch den Arbeitskräftebedarf der Industrie decken.

Im Mai 1941 betrug die Zahl ausländischer Arbeitskräfte rund drei Millionen, ein Jahr später waren es bereits über vier Millionen und im Mai 1943 6,3 Millionen. Sie stellten damit ein Sechstel der gesamten arbeitenden Bevölkerung, und ohne sie wäre die deutsche Kriegswirtschaft schon zu diesem Zeitpunkt zusammengebrochen. Vor den Augen der deutschen Arbeiter schufteten diese Zwangsrekrutierten unter besonders gefährlichen Bedingungen und ohne ausreichende Ernährung. Durch die harte körperliche Arbeit, etwa in Steinbrüchen oder beim Freimachen der Straßen von Trümmerschutt, wurde ihre Zahl ständig dezimiert – neue Zwangsrekrutierungen in den besetzten Ländern folgten auf dem Fuß. Einen ungefähren Eindruck von dem traurigen Los dieser Menschen gibt ein Brief Alfred Rosenbergs, des »Reichsministers für die besetzten Ostgebiete«, an General Wilhelm Keitel: »Von den 3,6 Millionen Kriegsgefangenen sind heute nur noch einige Hunderttausend voll arbeitsfähig. Ein großer Teil von ihnen ist verhungert oder durch die Unbilden der Witterung umgekommen.«

Fast jedes Dorf hatte seine Polen und Russen, die oft in Ställen und Erdlöchern hausten – jeglicher Kontakt mit den »slawischen Untermenschen« war verboten. In jeder kleineren Stadt mit Industrie befand sich ein Lager mit ausländischen Zivilverschleppten oder Kriegsgefangenen, dessen Existenz auch der Bevölkerung nicht verborgen bleiben konnte.

174

Der Polizeipräsident in Berlin
Polizeiamt Neukölln

Berlin=Neukölln, den ___8. Juni___ 1942.
Braunauer Straße 107/109

PA. Nr. V. Str. 92.K.42.

Strafverfügung

Frau Helene Köhler
Berlin-Neukölln
Boddinstr.23, II.

Sie sind angezeigt worden, weil Sie

am ___5.6.42___ gegen ___00,15___ Uhr es unterlassen hatten, das

(Tatbestand)

Schlafzimmer= Fenster — Ihrer Wohnung ~~Ihres Gewerbebetriebes~~

im Hause Boddinstraße 23 zu Berlin-Neukölln

~~ausreichend~~ zu verdunkeln, obwohl Verdunkelungsmaterial

vorhanden war.

Übertretung der §§ 2, 9 und 12 des Luftschutzgesetzes v. 26.6.35 (Reichsgesetzblatt Seite 827, in Verbindung mit dem § 17 der Ersten Durchführungsverordnung in der Fassung vom 1.9.39 (Reichsgesetzblatt Seite 1631) und der §§ 2, 5, 12 und 22 der Achten Durchführungsverordnung vom 23.5.39 (Reichsgesetzblatt Seite 965).

Zeugnis de= SPol.= Wachtmeister s.d.Res. Brennecke,Rev.212.

Verwarnung ist ___—___ — wegen der Bedeutung der strafbaren Handlung nicht — ergangen.

Es wird daher gegen Sie eine Geldstrafe von ___zehn___ RM., für den Unvermögensfall eine Haftstrafe von ___zwei Tag en___, festgesetzt.

Zu der Geldstrafe treten 50 Rpf bare Auslagen. Der Gesamtbetrag von ___10___ RM 50 Rpf muß innerhalb einer Woche an die Polizeikasse in Berlin=Neukölln, Braunauer Str. 107/109, in der Zeit von 9 bis 13 Uhr — Sonnabends bis 12 Uhr — eingezahlt werden. Bei Barzahlung wollen Sie diese Verfügung vorlegen, bei Einsendung durch die Post die beiliegende Zahlkarte — Postscheckkonto Berlin Nr. 143 68 — benutzen.

Sie können binnen einer Woche gegen diese Strafverfügung gerichtliche Entscheidung beantragen. Die Frist dafür beginnt mit dem Tage der Zustellung. Der Antrag ist entweder bei mir — schriftlich oder zu Protokoll — oder bei dem zuständigen Amtsgericht Berlin, in Berlin NW 40, Alt=Moabit 11, — schriftlich oder zu Protokoll der Geschäftsstelle — zu stellen.

Wenn Sie innerhalb der gestellten Frist weder diesen Rechtsbehelf einlegen noch den Geldbetrag zahlen, wird die Strafverfügung zwangsweise durchgeführt. Hierdurch entstehen Ihnen weitere Kosten.

Falls Sie die Frist für den Antrag auf gerichtliche Entscheidung versäumen, können Sie Wiedereinsetzung in den vorigen Stand nur dann beanspruchen, wenn Naturereignisse oder andere unabwendbare Zufälle Sie behindert haben, die Frist einzuhalten. Der Antrag muß binnen einer Woche, nachdem das Hindernis beseitigt ist, bei mir oder dem Amtsgericht gestellt werden. Dabei sind die Versäumnisgründe glaubhaft zu machen.

1 Anlage

J.A.:

E1

Diese Berliner Bürgerin hatte es unterlassen, ein Fenster ihrer Wohnung zu verdunkeln. 1942 wurde sie dafür mit einer Geldbuße von 10 RM 50 Rpf noch vergleichsweise milde bestraft.

Von tätigem Mitleid oder stiller Unterstützung für diese aller Rechte enthobenen Menschen ist nur wenig bekannt geworden. Der Grund dafür liegt in erster Linie sicherlich in den scharfen Sicherheitsvorkehrungen und der Strafandrohung durch Gestapo und örtliche Polizei, außerdem hatte zweifellos die jahrelange ideologische Arbeit der NS-Gewaltigen ihre Wirkung getan. »Fremdarbeiter«, vor allem soweit sie aus dem slawischen Raum stammten, galten in der Tat vielen Deutschen als minderwertige Menschen, denen man kaum mehr lassen mußte, als sie zur dürftigsten Existenzsicherung benötigten. Und oft bekamen sie nicht einmal das.

Am schlimmsten traf es die Polen, für die äußerst diskriminierende Maßnahmen erdacht wurden. Sie waren zum Tragen eines besonderen Kennzeichens (»P«) an ihrer Kleidung verpflichtet, sie durften keine öffentlichen Verkehrsmittel benutzen, der Besuch von Gottesdiensten, Kinos, Theatern war ihnen untersagt, die Zuteilung von Lebensmitteln beschränkte sich auf das Existenzminimum. »Im Falle des Todes ist ... die Überführung der Leiche in die Heimat für ausländische Arbeitskräfte untersagt. Bei der Inaussichtstellung einer späteren Überführung sind Polen ausgenommen ...«

Die Moral an der »Heimatfront« war bis zum Ende des Jahres 1942 weitgehend ungebrochen. Wer nicht heimlich Feindsender abhörte, konnte kaum ahnen, daß sich das militärische Blatt für Deutschland längst gewendet hatte. Wer nicht zwischen den Zeilen der Wehrmachtsberichte zu lesen wußte, wer sich lediglich von Wochenschau, Volksempfänger und »Völkischem Beobachter« beziehungsweise dessen Ablegern in der Provinz einlullen ließ, der verfiel nur zu leicht der Propagandalüge von einem baldigen »Endsieg«. Die meisten Menschen nahmen die Entbehrungen des Alltags mehr oder weniger bereitwillig hin, immer im Vertrauen auf ein baldiges Ende – ein siegreiches Ende für Deutschland. Die Zukunft, das »Danach«, wurde schon öffentlich besprochen, quasi »goldene Zeiten« sollten anbrechen. In der Wochenzeitung »Das Reich« schwärmte ein Hans Schwarz van Berk, wie schön das Leben werde, wenn der nahende Sieg endlich komme: Angesichts der Ruinen und Mauerreste in den Städten könne man zwar nicht mehr »aus dem Vollen« schöpfen wie früher, doch der Kampf um »den Platz an der Sonne«, der dem deutschen Volk gebühre, lohne den höchsten Einsatz – man wisse ja schließlich auch, wofür: »Was man im Kriege um des Krieges willen lernt, hat man insgeheim schon für den Frieden gewonnen ... Warum sollte es einem unserer namhaften Werke schwer fallen, statt etwa 50 Sturmgeschütze dann 50 Bagger im Monat zu produzieren? Selbstredend wird man Dachbinder, Fensterrahmen, Türen, Geländer, Herde, Bauplatten am laufenden Band herstellen und in Taktstraßen bauen ... Alles in allem wird ein Haus etwa im Jahre 1945 wesentlich schneller und billiger hochkommen als noch 1939.«

Geschrieben wurde dies zu einer Zeit, als die deutschen Städte zunehmend von den alliierten Bombern angegriffen wurden, als sich die realen Aussichten, den Krieg siegreich für Deutschland zu beenden, weiter verschlechtert hatten. Die Prophezeiung schmucker, neuer Häuser für die heimkehrenden Soldaten und ihre Familien war angesichts der nahenden Katastrophe einer der Strohhalme, nach denen viele Deutsche griffen, um ihre düsteren Ahnungen zu vertreiben.

Zum öffentlichen

Luftschutzraum

114

Am 1. September 1939, 4.45 Uhr,
marschiert die deutsche Wehrmacht in
Polen ein – der Zweite Weltkrieg hat
begonnen. Nur zwei Tage später erklären England und Frankreich Deutschland den Krieg, nachdem die Forderung
beider Länder nach einem Rückzug der
deutschen Truppen nicht erfüllt worden
ist. Für die deutsche Zivilbevölkerung
ist das Kriegsgeschehen noch weit, die
Jahre der Blitzkriege und -siege begin-
nen. Dennoch werden in den Großstädten erste Vorbereitungen für die Errichtung von öffentlichen Schutzräumen
und Luftschutzkellern getroffen (114).
Die Angehörigen des »Reichsluft-
schutzbundes« können mit ihrer martia-
lischen Ausrüstung noch zu Sammlungen für das »Winterhilfswerk« eingesetzt werden (116), denn die englischen
Bomber gefährden noch keine deutsche
Großstadt. Die Hitler-Jugend wird aber
schon auf eine ihrer kommenden Aufgaben vorbereitet: »Sportliche« Wettkämpfe unter der Gasmaske (115) und
Einsätze im Rahmen von realistischen
Luftschutzübungen (117) lassen den
Bombenalltag näherrücken.

115

116

119

120

Mitte Oktober 1939 kehren erste Truppenteile der Wehrmacht aus dem siegreich beendeten Polen-Feldzug in ihre Garnisonen zurück und werden, wie hier in München (118), von der Bevölkerung teilweise stürmisch begrüßt. Die Verluste der Wehrmacht halten sich in Grenzen: Lazarettzüge führen die über 30 000 Verwundeten in die Heimat zurück (119), über 10 000 Soldaten sind gefallen, 3000 werden vermißt.

In den Großstädten geht das Leben fast normal weiter, nur Verdunkelungsübungen und Sandsäcke als Schutz vor Brand- und Splitterbomben vor den öffentlichen Schutzräumen (120) weisen auf den Krieg hin.

121

122

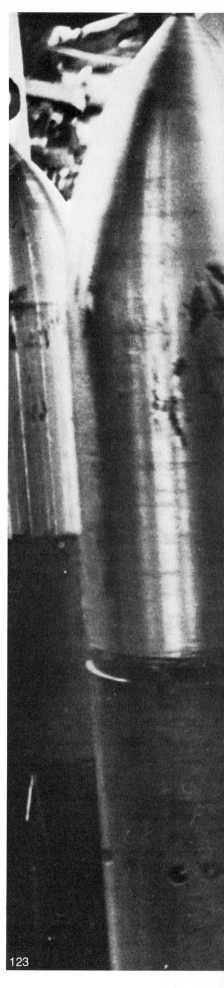

123

Durch die Einführung der Bezugsscheinpflicht Ende August 1939 können
die wichtigsten Grundnahrungsmittel,
Kleider und Brennstoffe nur noch gegen
Berechtigungsscheine erworben werden. Die Lebensmittelkarte (121) wird
Grundlage einer ausreichenden Versorgung. Fleisch, Fett und Brot sind streng
rationiert und sichern dem »Normalverbraucher« gerade noch das Existenzminimum.

Als die deutschen Städte von 1941 an in
die Reichweite der Bomberströme geraten, werden Hunderttausende von Kindern in ländliche Gegenden verschickt
(122). Die »Kinderlandverschickung«
erleichterte auch den Einsatz von Frau-
en in der Rüstungsindustrie (123).
Um die schlechter werdende Ernäh-
rungslage zu verbessern, soll auf Grün-
flächen Gemüse angebaut werden, wie
hier am Berliner Gendarmenmarkt (124).

»Wollt ihr den totalen Krieg?«

»Ich frage euch: Seid ihr und ist das deutsche Volk entschlossen, wenn der Führer es befiehlt, zehn, zwölf und, wenn nötig, vierzehn und sechzehn Stunden täglich zu arbeiten und das Letzte herzugeben für den Sieg? Viertens: Die Engländer behaupten, das deutsche Volk wehrt sich gegen die totalen Kriegsmaßnahmen der Regierung. Es will nicht den totalen Krieg, sondern die Kapitulation. (Zurufe: Niemals! Niemals! Niemals!) Ich frage euch: Wollt ihr den totalen Krieg? Wollt ihr ihn, wenn nötig, totaler und radikaler, als wir ihn uns heute überhaupt noch vorstellen können?«

Zehn Fragen dieser Art stellte Joseph Goebbels in seiner denkwürdigen Rede vom 18. Februar 1943 an ein sorgfältig ausgewähltes Publikum im Berliner Sportpalast. Zehn donnernde »Jas« schmetterten ihm als Antwort entgegen. Auf den totalen Krieg folgte dann die totale Vernichtung. Während Goebbels seine raffiniert inszenierte Ansprache hielt, waren die deutschen Truppen an allen Fronten in schwere Abwehrkämpfe verwickelt. Die Katastrophe von Stalingrad, bei der wenige Tage zuvor eine ganze deutsche Armee nach schweren Verlusten kapituliert 'hatte, machte erstmals deutlich, daß dem deutschen Expansionsdrang Grenzen gesetzt waren. Weite Kreise deuteten diese Niederlage als Menetekel für den Ausgang des Krieges. In Afrika stand der Rückzug von Rommels Truppen bevor, und die großen Städte in der Heimat wurden immer häufiger von alliierten Bombergeschwadern angegriffen.

Trotzdem gelang es dem glänzenden Rhetoriker Goebbels, noch einmal Hoffnung zu säen, indem er Fehler eingestand und mit der Devise des »totalen Krieges« das Rezept zur Lösung aller Schwierigkeiten parat hatte. Mit der Mobilisierung aller Kräfte seien die »Kohlen noch einmal aus dem Feuer zu holen«. In den Berichten des Sicherheitsdienstes wurde dann auch prompt gemeldet, daß die sehr offene Darstellung des Ernstes der Situation entspannend gewirkt habe und daß die Zuversicht und das Vertrauen zur Kriegführung erneut gestärkt worden sei. Die Bevölkerung sei der Führung dankbar, daß sie endlich ganz offen gesprochen und allen »reinen Wein eingeschenkt« habe.

Für die Deutschen in der Heimat kam der totale Krieg vor allem aus der Luft. Seit der »Luftschlacht um England« im August 1940 hatte die deutsche Luftwaffe ihre technische und zahlenmäßige Überlegenheit nach und nach eingebüßt. Neben der Tatsache, daß die Luftstreitkräfte aufgrund ihres gleichzeitigen Einsatzes an der Ostfront, in Afrika und Italien in problematischer Weise aufgesplittert werden mußten, führten Fehler in der Planung und in der Nachwuchsschulung des fliegenden Personals zu einer weiteren Schwächung.

Allerdings konnte die Air Force erst ab Anfang 1942 ihre Angriffe auf deutsches Gebiet konzentrieren, denn bis dahin waren ihre Kräfte im Schutz von Geleitzügen und im Kampf gegen die deutschen U-Boote gebunden. Nach verheerenden Angriffen auf Lübeck und Rostock flog die britische Luftwaffe am 30. und 31. Mai 1942 ihren ersten Großangriff – das Ziel war die Innenstadt von Köln. In dem Inferno versank die erste deutsche Großstadt in Schutt und Asche.

Obwohl die »Zersetzung der Wehrkraft« mit dem Tode bestraft wurde und die Führung alles tat, um die Gefahren der Air-Force-Bomben zu verharmlosen, sprachen sich dieser Großangriff und seine Auswirkungen schnell herum. Bestürzung in der gesamten Bevölkerung war die Folge, und der Lagebericht des SD meldete: »Weiter erging sich ein Teil der Bevölkerung in ernsten Befürchtungen, daß die britische Luftwaffe ihre Terrorangriffe mit gleicher Heftigkeit fortsetzen und nunmehr auch andere deutsche Städte angreifen werde.«

Es sollte noch viel schlimmer kommen. Ab August 1942 beteiligten sich auch amerikanische Verbände an den Bombardements. Und als Churchill und Roosevelt auf der Konferenz von Casablanca (14. bis 24. Januar 1943) den Beschluß faßten, bei Angriffen auf deutsche Städte auch die Wohnbezirke miteinzubeziehen, um auf diese Weise die Moral der Deutschen zu untergraben und die Rüstungsproduktion zum Erliegen zu bringen, war das Schicksal fast aller Großstädte besiegelt. Den ersten Markstein im erbarmungslosen Luftkrieg gegen die Zivilbevölkerung setzte der Luftangriff auf Hamburg vom 24. und 25. Juli 1943, dem in schneller Folge noch zwei weitere Angriffe folgen sollten. In kaum einer halben Stunde wurden weite Gebiete in ein Flammenmeer verwandelt. »Zehntausende von Einzelbränden vereinten sich in kürzester Frist zu gewaltigen Flächenbränden, die von orkanartigen Feuerstürmen begleitet wurden. Bäume bis zu einem Meter Durchmesser wurden abgedreht oder entwurzelt, Häuser abgedeckt und Menschen zu Boden gerissen oder in die Flammen hineingezogen... Leichen bedeckten zu Hunderten die Straßen. Tausende kamen in den Schutzräumen ums Leben«. 40 000 Hamburger fanden unter den Bombenteppichen den Tod, 61 Prozent des Wohnraumes wurde zerstört.

Der Feuersturm von Hamburg hatte Auswirkungen auf die Moral der Deutschen. Manch einer verzichtete auf den »Deutschen Gruß«, und auch das Parteiabzeichen sah man seltener auf Mantel und Jacke. Es soll sogar vorgekommen sein, daß Träger des Parteiabzeichens angepöbelt wurden. Dennoch: Die »Heimatfront« hielt, was nicht zuletzt den Gerüchten über angebliche Wunderwaffen zuzuschreiben war, mit denen man hoffte, »Vergeltung« üben zu können. Angeblich seien Geschütze mit Reichweiten von 600 Kilometern im Bau; ferner wären neuartige Bomben entwickelt worden, von denen zwölf Stück eine Millionenstadt vernichten könnten. Diese Form von Mundpropaganda wurde skrupellos gesteuert.

Die Katastrophe von Hamburg löste im »Reich« eine Reisewelle ohnegleichen aus. Wer sich auf den Weg machte, mußte in den hoffnungslos überfüllten Zügen meist den größten Teil der Fahrt stehend im Gang zubringen. Doch davon ließ sich kaum jemand abschrecken – die einen wollten ihre Wertsachen in Sicherheit bringen, die anderen suchten auf dem Land ganz einfach Erholung von nächtlichem Sirengeheul und Bunkerkoller. Die stillschweigende Devise lautete: »Heute hab' ich noch das Geld, um mir eine Reise leisten zu können«. Oder: »Genieße den Krieg, der Frieden wird fürchterlich.«

Auch die zunehmende Verbreitung gehässiger Witze wurde gemeldet. So erzählte man sich, der Führer habe sich zurückgezogen, um an seinem Buch »Mein Irrtum« zu schreiben.

Von dem Luftkrieg war rund ein Viertel der

deutschen Bevölkerung unmittelbar betroffen. Hinzu kam, daß von den 18,7 Millionen Männern, die sich 1939 im wehrfähigen Alter zwischen 18 und 50 befanden, bei Beginn des Krieges rund die Hälfte in der Industrie, in der Verwaltung und in Dienstleistungsunternehmen arbeiteten beziehungsweise in den besetzten Gebieten beschäftigt waren und nicht für die Front zur Verfügung standen. Wo sollte man also die Leute hernehmen, die vom Boden aus in den Luftkampf eingreifen könnten? Das Nazi-Regime besann sich seiner letzten Reserve und setzte Schüler als Luftwaffenhelfer ein. Der Dienst mit der Waffe traf die jungen Leute nicht unvorbereitet. Als Dreizehnjährige hatten sie im Jungvolk eine Luftschutzausbildung erhalten, später waren sie in Wehrertüchtigungslagern auf den Ernstfall getrimmt worden. Damit hatte der Krieg auch die Kinder erreicht – zunächst leisteten sie ihren Dienst noch neben dem Schulunterricht ab und wohnten – soweit möglich – bei ihren Eltern. Ab 1944 wurden sie auch überregional eingesetzt.

Das Schicksal von Hamburg blieb auch anderen Großstädten nicht erspart. Da die Erfahrungen der Feuerwehr, der Polizei und des Luftschutzes, aus welchen Gründen auch immer, nicht weitergegeben wurden, traf es auch die Reichshauptstadt Berlin wenige Monate später völlig unvorbereitet. Mit der »Schlacht um Berlin« glaubten die Alliierten den Krieg entscheiden zu können. Doch trotz der beinahe 400 Fliegeralarme und unzähligen Luftangriffe wurde die »Frontstadt« Berlin gehalten. Es gehört zu den erstaunlichsten Leistungen deutscher Organisationsfähigkeit und deutschen Fleißes, daß die Schäden an Verkehrswegen und Fabrikanlagen in kürzester Zeit behoben und auch die Menschen mit dem Notwendigsten versorgt werden konnten.

Nacht für Nacht riß der Sirenenalarm die Bewohner in fast allen deutschen Großstädten aus dem Schlaf; schlaftrunken stürzten Kranke, Greise, Mütter mit Kindern auf dem Arm in die Luftschutzkeller und warteten – auf das tiefe Brummen der einfliegenden Bomberverbände, das Getöse der Einschläge, das Wummern der Flugabwehrgeschütze und auf die erlösende Entwarnung. Ein Nervenkrieg ohnegleichen...

So wie in Berlin sah es früher oder später in vielen Städten aus: Trümmerschutt blockierte die Wege, Menschen hausten in Notunterkünften, Ausgebombte suchten Verwandte, Bekannte oder ihre letzte Habe. Und über all dem prangten die Durchhalte-Transparente des Joseph Goebbels: »Unsere Mauern brachen, aber unsere Herzen nicht.«

Aber die Deutschen sprachen vom Frieden, wenn auch hinter vorgehaltener Hand. Alle Schönfärbereien konnten über die Kriegsmüdigkeit nicht mehr hinwegtäuschen. Bittere Witze waren an der Tagesordnung: »Maikäfer flieg! Der Vater ist im Krieg. Den Opa ziehn sie auch noch ein, das wird wohl die Vergeltung sein.«

Die ständigen Fliegeralarme, die die Menschen zuerst nur nachts, später auch tagsüber immer häufiger in die öffentlichen Bunker und privaten Luftschutzkeller trieben, und das ewige Schlangestehen vor den Geschäften beschnitten die ohnehin schon spärlich bemessene Freizeit noch weiter. Große Sorge bereiteten schon Ende 1943 die Kartoffelnot und der Gemüsemangel in den Städten. Viele Frauen wußten oft nicht, was sie am nächsten Tag ihren Kindern auf den Tisch bringen sollten. Für viele verlängerten sich zudem die Anfahrtswege zur Arbeitsstelle. Entweder wurde die Firma ausgelagert, oder die öffentlichen Verkehrsmittel waren aufgrund von Bombenangriffen für Tage blockiert.

Meist herrschte jedoch schon wenige Tage nach einem schweren Angriff wieder Ordnung. Alles ging seinen »kriegserprobten« Gang. Auch an Bomben kann man sich gewöhnen. Ursula Kardorff beschreibt den Berliner Alltag kurz nach den Bombenangriffen vom November 1943: »Die Adlon-Halle könnte Schauplatz eines Kolportageromans sein: Bonzen in klirrender

Parteiuniform, Urlauber aller Dienstgrade, die noch eine Illusion von Komfort mit an die Front nehmen wollen, ausländische und deutsche Diplomaten, Schauspieler, Dahlemer Damen in Hosen, die sich vom Aufräumen in ihren zerstörten Villen erholen, Geschäftsleute, die die ›Aura‹ Rüstung um sich verbreiten und schweinslederne Aktenmappen tragen, und schließlich Abenteuerinnen aller Grade, die sich der Männer annehmen. Denn Berlin ist eine Männerstadt geworden, seitdem die Familien evakuiert und die Schulen geschlossen wurden.

In der kleinen Bar wird Bier ausgeschenkt, an den Tischen mit weißen Tischtüchern gibt es Wein. Die Gäste, die in den Saal wollen, müssen zwischen gierigen Blicken Spießruten laufen. Manche gehen gesenkten Hauptes, andere eilig und energisch oder betont hochmütig vorüber. Die Hotelmanager werden umbuhlt, denn von ihrer Gnade hängt es ab, ob jemand einen Tisch bekommt. So findet sich hier eine Gruppe von Menschen zusammen, die unberührt von allem Elend dahinlebt, als sei sie auf der bedrohten Erde nur zu Gast.«

In den Berliner Kinos wird Anfang 1943 der Grock-Film »Akrobat schö – ö – ön« gezeigt. Opernvorführungen und Konzerte mit Karajan und Furtwängler sind ausverkauft.

Die schweren Luftangriffe treiben Hunderttausende aus den Städten. 700 000 flüchten allein aus Berlin, doch mehr als drei Millionen bleiben. Ruth Andreas Friedrich gibt in ihren Tagebuchaufzeichnungen eine Erklärung für den Durchhalte- und Aufbauwillen der Deutschen: »Das dürftigste Eckchen Zuhause ist besser als jeder Palast in der Fremde. Darum kehren sie alle, die von den Bomben aus der Stadt vertrieben worden sind, eines Tages zurück. Sie wühlen zwischen den Steinbrocken ihrer zerstörten Häuser. Man kann nicht leben, wenn man nirgendwo hingehört.

Deswegen retten die meisten Menschen aus ihren brennenden Häusern als erstes ihr Kopfkissen...

Weder Schuttkehren noch Kopfkissenretten haben mit Nazi-Gesinnung und Willen zum Durchhalten etwas zu tun.

Keiner denkt an Hitler, wenn er sein Küchenfenster vernagelt. Wohl aber denkt jeder daran, daß man im Kalten nicht leben kann. Daß man, noch ehe der Abend sinkt und die Fliegersirenen heulen, einen Schlupfwinkel haben muß, in dem man sein Haupt niederlegen und seine Glieder ausstrecken kann.«

Die Evakuierten, die teils freiwillig, teils aufgrund behördlicher Verfügung ihre Häuser verlassen, stoßen oft auf Ablehnung, manchmal auch auf die offene Feindschaft der Landbevölkerung oder der Bewohner jener kleinen Gemeinden, in die sie eingewiesen werden. Sie stören die private Sphäre von Leuten, die bislang vom Krieg verschont geblieben waren. Hinzu kommt bei verheirateten Frauen die Trennung vom Mann, der entweder an der Front ist oder in der Stadt zurückbleiben mußte.

Unter dem nun schon Jahre währenden Krieg hat auch der Zusammenhalt und das gegenseitige Verstehen in vielen Ehen gelitten. Darüber hinaus steigen die Anforderungen, die trotz der schlechten Ernährungs- und Versorgungslage und der längeren Arbeitszeiten an den einzelnen gestellt werden. So wird berichtet, daß der Frontsoldat beim Heimaturlaub oft kein Verständnis mehr für die kriegsbedingten häuslichen Verhältnisse zeige. Daraus ergebe sich häufiger ein gewisses Auseinanderleben der Eheleute: »So wiesen Ehefrauen bekümmert darauf hin, daß das sehnlichst erwartete Zusammensein in der schnell vorüberfliegenden Urlaubszeit getrübt worden sei durch häufige Zusammenstöße, die durch gegenseitige Nervosität hervorgerufen wurden.«

Derartige psychische Belastungen werden jedoch durch die Alltagssorgen schnell verdrängt. Vor allem die unterschiedlichen Einkaufszeiten für Lebensmittel und andere Bedarfsartikel erschweren die Versorgung mit dem nötigsten. Ein Beispiel aus den SD-Berichten: »Die Fleischer haben am Montag geschlossen, die Bäcker am Dienstag, die übrigen Kaufleute am Mittwoch und die verschiedenen Einzelhandelsgeschäfte an ganz unterschiedlichen Tagen in der Woche. Die Hausfrau müßte sich von allen Geschäften eine Tabelle anlegen, wenn sie einkaufen gehe, denn oft käme sie vor verschlossene Türen und habe kostbare Zeit verloren. Sehr viele Geschäfte und vor allem die Wirtschaftsämter hätten nur vormittags geöffnet, so daß Berufstätigen die Möglichkeit genommen sei, ihre Besorgungen zu erledigen.«

Besonders die Stadtbevölkerung hatte unter der kritischen Versorgungslage zu leiden. Auch wurden seit der Niederlage von Stalingrad alle Frauen im Alter von 17 bis 45 in die Kriegswirtschaft eingegliedert. Die »Meldepflichtverordnung«, die der Generalbevollmächtigte für den Arbeitseinsatz, Gauleiter Sauckel, erließ, sah vor, daß nur Frauen mit einem noch nicht schulpflichtigen Kind oder mit zwei Kindern unter 14 Jahren sowie Frauen in schlechtem Gesundheitszustand von dieser Regelung ausgenommen werden sollten.

Von den gut drei Millionen »Sauckelfrauen« wurden jedoch zunächst nur rund 900 000 in der Wirtschaft untergebracht. Erst gegen Ende des Jahres 1944 setzte Goebbels durch, daß sogenannte »Scheinarbeit« abgeschafft werden sollte. Theater und Restaurants wurden geschlossen, Frauen in die Wehrmacht aufgenommen und Scheinwerferbatterien mit weiblichen Kräften besetzt. Noch zehn Jahre zuvor hatte Hitler erklärt, Frauen schlügen ihre Schlachten, indem sie Kinder zur Welt brächten, und jetzt entschloß er sich zur Aufstellung eines »Frauenbataillons«, das die kampfmüden Soldaten beschämen sollte.

Auf dem Lande war dagegen vom »totalen Krieg« nur wenig zu spüren. Erst mit dem Einmarsch der alliierten Truppen im Westen und der Roten Armee im Osten erreichte der Krieg auch den Nährstand. Bis dahin hatte man in der

Berliner! Berlinerinnen!

Der Feind setzt den Luftterror gegen die deutsche Zivilbevölkerung rücksichtslos fort. Es ist dringend erwünscht und liegt im Interesse jedes Einzelnen, der nicht aus beruflichen oder sonstigen Gründen zum Verbleiben in Berlin verpflichtet ist (Frauen, Kinder, Pensionäre, Rentner usw.), sich in weniger luftgefährdete Gebiete zu begeben.

Hierzu bestehen folgende Möglichkeiten:

1. Wer Verwandte außerhalb Berlins hat, die ihn aufnehmen können, kann abreisen. Erforderlich ist, daß er sich bei seiner Kartenstelle eine Abreisebescheinigung ausstellen läßt. Hierzu sind sämtliche Lebensmittelkarten sowie die örtlichen Berliner Bezugsausweise mitzubringen. Auf Grund dieser Abreisebescheinigung erhält er von der zuständigen Ortswaltung der NSV. einen Freifahrschein.

2. Auch wer keine Aufnahme bei Verwandten außerhalb Berlins finden kann, darf ebenfalls abreisen, jedoch nur nach Orten in den für Berlin bestimmten Aufnahmegauen Mark Brandenburg, Ostpreußen und Wartheland. Auch in diesem Falle ist zwecks Beibringung einer Abreisebescheinigung durch die Kartenstelle die Vorlage sämtlicher Lebensmittelkarten und der örtlichen Berliner Bezugsausweise erforderlich. Das Quartier selbst wird durch die hiesige Ortswaltung der NSV. vermittelt, die einen Freifahrschein ausstellt.

3. Wer nicht gleich abreisen kann, aber Verwandte außerhalb Berlins besitzt, hat die Möglichkeit, sein Unterkommen bei seinen Verwandten schon jetzt vorsorglich festzulegen, indem er sich von seiner zuständigen Ortswaltung der NSV. eine Verwandten-Meldekarte besorgt und sie ausgefüllt zu seinen Verwandten schickt. Diese müssen auf der Karte ihre Bereitwilligkeit zur Aufnahme erklären und von der Ortswaltung des vorgesehenen Zureiseortes die Unbedenklichkeit der Aufnahme bescheinigen lassen. Die Karte ist der hiesigen Ortswaltung der NSV. zur Kenntnis vorzulegen und für den Fall der tatsächlichen Abreise aufzubewahren.

4. In jedem Falle empfiehlt es sich, einige Kleidungsstücke, kleinen Hausrat (Töpfe, Geschirr, Eßbestecke usw.), Bettzeug, mitzunehmen.

Die Transportkosten trägt der Bezirksbürgermeister (Quartierstelle).

Es ist verboten, unter Verzicht auf diese Möglichkeiten planlos zu reisen. Wer planlos reist, läuft Gefahr, am Zielort kein Quartier zu finden und muß mit Schwierigkeiten in der Lebensmittelversorgung rechnen.

Der Reichsverteidigungskommissar für den Reichsverteidigungsbezirk Berlin

Dr. Goebbels
Gauleiter und Reichsminister

Mehr als 700 000 Berliner flüchten nach den schweren Luftangriffen von 1943 aus ihrer Stadt – von den Behörden wurde diese Flucht sanktioniert.

Bauernschaft andere Probleme. Mit den Einberufungen zur Wehrmacht, die im Laufe des Krieges zunahmen, fehlten nicht nur wichtige Arbeitskräfte, sondern häufig auch derjenige, der früher den Hof geführt hatte. So mußten oft die Frauen das Heft in die Hand nehmen und zusammen mit Verwandten und Ortsansässigen den Hof bestellen, so gut es eben ging. Dabei gingen ihnen zunächst »Pflichtjahr-Mädchen« und später polnische, französische und russische Kriegsgefangene zur Hand. Trotzdem wurde die Lage immer kritischer. Ein Landrat notierte: »Das Anwesen Hs. Nr. 3 mit einer landwirtschaftlichen Nutzfläche von 10,60 Hektar und einem Viehbestand von einem Pferd, sechs Rindern und drei Schweinen wird bewirtschaftet von der Bäuerin mit ihren drei Töchtern. Ihre übrigen

Kinder, vier Söhne, sind bei der Wehrmacht. Der Bäuerin des Anwesens Hs. Nr. 9 mit 64 Jahren stehen zur Bewirtschaftung einer landwirtschaftlichen Nutzfläche von 8,40 Hektar mit fünf Kühen, drei Jungrindern und sechs Schweinen lediglich ihre einundzwanzigjährige Tochter und ein vierzehnjähriges Pflichtjahrmädel zur Seite. Ihre fünf Söhne sind bei der Wehrmacht.«

In den letzten beiden Kriegsjahren verschärfte sich die Situation weiter: Fremdarbeiter aus der Ukraine wurden in die Waffen-SS abgeworben, bislang »uk« (unabkömmlich) gestellte Bauern wurden einberufen, ältere Männer wurden in den »Volkssturm« und die ganz Jungen in das »Letzte Aufgebot« abkommandiert.

Insgesamt läßt sich jedoch sagen, daß die agrarische Provinz unter dem Krieg erst massiv zu leiden hatte, als er fast schon zu Ende war. Bis dahin gab es in den Dörfern für jeden genug zu essen. Vielen Kleinbauern ging es sogar besser denn je, weil sie auf dem »Schwarzen Markt« – der nicht erst nach dem Krieg entstand – Waren anzubieten hatten, die knapp geworden waren. Der Tauschhandel florierte – zum Teil wurden Preise erzielt, die 100 bis 200 Prozent über den marktüblichen lagen. Getauscht wurde trotz Verbot und hoher Strafen: verknappte Waren gegen andere Waren, Raucherkarten gegen Brotmarken, bezugsbeschränkte Waren gegen handfeste Dienstleistungen. Tabak und Alkohol galten als Ersatzwährung, für die manche Mangelware zu bekommen war.

In den Städten dagegen wurde die Situation zusehends dramatischer. Ernährung und Versorgung ließen zu wünschen übrig. Auf 250 Gramm Fleisch und 200 Gramm Fett belief sich die Wochenration für den »Normalverbraucher«. Die Arbeitszeit wurde ab 1944 in vielen Betrieben auf zwölf Stunden täglich heraufgesetzt. Überbeanspruchung und Mißstimmung waren die Folge. Hinzu kamen die immer häufigeren Bombenangriffe. Über 20 000 Einsätze wurden während des Krieges gegen Deutschlands Städte

geflogen. Allein Berlin war zwischen November 1943 und Frühjahr 1944 das Ziel von 9111 Bombern, die 16 000 Tonnen Brand- und Sprengbomben abwarfen. Trotzdem hielt die »Heimatfront«. Kaum einer beklagte sich öffentlich über diesen Terror von oben, und diejenigen, die es wagten, etwas zu sagen, wurden gnadenlos verfolgt. In den Kriegsjahren vollstreckte die Ziviljustiz mehr Todesurteile als die Militärgerichte (11 336 gegenüber 9413). Während die Bombenkommandos einflogen, wurde in den Gefängnissen weiter hingerichtet.

In den ersten Kriegsjahren waren Millionen von Soldaten gefangengenommen und als Arbeitskräfte ins »Reich« abtransportiert worden. Diese »Untermenschen«, die zunächst von der Bevölkerung verächtlich und erniedrigend behandelt worden waren, galten in den Trümmerlandschaften der Städte als lebenswichtige Helfer. Die Reichsführung lamentierte sogar offen über eine »Auflockerung der Sitten«. Wegen der bedrohlich sinkenden Sexualmoral deutscher Frauen erwies es sich als notwendig, zum »Schutze des deutschen Blutes« Bordelle für Ausländer einzurichten. Der SD-Bericht vom 29. November 1943 meldet: »Es sind zur Zeit im Reich verteilt in ca. 60 Einsatzstellen Bordelle mit ca. 600 Prostituierten errichtet worden. Weitere rund 50 Bordelle sind noch im Bau und werden in Kürze ihrer Bestimmung übergeben.« Längst gab es im Reich und in den besetzten Gebieten Soldaten- und Offiziersbordelle, die getrennt geführt wurden. Für die Männer war also gesorgt.

Daß sich in diesen Zeiten auch die sexuellen Moralvorstellungen der Frauen veränderten, hat viele Gründe: Zum einen spielte die lange Trennung vom Mann eine Rolle, der irgendwo an der Front Dienst tat, zum anderen die ständige Angst, in der man lebte und die eine »Scheißegal«-Stimmung geradezu herausforderte; und schließlich das Alleinsein, weil oft auch die Kinder nicht mehr bei der Mutter lebten. Sie waren mit Beginn der Bombardements aufs Land geschickt worden. Von den rund drei Millionen Kindern, die in den 5000 KLV-Lagern untergebracht waren, kehrten seit dem Frühjahr 1944 die ersten wieder nach Hause zurück, weil die Ostfront näher rückte. Trotzdem waren in den letzten Monaten des Krieges noch etwa eine Million Kinder in den Lagern, die von der Front überrollt wurden, so daß sich die Kleinen nach der Kapitulation zum Teil unter größten Schwierigkeiten nach Hause durchschlagen mußten, um dort eine Trümmerwüste vorzufinden.

Mit der Invasion der Engländer und Amerikaner am 6. Juni 1944 und der schnellen Besetzung Frankreichs trat der Luftkrieg über Deutschland in sein letztes Stadium. Tag und Nacht griffen die Bomber nun Industrieanlagen und Verkehrsverbindungen an. Gleichzeitig ging das Trommelfeuer auf die Zivilbevölkerung unvermindert weiter. Inzwischen konnten auch Städte bombardiert werden, die zuvor noch außer Reichweite der Kampfflugzeuge gelegen hatten. Bisweilen wurden sogar Bauern während der Feldarbeit von Tieffliegern beschossen. Die Folge war, daß in luftbedrohten Gebieten die Feldbestellung zu kurz kam, weil jedermann Angst hatte, von Luftangriffen überrascht zu werden. Auch empfand die Landbevölkerung den Mangel an geeigneten Warnmöglichkeiten als untragbar. Der SD-Bericht: »Die aus dem Drang nach persönlicher Sicherheit entsprungene ›Stollenpsychose‹ greife immer weiter um sich und habe auch das Land erfaßt. In dem Bestreben, sich ›genau zu informieren‹, würden auch die Volksgenossen immer zahlreicher, die die einzelnen Flaksender abhören, nachdem es sich herumspreche, was die Deckangaben, z. B. die Buchstaben und Zahlen für bestimmte Quadrate auf der Landkarte, bedeuten (z. B. Halle).«

Die Verluste unter der Zivilbevölkerung stiegen. Von den rund 500 000 deutschen Luftkriegstoten im Zweiten Weltkrieg kamen die meisten in den letzten Monaten des Krieges ums Leben. Allein beim Angriff auf Dresden vom 13. und 14.

Der Führer der Landesgruppe III
Berlin-Mark Brandenburg der TN.

Berlin-Lichterfelde, den 5. V. 1944
Heydnstraße 13-15
Fernruf: Sammelnummer 76 52 31

Tgb.-Nr.: Ic. 317-/44
Betr.:
Bezug:
Anlagen:

[G e h e i m]

L u f t s c h u t z - E r e i g n i s m e l d u n g
über den Luftangriff am 29. IV. 44 (Tagesangriff)

(Schlussbericht)
nach dem Stande vom 3. V. 44

1) Abwurfmittel: (etwa)
   1.000 Sprengbomben
   55 Blindgänger bzw. LZZ
   65.000 Brandbomben
   5.000 Flüssigkeitsbrandbomben

2) Personenverluste:

	getötet	verletzt schwer	leicht
Zivilbevölkerung: Männer	108	51	136
Frauen	160	75	158
Kinder	11	2	19
Fremdvölk. Arbeiter: Männer	20	14	9
Frauen	12	2	3
Kriegsgefangene	2	-	-
Soldaten	17	7	17
Ordnungspolizei	5	4	13
	335	155	355

Verschüttet etwa 600 Personen,
davon geborgen 250 " lebend und
            291 " tot;
weitere   65 " sind vermutlich noch verschüttet
Die Zahl der tot geborgenen Personen ist in der Zahl der Getöteten enthalten.
Obdachlos bzw. anderweitig untergebracht etwa 13.700 Personen.

3) Gebäudeschäden:

	total	schwer	mittel schwer	leicht
Wohnhäuser	233	453	413	1.400
Wohnlauben u. Baracken	47	43	25	44
Wirtschaftsgebäude	4	2	3	7
Öffentliche Gebäude	2	-	1	3
Schulen	-	1	2	2
Krankenhäuser	-	1	2	1
Kinos	2	-	-	1
Industriewerke	-	9	4	7
Gewerbl. Betriebe	5	9	9	12
Versorgungsbetriebe	-	1	-	6
Verkehrsanlagen	-	6	4	11
Militär. Anlagen	1	4	4	4

./.

Luftschutz-Ereignismeldung über den Tagesangriff vom 29. April 1944 auf Berlin.

Februar 1945 fanden Zehntausende von Menschen den Tod (die Zahlen schwanken zwischen 25 000 und 200 000). Ein Augenzeuge berichtet: »Nie habe ich geglaubt, daß der Tod in so verschiedener Form an den Menschen herantreten kann... Verbrannte, Verkohlte, Zerstückelte, Teile von ihnen, als unkenntliche Masse, scheinbar friedlich schlafend, schmerzverzerrt, völlig verkrampft, gekleidet, nackt, in Lumpen gehüllt und als kümmerliches Häufchen Asche, darunter Reste verkohlter Knochen.«

Diese Terrorangriffe der Engländer und Amerikaner – später auch die der Sowjets auf Königsberg – verkürzten den Krieg jedoch keineswegs. Eher verbitterten sie die Menschen noch mehr und ließen sie weiter an Vergeltung und »Wunderwaffen« glauben, ließen sie weiter verbissen arbeiten und kämpfen. Die Rüstungsindustrie verzeichnete Mitte 1944 ihre höchsten Produktionsziffern.

Im Oktober 1944 beginnt der »Kampf um das Reich«. Die Rote Armee erreicht Ostpreußen, und im Westen wird um Aachen gekämpft. Die 11. sowjetische Garde-Armee unter Generaloberst Galitzki stößt mit zwei Keilen auf Königsberg vor. Es kommt zu grausamen Übergriffen auf die deutsche Zivilbevölkerung. Menschen werden erschossen, erschlagen, vergewaltigt, gefoltert. Millionen flüchten vor »den roten Horden«. Sie lassen ihre Heimat, lassen Hab und Gut zurück. Viele sterben auf der Flucht, Millionen werden nach Beendigung der Kampfhandlungen aus ihrer Heimat vertrieben. Wenige Jahre zuvor ist unzähligen Polen und Russen das widerfahren, was nun Deutsche durchmachen müssen. Unbändiger Haß und die Propagandaparolen Stalins treiben die Rote Armee gegen den faschistischen Feind. Es kommt zu einer entsetzlichen Abrechnung.

Die deutsche Führung mobilisiert die letzten Reserven. Seit dem Sommer 1944 werden »Volksgrenadierdivisionen« eingesetzt; Mädchen stehen an Flakgeschützen; Greise und Militäruntaugliche marschieren und sterben im »Volkssturm« – Seite an Seite mit zwölfjährigen Kindern. Mit Panzerfäusten sollen Panzerdivisionen aufgehalten werden. Jeder Abschuß kommt einem Todesurteil gleich, weil der Feuerstrahl das Versteck des Schützen verrät. Im »Nero-Befehl« erreicht Hitlers Wahnsinn seinen Höhepunkt: »Alle militärischen, Verkehrs-, Nachrichten-, Industrie- und Versorgungsanlagen sowie Sachwerte innerhalb des Reichsgebietes, die sich der Feind für die Fortsetzung seines Kampfes irgendwie sofort oder in absehbarer Zeit nutzbar machen kann, sind zu zerstören.« Aber nicht nur die Lebensbasis des deutschen Volkes sollte vernichtet werden. Ein Volk, so Hitler in einem Gespräch mit Albert Speer, das nicht bereit sei, »sich für seine Selbsterhaltung einzusetzen«, müsse »verschwinden... Es sei nicht notwendig, auf die Grundlagen, die das Volk zum primitivsten Weiterleben braucht, Rücksicht zu nehmen. Im Gegenteil sei es besser, selbst diese Dinge zu zerstören. Denn das Volk hätte sich als das schwächere erwiesen, und dem stärkeren Ostvolk gehöre dann ausschließlich die Zukunft. Was nach dem Kampf übrigbleibt, seien ohnehin die Minderwertigen, denn die Guten seien gefallen.« Noch am 3. April 1945, als sowjetische Truppen schon in Berlin stehen und die Alliierten ganz Westdeutschland besetzt haben, ordnet Himmler an: »Aus einem Haus, aus dem eine weiße Fahne erscheint, sind alle männlichen Personen zu erschießen.«

In der Heimat war der Krieg längst allgegenwärtig. Die Soldaten kämpften am Rhein, an der Oder, in und um Berlin, Bomben fallen auf zerbombte Städte, treffen Flüchtlingsschiffe und KZ-Insassen, Kriegsgefangene, Hydrierwerke, Straßen, Bahnanlagen. Zahllose völlig sinnlose Todesurteile sollen Soldaten und Zivilbevölkerung zum Durchhalten zwingen. An Erhängten werden Schilder befestigt, auf denen steht: »Ich bin ein Deutscher, der deutsche Frauen und Kinder nicht mehr verteidigen will.«

Doch an eine Wende, an die »Vergeltung« oder »Vorsehung« und an die »Wunderwaffen« glaubte nun niemand mehr. Die von Westen vorrückenden Sieger wurden freundlich und mit weißen Fahnen empfangen. Soldaten besorgten sich Zivilkluft, Parteiabzeichen verschwanden von den Rockaufschlägen, Parteibücher wurden verbrannt. Nur im Osten wurde bis zuletzt verbissen weitergekämpft. Es ging um die Flucht von Millionen. Am 8. Mai 1945 war der Krieg zu Ende. Die Leiden gingen weiter. Millionen wurden aus ihrer Heimat vertrieben, Zehntausende verhungerten und erfroren. Und noch für viele Jahre sollte nicht nur das deutsche Volk an den Folgen des Nationalsozialismus und des von ihm entfesselten Krieges zu tragen haben.

Die »Luftschlacht« über Deutschland
hat begonnen: 1942 werfen alliierte
Bomber, in erster Linie britische Flug-
zeuge, über 50 000 Tonnen Bomben
über deutschen Städten ab. Görings
Luftwaffe beherrscht auf Grund zunehmender Verluste und der Verzettelung
an vielen Kriegsschauplätzen nicht mehr
den Luftraum über dem Reich.
Nacht für Nacht reißen die Sirenen
Hunderttausende von Menschen aus
dem Schlaf (125) und treiben sie in die
überfüllten Luftschutzkeller (128, 129),
in denen sie oft stundenlang auf die
»Entwarnung« warten.
Die Druckwellen der Bomben zerstörten in einzelnen Stadtvierteln sämtliche
Fensterscheiben, das Vernageln der
Fenster mit Pappe und Sperrholz (126)
wurde für die Bevölkerung zur Dauer-
beschäftigung. Die Verdunkelung von
Geschäften und Lokalen (127) war
Pflicht, und ihre Einhaltung wurde
streng überwacht.
Eine Zeitung versuchte ihren Lesern
diesen Zustand schmackhaft zu machen:
»Nun aber sind Verhältnisse eingetreten, die es ermöglichen, dem ›Zuhause‹
wieder einen Sinn und Gehalt abzuge-
winnen, seinen verborgenen Reichtum
neu zu entdecken. . . Je dunkler
es draußen ist, um so heller sollte es
drinnen sein.«

126

127

128

129

131

Die Zivilbevölkerung wird immer stärker vom konzentrierten Einsatz der alliierten Bomberströme betroffen. Die Wirkung der Brand- und Sprengbomben ist verheerend. Ganze Stadtviertel, wie hier in Berlin (130), werden getroffen.

Das Heranziehen der Hausbewohner zur Brandbekämpfung, zur »Eimerkette«, war nutzlos, denn oft war auch das öffentliche Wasserversorgungsnetz nach einem Angriff zusammengebrochen.

KZ-Häftlinge wurden eingesetzt, um die während der Angriffe durch Phosphorbomben getroffenen und zur Unkenntlichkeit verbrannten Menschen oder das, was von ihnen übriggeblieben war, zu bergen (131).

Nach der Entwarnung sah die Umwelt oft ganz anders aus: überall zerstörte Häuser, das Mobilar chaotisch auf den Straßen verstreut. Das blieb von einer Konditorei in der Düsseldorfer Königsallee nach einem Luftangriff (132).

Während des Angriffs auf Lübeck vom
28./29. März 1942 erprobt die britische
Royal Air Force erstmals das Flächen-
bombardement und legt die Altstadt in
Schutt und Asche, vier Wochen später
ereilt Rostock das gleiche Schicksal.
Berlin bleibt jedoch das Hauptziel des
Luftkrieges, die Leiden der Zivilbevölkerung (133) und das Ausmaß der
Zerstörung, wie im Berliner Zeitungs-
viertel (135), sind unermeßlich. Nachrichten Überlebender werden auf noch
stehenden Mauerresten verzeichnet, um
das Wiederfinden auseinandergerisse-
ner Familien zu ermöglichen (134).
Wem keine Notunterkunft zugewiesen,
wer nicht evakuiert wird, haust inmitten
der Trümmerlandschaft. Öffentliche
Wasserstellen (136) und Feuermöglich-
keiten (137) sollen ein notdürftiges
Überleben sichern helfen.

139

140

Millionen von Deutschen sind seit Mitte 1944 auf der Flucht. Sie verlassen vor den anrückenden sowjetischen Truppen ihre Heimat im Osten des Reiches. Noch fahren Züge gen Westen (138), vor allem Frauen und Kinder (140) dürfen sich mit der notwendigsten Habe retten. Die Transporte werden vorwiegend in die ländlichen Gebiete geleitet (139), die schon mit Evakuierten aus den Großstädten überfüllt sind.

Immer jüngere Jahrgänge werden zur Wehrmacht eingezogen. Halbe Kinder noch, gehen sie – unzureichend ausgebildet und mangelhaft ausgerüstet – an die zusammenbrechenden Fronten in Ost und West. Weihnachten 1944 (141), als die realen Chancen für einen deutschen Sieg längst dahin sind, mobilisiert das NS-Regime für den letzten Einsatz an den Reichsgrenzen.

An Heimaturlaub ist nun kaum noch zu denken, öffentliche Vergnügungen (142) sind seit Ende 1944 untersagt oder können, infolge der Bombeneinwirkungen, auch gar nicht mehr stattfinden.

Auch Frauen werden zum Kriegsdienst herangezogen, als Luftwaffen- und Flakhelferinnen eingesetzt (144). Sie gehören ebenso zum »Letzten Aufgebot« wie der Ende September 1944 gebildete »Volkssturm«. Bunt zusammengewürfelte Einheiten, versprengte Reste ehemaliger Divisionen, Verwundete, Alte und Schüler (143, 145) werden aufgestellt, um mit unzureichenden Mitteln die von Osten hereinbrechenden sowjetischen Panzerdivisionen und die den Westen des Reiches erreichenden Amerikaner, Engländer und Franzosen aufzuhalten.

143

144

146

Auch die süddeutschen Großstädte werden gegen Ende des Krieges von Luftangriffen schwer in Mitleidenschaft gezogen. Die Alliierten beherrschen den Luftraum über Deuschland, Tagesangriffe werden beinahe normal. Die Löschtrupps können ihren Aufgaben nicht mehr nachkommen (146), unschätzbare Kulturgüter fallen den Flammen zum Opfer – München liegt in Trümmern (148). Mit Notbahnen wird die Bevölkerung zu ihren Arbeitsplätzen (147) gebracht. Trotz Bomben, Bränden und Verwüstungen erreicht die Produktion von Rüstungsgütern in diesen Tagen ihren Höhepunkt.
Als im März 1945 die Alliierten den Rhein überschreiten, strömen ihnen die Menschen mit ihrer letzten Habe und der weißen Fahne entgegen (149). Für sie ist der Krieg zu Ende.

147

151

Als die amerikanischen Truppen Anfang März 1945 Köln besetzen, finden sie nur noch eine Trümmerlandschaft vor. Wie durch ein Wunder ist der Dom von den zahllosen Bombenangriffen verschont geblieben (150). In der Stadt leben von den 730 000 Einwohnern der Vorkriegszeit nur noch etwa 40 000, überwiegend in Kellern und notdürftig zusammengeflickten Häusern.
In einer der größten und grausamsten alliierten Angriffsserien des Zweiten Weltkrieges wird in der Nacht vom 13./14. Februar 1945 das mit Flüchtlingen überfüllte Dresden völlig zerstört (151). Die Schätzungen über die Anzahl der Toten bewegen sich zwischen 60 000 und 200 000. Aber erst ein Vierteljahr später gehört der Bombenterror der Vergangenheit an (152). Die Durchhalteparolen der NS-Gewaltigen und Befehle unverantwortlicher Militärs zögern den endgültigen Zusammenbruch, die bedingungslose Kapitulation, bis zum 8. Mai hinaus.

Anhang

1933

Politik

4. Januar. Besprechung Hitlers mit Papen im Haus des Bankiers Schröder in Köln.

20./21. Januar. NSDAP und DNVP lehnen die Unterstützung der Schleicher-Regierung ab.

22. Januar. Aufmarsch der SS und SA unter Polizeischutz vor dem Karl-Liebknecht-Haus in Berlin.

22. Januar. Verhandlungen zwischen Papen, Meißner, Oskar von Hindenburg und Hitler über die Regierungsbildung im Haus Ribbentrops in Berlin.

28. Januar. Rücktritt Schleichers. Hindenburg hatte eine Erklärung des Notstands, Auflösung des Reichstags und Verzicht auf Neuwahlen abgelehnt.

30. Januar. Hindenburg beauftragt Hitler mit der Regierungsbildung. Bildung der Hitler-Hugenberg-Papen-Regierung. Vizekanzler und Reichskommissar in Preußen: Papen (bis Juni 1932 Zentrum); Äußeres: Neurath (parteilos); Inneres: Frick (NSDAP); Reichswehr: Generalleutnant von Blomberg (parteilos); Finanzen: Schwerin von Krosigk (parteilos); Post und Verkehr: Eltz von Rübenach (parteilos); Wirtschaft, Ernährung, Landwirtschaft und Reichskommissar für Osthilfe: Hugenberg (DNVP); Arbeit: Seldte (Stahlhelm, ab April 1933 NSDAP); Minister ohne Geschäftsbereich, Reichskommissar (ab April Reichsminister) für die Luftfahrt: Göring (NSDAP); Justiz: Gürtner (DNVP) seit 1. Februar; Volksaufklärung und Propaganda: Goebbels (NSDAP) seit 13. März.

30. Januar. Aufruf der KPD zur Einheitsfront und zum Generalstreik.

31. Januar. Aufruf der SPD zum »Kampf auf dem Boden der Verfassung«.

31. Januar. Hitler verkündet im Rundfunk den Aufruf des Kabinetts der »nationalen Erhebung«.

1. Februar. Hindenburg löst auf Drängen Hitlers den Reichstag auf und setzt für den 5. März Neuwahlen fest.

2. Februar. Demonstrationsverbot.

3. Februar. Hitler trägt der Reichswehrführung sein »Lebensraum«-Programm vor.

4. Februar. Verordnung des Reichspräsidenten »zum Schutz des deutschen Volkes«: drastische Einschränkung der Versammlungs-, Rede- und Pressefreiheit.

8. Februar. Kabinettsbeschluß über die Vorrangigkeit der Bedürfnisse der Reichswehr vor denen für zivile Maßnahmen bei der Vergabe von Mitteln.

17. Februar. »Schießerlaß« Görings bei Zusammenstößen zwischen »nationalen Verbänden« und Antifaschisten.

20. Februar. Krupp, Schacht, Vögler, Flick, v. Schnitzler und andere Industrielle und Bankiers zu Gast bei Hitler und Göring. Wahlspende der Krupp AG, IG-Farben, Vereinigten Stahlwerke u. a. in Höhe von drei Millionen Mark zur Finanzierung des Reichstagswahlkampfes und zur »Abwehr des Kommunismus«.

24. Februar. SA, SS und Stahlhelm werden »Hilfspolizei«.

27. Februar. Reichstagsbrand wird als Vorwand für eine Terrorwelle gegen Antifaschisten und insbesondere Kommunisten benutzt.

28. Februar. Hindenburg erläßt die »Verordnung zum Schutz von Volk und Staat«: Aufhebung der Grundrechte der Weimarer Verfassung, verschärfte Strafbestimmungen, Einführung der »Schutzhaft«.

3. März. Verhaftung des Vorsitzenden der KPD, Ernst Thälmann.

5. März. Letzte Reichstagswahlen: NSDAP 288 Sitze; SPD 120 Sitze; KPD 81 Sitze; DNVP 53 Sitze; Zentrum 73 Sitze; BVP 19 Sitze. Erste »Einzelaktionen« gegen jüdische Bürger.

7. März. Verbot von Reichsbanner und Eiserner Front.

9. März. Die Faschisten erklären die Mandate der KPD für ungültig und erlassen Haftbefehle gegen alle kommunistischen Abgeordneten. Dadurch erhalten sie die absolute Mehrheit im Reichstag. Kein Protest der bürgerlichen Parteien.

12. März. Hindenburg erklärt die schwarz-weiß-rote und die Hakenkreuz-Flagge anstelle der schwarz-rot-goldenen zu offiziellen Reichsfarben.

17. März. Schacht wird Reichsbankpräsident.

20. März. Errichtung des Konzentrationslagers Dachau. Erste offizielle Mitteilung über KZs.

21. März. Tag von Potsdam.

24. März. Der Reichstag beschließt das »Gesetz zur Behebung der Not von Volk und Reich« (Ermächtigungsgesetz) gegen die Stimmen der SPD-Fraktion, die durch Verhaftungen bereits geschrumpft ist. Die Hitler-Regierung wird ermächtigt, ohne den Reichstag Gesetze zu erlassen.

31. März. Das Gesetz zur Gleichschaltung der Länder mit dem Reich wird erlassen: Umbildung der Länderparlamente entsprechend der Reichstagswahl.

1. April. Boykott aller jüdischen Geschäfte.

4. April. Bildung des geheimen »Reichsverteidigungsrates«.

7. April. »Gesetz zur Wiederherstellung des Berufsbeamtentums« und Entlassung von »politisch unzuverlässigen« und »nichtarischen« Beamten.

10. April. Der 1. Mai wird zum »Tag der nationalen Arbeit«, Nationalfeiertag mit allgemeiner Arbeitsruhe, erklärt.

26. April. Errichtung des »Geheimen Staatspolizeiamtes« (Gestapo) in Berlin.

28. April. Wiedereinführung der seit 1920 abgeschafften Militärgerichtsbarkeit.

1. Mai. Programm des »Unternehmens Reichsautobahn«.

1. Mai. »Tag der nationalen Arbeit«.

2. Mai. Zerschlagung der Gewerkschaften, Besetzung der Gewerkschaftshäuser, Verhaftung von Gewerkschaftsführern, Beschlagnahme des Gewerkschaftsvermögens.

10. Mai. Bücherverbrennungen.

17. Mai. Die sogenannte »Friedensrede« (außenpolitisches Programm) Hitlers vor dem Reichstag wird auch von der SPD gebilligt.

22. Juni. Verbot der SPD.

27. Juni–5. Juli. Selbstauflösung der übrigen Parteien.

3. Juli. Hitler erklärt die »Revolution« für beendet.

14. Juli. »Gesetz gegen die Neubildung von Parteien«.
»Gesetz über die Verfassung der deutschen evangelischen Kirche« als Einordnung in das faschistische System, gegen die sich nach einem Aufruf Martin Niemöllers die Opposition im Notbund der evangelischen Pfarrer, später in der Bekennenden Kirche, sammelt.
»Gesetz zur Verhinderung erbkranken Nachwuchses« (»Erbgesundheitsgerichte«, Zwangssterilisationen).

1933

»Gesetz zur Widerrufung von Einbürgerungen und Aberkennung der deutschen Staatsbürgerschaft«.

20. Juli. Konkordat zwischen Hitler-Regierung und Vatikan.

1. August. Erste Todesurteile der faschistischen Justiz (gegen vier Kommunisten) vollstreckt. Bis Ende 1933 werden 66 Todesurteile vollstreckt.

13. September. Winterhilfswerk gegründet. Reichsnährstandgesetz.

21. September. Beginn des Reichstagsbrand-Prozesses.

29. September. »Reichserbhof«-Gesetz.

1. Dezember. »Gesetz zur Sicherung der Einheit von Partei und Staat«, NSDAP wird zur Staatspartei.

19. Dezember. Der evangelische »Reichsbischof« Müller überführt die Evangelische Jugend »geschlossen« in die HJ.

Wirtschaft/Soziales

24. März. Dankadresse des Präsidiums des Reichsverbandes an Hitler für die Sicherung der Wirtschaft gegen »Störungen« und »politische Schwankungen«.

4. April. Das »Gesetz über die Betriebsvertretungen und über wirtschaftliche Vereinbarungen« ermächtigt die Landesregierungen – nach einer Wahlniederlage der Faschisten –, die Betriebsrätewahlen bis zum September auszusetzen.

7. April. Die Unternehmer erhalten die gesetzliche Möglichkeit, Arbeiter und Angestellte bei »Verdacht staatsfeindlicher Tätigkeit« zu entlassen.

19. April. Der ADGB ruft zur Teilnahme an der faschistischen Maifeier auf.

25. April. Vorlage eines Planes des Reichsverbandes der Deutschen Industrie zur Neugestaltung der Wirtschaft bei der Regierung.

3. Mai. Krupp erhält sämtliche Vollmachten zur Reorganisation des industriellen Verbandswesens nach dem »Führerprinzip«.

16. Mai. Gründung der »Deutschen Arbeitsfront« (DAF) als Zwangsorganisation für Arbeiter und Angestellte.

1. Juni. »Gesetz zur Verminderung der Arbeitslosigkeit«: Darlehen des Reiches für Arbeitsbeschaffung bei »volkswirtschaftlich wertvollen« Arbeiten der Länder, Gemeinden, öffentlichen Organisationen, Hausbesitzer u. a., Steuerbefreiungen als Investitionsanreiz, Kampagne gegen das sogenannte Doppelverdienertum und für das Ausscheiden besonders der verheirateten Frauen aus dem Arbeitsprozeß. Weibliche Berufstätige werden z. B. vom Empfang des Ehestandsdarlehens ausgeschlossen.

2. Juni. Beginn der »Adolf-Hitler-Spende« der deutschen Industrie, die in 12 Jahren 700 Millionen Reichsmark an die Nazis zahlt.

20. Juni. Einrichtung der »Kasse L« (Geheimfonds zum Aufbau der Luftwaffe).

21. Juni. Köpenicker Blutwoche. 91 Opfer des SA-Terrors.

15. Juli. Einberufung des »Generalrats der deutschen Wirtschaft« (u. a. Krupp, Thyssen, Vögler, Bosch, Siemens, Diehn, Reinhart, Schröder).
Das »Gesetz zur Errichtung von Zwangskartellen« ermächtigt die Regierung zu Zwangszusammenschlüssen von Unternehmen, Verbot von Erweiterungen, Eingriffen in die Produktionskapazitäten.

14. September. Feder-Bosch-Abkommen: Erster Musterbenzin-Vertrag zwischen dem Reich und dem Ammoniakwerk Merseburg GmbH, Leuna, über den vom Reich gewährleisteten Absatz von jährlich 300 000 Tonnen synthetischen Benzins über 10 Jahre.

13. Oktober. Die Deutsche Bank legt Hitler ihr Kolonialprogramm vor. (»Die Möglichkeit für das deutsche Volk, im Osten Raum zu schaffen, ist nicht so schnell zu verwirklichen, als daß man nicht an andere Gebiete denken sollte, die auch dann noch erwähnenswert bleiben, wenn ein Teil unseres Volkes im Osten neue Heimstätten gefunden haben wird.«)

27. November. Gründung von »Kraft durch Freude« als Unterorganisation der »Deutschen Arbeitsfront«.

Kultur

2. Februar. Demonstrative Anwesenheit Hitlers, Hugenbergs, Papens u. a. bei der Aufführung des Ufa-Films »Morgenrot« (Regie: Gustav Ucicky), der den deutschen U-Boot-Krieg während des Ersten Weltkriegs verherrlicht.

Ende Februar. Aufruf zur Bildung einer Einheitsfront von SPD und KPD von Käthe Kollwitz, Heinrich Mann u. a. unterzeichnet.

Februar bis März. Ausschluß von Heinrich Mann, Käthe Kollwitz, Alfred Döblin, Leonhard Frank, Georg Kaiser, Alfred Mombert, Alfons Paquet, Rudolf Pannwitz, René Schickele, Fritz von Unruh, Jakob Wassermann und Franz Werfel aus der Akademie der Künste. Ricarda Huch erklärt unter Protest ihren Austritt.
Käthe Kollwitz, Max Liebermann, Bruno Taut, Heinrich Mann zum Austritt aus der Preußischen Akademie der Künste gezwungen.
George Grosz emigriert.
Otto Dix seines Lehramtes enthoben, Karl Hofer, Paul Klee, Oskar Moll »beurlaubt«.

Nazi-Ausstellung »Kultur-Bolschewismus«.
Paul Klee emigriert.
E. Hadamovsky, »Der Rundfunk als politisches Führungsmittel«.
Film: »Hitlerjunge Quex« (Regie: Hans Steinhoff).
Seit dem 1. April erscheinen »schwarze Listen« von Autoren und Büchern in der deutschen Presse.

20.–25. April. Beschluß über die Einrichtung der »Nationalpolitischen Erziehungsanstalten« und »Gesetz gegen die Überfüllung deutscher Schulen und Hochschulen«. Es schränkt u. a. den Hochschulbesuch jüdischer Mitbürger ein, Faschisierung des Bildungs- und Erziehungssektors, Heranbildung einer faschistischen »Elite«.

10. Mai. Der »Nationalsozialistische Deutsche Studentenbund« führt eine Aktion »Wider den undeutschen Geist« (Bücherverbrennungen) durch.

20. Mai. Allein in Berlin werden 500 Tonnen Bücher beschlagnahmt.

Juli. Der Schutzverband Deutscher Schriftsteller (SDS) wird im Exil neugegründet. Er versucht seine in Deutschland verbliebenen Mitglieder »vor der physischen Vernichtung durch den Faschismus« zu retten.

August. Das »Braunbuch über Reichstagsbrand und Hitlerterror« erscheint in 16 Sprachen. Es wird im Kleinformat als Tarnschrift in Deutschland verbreitet.
Einrichtung der »Nationalpolitischen Bildungsanstalten« (Napola).

22. September. »Reichskulturkammergesetz«: Unterordnung von Kunst, Presse, Rundfunk unter das faschistische System, Abschaffung der autonomen Universitätsverfassungen.

15. Oktober. Reichskulturkammer unter Goebbels gegründet.

9. November. Gründung eines Literaturpreises der Stadt Hamburg für die Mitarbeit an der »Erneuerung des deutschen Geistes«.

19. Dezember. Gründung der »Nordostdeutschen Forschungsgemeinschaft« zur Vorbereitung der »Heim-ins-Reich«-Ideologie.
Film: »Hans Westmar« (Regie: Franz Wenzler).
Film: »SA-Mann Brand« (Regie: Franz Seitz).

1934

Politik

20. Januar. Gesetz zur »Ordnung der nationalen Arbeit«.

27. Januar. Treuebekenntnis evangelischer Bischöfe für Hitler; Beginn verstärkten Widerstandes von Geistlichen gegen die Kirchenleitung.

30. Januar. »Gesetz über den Neuaufbau des Reichs«; Auflösung der Länder und zentralistische Organisation.

16. Februar. Grundlegung der Idee der Hitler-Jugend durch Schirach.

20. Februar. Das Hakenkreuz wird zum Abzeichen an der Uniform der Reichswehr.

27. Februar. Dimitroff nach dem Freispruch im Reichstagsbrand-Prozeß freigelassen.

20. April. Himmler wird Chef der Gestapo.

24. April. Errichtung des »Volksgerichtshofs«.

31. Mai. Synode der Bekennenden Kirche verkündet »kirchliches Notrecht«, wonach der Kirchenleitung nicht mehr zu folgen ist.
Befehl zum Schießen auf bei frischer Tat gestellte Flugblattverteiler oder Plakatkleber.

7. Juni. Katholischer Hirtenbrief gegen nationalsozialistische Ideologie.

17. Juni. Kritische Rede Papens gegen Hitler in Marburg aus konservativer Opposition.

24. Juni. Predigt des Bischofs von Trier gegen Agitation der Hitler-Jugend.

30. Juni–2. Juli. Zerschlagung der Röhm-Gruppe in der NSDAP durch Mordaktionen von SS und Reichswehrangehörigen.

3. Juli. Nachträgliche Sanktionierung der blutigen Säuberungen durch Gesetz als »Staatsnotwehr«.

4. Juli. SS-Führer Eicke wird Anführer der Totenkopf-Verbände und Inspekteur der Konzentrationslager.

20. Juli. Die SS wird selbständige Organisation, nachdem sie vorher nur Teilorganisation der SA war.

2. August. Tod Hindenburgs; Hitler wird Staatsoberhaupt.

3. August. Nach einem Gesetz vom Vortag wird die Reichswehr auf Hitler vereidigt.

19. August. Bestätigung Hitlers durch »Volksabstimmung« (90 Prozent) bei geringer Wahlbeteiligung.

September. Erstmaliges Auftreten einer linken SPD-Absplitterung »Arbeitskreis Revolutionäre Sozialisten« mit Forderung einer sozialistischen Einheitspartei sowie Kritik an der KPD-Politik.

19./20. Oktober. Dahlemer Synode der Bekennenden Kirche mit Diskussion des kirchlichen Notrechts.

22. Oktober. Bildung einer vorläufigen Leitung der Bekennenden Kirche.

November. Offener Brief der KPD »An alle Sozialdemokraten. An alle Gewerkschaftsgruppen. An alle Kollegen der Arbeitsfront« mit Aufruf zur Einheitsfront.

20. Dezember. Verschärfung des politischen Strafrechts; Gesetz »gegen heimtückische Angriffe auf Staat und Partei und zum Schutz der Parteiuniform«.

Wirtschaft/Soziales

20. Januar. Gesetz zur Ordnung der nationalen Arbeit; Betriebe werden zu Betriebs-»Gemeinschaften« erklärt, in denen das »Führerprinzip« gilt.

7. Februar. Beschluß des Reichsverteidigungsrats über die Aufnahme wirtschaftlicher Kriegsvorbereitungen.

27. Februar. Schaffung der gesetzlichen Grundlage zur Zwangsorganisation der Unternehmen in vom Reichswirtschaftsministerium kontrollierten Verbänden (Vollzug des Gesetzes am 27. November).

21. März. Beginn des Autobahnbaus bei München.

29. März. Gesetz über ein »Pflichtjahr« der Stadtjugend auf dem Land schafft Rekrutierungsmöglichkeiten für billige Landarbeiter und Erntehelfer.

29. März. Bekanntgabe des neuen Rüstungsetats mit einer Steigerung um 50 Prozent.

März/April. Wahl der Vertrauensräte in den Betrieben ergibt bei geringer Beteiligung für faschistische Kandidaten nur ein Viertel der Stimmen; wegen der schlechten Wahlergebnisse finden nach 1935 keine Vertrauensrätewahlen mehr statt.

15. Mai. Gesetz zur Regelung des Arbeitseinsatzes verbietet Landflucht.

20. Juni. Die »Wirtschaftsgruppe im Reichswehrministerium« fordert zur Effektivierung der Aufrüstung eine »Wirtschaftsdiktatur«.

30. Juli. Schacht wird zum Reichswirtschaftsminister ernannt.

10. August. Verordnung über die Verteilung von Arbeitskräften beseitigt das Recht auf freie Arbeitsplatzwahl.

24. September. Schacht legt den »Neuen Plan« vor; darin wird eine staatliche Kontrolle aller Im- und Exporte und des Devisentransfers festgelegt; Ziel ist die Herstellung voller Autarkie.

27. November. Einteilung der Wirtschaft laut Gesetz vom 27. Februar in sechs »Reichsgruppen«: Industrie, Handwerk, Handel, Banken, Versicherungen und Energiewirtschaft; Zusammenschluß in der »Reichswirtschaftskammer«; die in den einzelnen Gruppen jeweils führenden Großbetriebe führen in den nächsten Jahren durch Preis- und Marktabsprachen eine starke Konzentrationsbewegung durch.

Kultur

24. Januar. Alfred Rosenberg wird Beauftragter für geistige und weltanschauliche Schulung der NSDAP.

16. Februar. Einrichtung der Filmprüfstelle in Berlin.

14. April. Eröffnung der »Staatsakademie für Rassen- und Gesundheitspflege« in Dresden.

16. April. Errichtung der Prüfstelle für nationalsozialistisches Schrifttum.
Veröffentlichung kleinerer, zum Teil getarnter Schriften illegaler Gruppen des Bundes proletarisch-revolutionärer Schriftsteller in Deutschland.
Übergang der traditionellen Historiographie ins faschistische Lager durch Erich Rothackers »Geschichtsphilosophie«.
Stiftung eines Nationalen Buchpreises durch das Propaganda-Ministerium.
Film: »Ein Mann will nach Deutschland« (Regie: Paul Wegener).
Hans Fallada, »Wer einmal aus dem Blechnapf frißt«.
Entlassung des evangelischen Professors für Theologie Karl Barth wegen Verweigerung des Beamteneids als Hochschullehrer.
Pflicht zum Vorführen eines »Kulturfilms« vor öffentlichen Filmveranstaltungen.
Als ökonomische Theorie faschistischer Wirtschaftspolitik erscheint Werner Sombarts »Deutscher Sozialismus«.
Ermordung Erich Mühsams im Konzentrationslager Oranienburg.

1935

Politik

13. Januar. Abstimmung über die Angliederung des Saargebiets; 91 Prozent der Stimmen für Anschluß an das Deutsche Reich; obwohl die Zustimmung des Völkerbundes erst am 1. März kam, wurde das Saarland sofort besetzt.

30. Januar. Reichsstatthaltergesetz und Gemeindeordnung; Beseitigung der Gemeindeautonomie; statt dessen eingesetzte »Statthalter«.

26. Februar. Erlaß über die Reichsluftwaffe schafft mit Verstoß gegen den Versailler Vertrag als dritte Waffengattung die Luftwaffe.

4./5. März. Synode der Bekennenden Kirche beschließt Kanzelverkündigung gegen die nationalsozialistische Ideologie; 700 Pfarrer werden wegen Verkündung des Beschlusses verhaftet.

16. März. Wiedereinführung der allgemeinen Wehrpflicht.

1. April. Justiz reichseinheitlich organisiert.

7. April. In Danzig gewinnen die Nationalsozialisten die Mehrheit bei Wahlen.

21. April. Auflösung der Parteileitung der KPD in Deutschland und Bildung einer operativen Leitung in Prag.

2. Mai. Planung für Rheinland-Besetzung begonnen.

21. Mai. Geheimes »Reichsverteidigungsgesetz«; Vollmacht für den Reichskriegsminister zur unbeschränkten Verordnungsmacht im Kriegsfall; Einsetzung von Sondergerichten etc.

21. Mai. Versicherung Hitlers, Österreich nicht zu besetzen (»Friedensrede«).

21. Mai. Voraussetzung für die Ableistung von Wehrdienst wird arische Abstammung.

26. Juni. Reichsluftschutzgesetz verpflichtet zu Sach- und Dienstleistungen für Zwecke des Luftschutzes.

16. Juli. Bildung eines Reichskirchenministeriums; Erlaß von Maßnahmen gegen oppositionelle katholische Geistliche.

20. Juli. Einschränkung der Aktionsfähigkeit für konfessionelle Jugendgruppen.

24. Juli. Auflösung aller alten Freikorpskämpfer-Verbände und Traditionsvereine.

2. August. München erhält den Titel »Hauptstadt der Bewegung«.

17. August. Verbot von Freimaurer-Logen.

4. September. Mit dem Prozeß gegen 25 Neuköllner Widerstandskämpfer, die mit fünf Todesurteilen enden, beginnt eine Lawine von Schauprozessen in ganz Deutschland.

10.–16. September. Nürnberger Reichsparteitag der NSDAP.

15. September. Nürnberger Gesetze (»Gesetz zum Schutze des deutschen Blutes und der deutschen Ehre«); Beginn der staatlichen Judenverfolgung.

25. September. Gesetz zur Sicherung der deutschen evangelischen Kirche; Bindung der Kirche an den faschistischen Staat und Ausschaltung der kirchlichen Opposition.

18. Oktober. Gesetz zum Schutz der Erbgesundheit des deutschen Volkes; Arier-Nachweis und Heiratsverbote.

Wirtschaft/Soziales

ab 13. Januar. Eingliederung der Saar-Industrie in die Rüstungsstrategie der deutschen Industrie.

26. Februar. Gesetz über die Einführung eines Arbeitsbuchs; dadurch zusätzliche Rekrutierung noch brachliegender Arbeitskraft und Bindung an einzelne Betriebe.

19. Mai. Eröffnung eines ersten Teilstücks der Autobahn.

20.–24. Mai. Streik bei den Wanderer-Werken in Chemnitz; später auch einzelne Aktionen in Sachsen, Schlesien, Württemberg, Berlin und im Ruhrgebiet sowie auf Autobahnbaustellen; trotz begrenzter Aktionen und massivem Gegendruck zum Teil erfolgreich.

21. Mai. Geheime Ernennung Schachts zum »Generalbevollmächtigten für Kriegswirtschaft«.

26. Juni. Reichsarbeitsdienstgesetz; halbjährige Arbeitspflicht aller Männer zwischen 18 und 25 Jahren.

Juli. Streik auf der U-Boot-Werft in Vegesack; trotz Polizeiterrors werden Teilforderungen durchgesetzt.

Oktober. Bildung des »Wehrwirtschaftsstabs« des Oberkommandos der Wehrmacht.

Kultur

Emigration Karl Barths nach Basel und theoretische Anführung der Bekennenden Kirche in den folgenden Jahren.
Gründung eines »Reichsinstituts Geschichte des Neuen Deutschlands« mit einer Abteilung »Judenfrage«.
Gründung des »Reichsbunds für deutsche Vorgeschichte« zur Erforschung der »nordischen Rassengeschichte«.
Errichtung der faschistischen »Johann Wolfgang von Goethe-Stiftung«; Stiftung von Kulturpreisen.
Peter Raabe wird Präsident der Reichsmusikkammer.
Werner Bergengruen, »Der Großtyrann und das Gericht« und (illegal) »Dies irae«.

Hanns Johst wird Präsident der Reichsschrifttumskammer.
Emanuel Hirsch, »Christlicher Glaube und politische Bindung«; Bekenntnis zur Verbindung von evangelischer Kirche und Faschismus zur »Deutschen Kirche«.
Regelmäßige Fernsehübertragungen in Berlin.
Verbot des deutschen Pen-Clubs.

24. November. Friedensnobelpreis für Carl von Ossietzky, für Hitler der Anlaß, Reichsdeutschen die Annahme von Nobelpreisen zu verbieten.

26. November. Verbot der Kunstkritik; statt dessen nur noch Kunst»berichte«.
Faschistischer Goethepreis an Georg Kolbe.
Faschistischer »Mozartpreis« an Josef Weinheber.
Hans Günther, »Führeradel durch Sippenpflege«, fordert Zucht der arischen Rasse.
Erste Nummer der faschistischen Musikzeitschrift »Volksmusik«.
Ernst Jünger, »Afrikanische Spiele«.
Ausbürgerung Thomas Manns und Übersiedlung in das USA-Exil.
Verbot des deutschen Künstlerbunds.
Film: »Friesennot« (Regie: Peter Hagen).
Film: »Triumph des Willens« (Regie: Leni Riefenstahl).

1936

Politik

16. Januar. Goebbels fordert Kolonialbesitz für Deutschland und propagiert »Kanonen statt Butter«.

10. Februar. Preußisches Gesetz über die Gestapo gibt Sonderrechte für Polizeiterror.

7. März. Besetzung des Rheinlands durch Reichswehrtruppen.

24. März. Aufruf des Ausschusses für eine deutsche Volksfront gegen die Rheinland-Besetzung; Warnung vor Kriegsgefahr. Neuwahl des Reichstages in Verbindung mit einer Billigung der Rheinland-Besetzung; 99 Prozent Ja-Stimmen.

18. April. Durch Gesetz wird der »Volksgerichtshof« zum ordentlichen Gericht und dem obersten Reichsgericht gleichgeordnet.

24. April. Einweihung von drei NS-Ordensburgen für faschistische Kaderausbildung in Grossinsee, Vogelsang und Sonthofen.

28. Mai. Pfingst-Denkschrift der Bekennenden Kirche gegen Rassenwahn und antisemitische Politik des Faschismus.

17. Juni. Himmler wird Chef der deutschen Polizei, die reichseinheitlich organisiert wird.

26. Juni. Heydrich wird Chef der Sicherheitspolizei.

12. Juli. Errichtung des Konzentrationslagers Sachsenhausen bei Berlin.

26. Juli. Aufstellung der »Legion Condor« zur Unterstützung der faschistischen Putschtruppen in Spanien; erster Einsatz schon am 5. August; Gesamtstärke 15 000 Soldaten und modernstes Kriegsgerät.

1. August. Eröffnung der Olympischen Spiele in Berlin und Kiel; Dauer bis 16. August.

7. August. Aufruf der KPD zur Beteiligung am spanischen Bürgerkrieg auf der Seite der Republik; insgesamt nehmen 5000 Deutsche an den Kämpfen teil, 3000 davon fallen.

24. August. Verlängerung der Wehrpflichtzeit von einem auf zwei Jahre.

2.–7. September. Versammlung von »Auslandsdeutschen« in Erlangen; Forderungen nach deutschem Kolonialbesitz und territorialer Expansion.

1. Oktober. Neue Wehrbereichseinteilung.

3. Oktober. Stapellauf des Schlachtschiffes »Scharnhorst«; Beginn eines großen Flottenaufbaus.

14. Oktober. Vereinheitlichung der Sicherheitspolizei und Zentralisierung; Abgrenzung örtlicher Zuständigkeiten zwischen Gestapo und Kripo zugunsten der Gestapo.

10. November. Hirtenbrief der katholischen Bischöfe mit der Forderung nach Schutz der Bekenntnisschule.

20. November. Erklärung der evangelischen Kirchenleitung; Bereitschaft, »alle Kräfte der Kirche gegen den Bolschewismus einzusetzen«; Kapitulation der evangelischen Kirche vor dem Faschismus und Entzug der Solidarität mit der Bekennenden Kirche.

1. Dezember. Hitler-Jugend wird zur Staatsjugend.
Im Laufe des Jahres wurden laut Gestapo-Berichten 1374 Sozialdemokraten und 11 687 Kommunisten verhaftet und 1,6 Millionen Flugblätter beschlagnahmt.

Wirtschaft/Soziales

22. Januar. Schaffung einer gesetzlichen Ablieferungspflicht für landwirtschaftliche Produkte und Staatsmonopol für den Großhandel bestimmter Erzeugnisse.

Ende Februar. Streik von vier Zechenbelegschaften in Wanne-Eickel erzwingt Freilassung verhafteter Kollegen.

4. April. Geheimerlaß Hitlers zur Verstärkung der »Wehrhaftmachung«.

27. April. Göring wird »Devisen- und Rohstoff-Kommissar«; er erhält Eingriffskompetenzen in Geschäftsbereiche des Reichswirtschaftsministeriums; Beginn der Neuordnung der Rüstungswirtschaft.

25. Juni. Streik bei Opel in Rüsselsheim führt zu Polizeieinsätzen und Massenentlassungen.

Juli. Konferenzen im Reichswirtschaftsministerium zur Bekämpfung der anwachsenden Streikaktionen.

24. Juli. Streik bei Auto-Union in Spandau gegen Lohnkürzungen erfolgreich.

Ende August. Denkschrift Hitlers über die »Aufgaben eines Vierjahresplans«; konkretes Programm zum Abschluß der Aufrüstung und Erlangung der Autarkie in vier Jahren.

4. September. Vorlage des Vierjahresplans beim Ministerrat.

9.–14. September. Annahme des Vierjahresplans auf dem Reichsparteitag der NSDAP in Nürnberg; ökonomische Aufgabenstellung für die Planung ist die Schaffung der Voraussetzungen für die Gewinnung »neuen Lebensraums«.

18. Oktober. Ernennung Görings zum »Beauftragten für den Vierjahresplan«; Göring beruft einen Berater- und Beamtenstab, der bald mehr Kompetenzen hat als das Reichswirtschaftsministerium.

20. Oktober. Streik in der Textilindustrie des Kreises Zwickau.

22.–29. Oktober. Erste Gesetze zur Durchführung des Vierjahresplans; Neuordnung des Planungs- und Eingriffsinstrumentariums führt zu einer Verschmelzung des staatlichen und des privatwirtschaftlichen Lenkungsapparates.

28. Oktober. Rede Görings im Berliner Sportpalast fordert Lohnstopp und Arbeitsfriede zur Erhöhung der nationalen Stärke.

1. Dezember. Gesetz gegen Wirtschaftssabotage verpflichtet zur Anmeldung aller Werte und Anlagen im Ausland; bei Vergehen und bei illegalen Devisentransfers ist Todesstrafe möglich.

17. Dezember. Göring fordert Industrie auf, unabhängig von ungünstigen Kostenerwägungen einheimische Rohstoffe auszubeuten; diese »Opfer« der deutschen Wirtschaft würden nach einem Krieg reich entschädigt.

Dezember. IG-Farben AG überreicht Plan zum Aufbau einer Buna-Industrie; Aufbau des ersten Werkes in Schkopau mit Produktionsbeginn im März 1937; Aufbau der Werke erfolgt mit Staatsgeldern; Abnahmegarantien des Staats für Buna trotz dreifach höheren Preises gegenüber Weltmarktpreis für Naturkautschuk als Preis für Autarkie-Politik.

Kultur

Film: »Fridericus« (Regie: Johannes Meyer).
Film: »Verräter« (Regie: Karl Ritter).
Film: »Wenn wir alle Engel wären« (Regie: Carl Froelich).

1937

Politik

Januar. Beginn der Arbeiten am Westwall und an der Ostgrenze.

18. Januar. Beginn des Hamburger Schauprozesses; Verurteilung von 25 Widerstandskämpfern zu 160 Jahren Haft sowie drei Todesstrafen; bis zum Kriegsbeginn fanden 86 Massenschauprozesse statt.

26. Januar. Neues Beamtengesetz.

30. Januar. Offizielle Zurückziehung der Unterschrift Deutschlands vom Schulden-Artikel des Versailler Vertrags; keine Reaktion der Westmächte.

2. Februar. Einrichtung einer Zentralstelle zur Betreuung von »Auslandsdeutschen« im Auswärtigen Amt; Unterstützung von separatistischen und faschistischen Bestrebungen in Osteuropa.

12. Februar. Auflösung des Reichskirchenausschusses; Ende der Bemühungen um die Schaffung einer faschistischen »Staatskirche«; Propagierung von Kirchenaustritten und Massenverhaftungen von Geistlichen folgen; am 15.2. Erlaß von Hitler über die Wahl einer neuen Generalsynode der deutschen evangelischen Kirche ohne oppositionelle Kräfte.

1. März. Ribbentrop fordert auf der Leipziger Messe deutsche Kolonien.

1. April. Der konservative Oberbürgermeister von Leipzig, Goerdeler, legt aus Protest gegen antisemitische Demonstrationen sein Amt nieder.

1.–28. April. Schauprozeß gegen Angehörige der katholischen Jugend in Berlin.

25. Mai. Hinrichtung des Bezirksleiters Rhein-Ruhr der KPD, Otto Kropp.

14.–24. Juni. Schauprozeß in Essen gegen 10 Führer des Jungnationalen (Jugend-)Bundes und der Pfadfinder; Strafen bis zu 12 Jahren.

27. Juni. Öffentliche Predigt Pfarrer Martin Niemöllers gegen Verhaftungen von Kirchenanhängern; am 1. Juli selbst verhaftet.

12. Juli. Demonstration gegen Verbot der katholischen Jugend in Augsburg.

16. Juli. Errichtung des Konzentrationslagers Buchenwald; am Jahresende bereits 2561 Häftlinge.

17. August. Hinrichtung des Bezirksleiters Berlin der KPD, Wilhelm Firl.

6.–13. September. Reichsparteitag der NSDAP; Forderung nach Kolonien und Verstärkung der antisowjetischen Propaganda.

20.–26. September. Wehrmachtsmanöver in Pommern proben Blitzkriegsstrategie nach Osten; als Konsequenz in Zukunft stärkere Motorisierung des Heeres.

3. Oktober. Hitler fordert auf dem Erntedankfest Kolonialbesitz für Deutschland.

3. Oktober. Verhaftung des Pfarrers Paul Schneider.

5. November. Hitler enthüllt der Wehrmachtsführung seine Kriegspläne; Lösung der »Raumfrage« bis 1943; als erstes Einverleibung von Österreich und der Tschechei (Hoßbach-Protokoll).

10. November. Geheime Denkschrift des Auswärtigen Amts; als außenpolitische Ziele werden von England Zugeständnisse hinsichtlich der Forderung nach deutschen Kolonien und ein Stillhalten für deutsche »Aktionsfähigkeit« im Osten genannt.

26. November. Protestaktion evangelischer Pfarrer durch Bittgottesdienste für verhaftete Gemeindemitglieder.

14. Dezember. Runderlaß des Innenministers Frick; durch Vorbeugungshaft und polizeiliche Überwachungen soll »vorbeugende Verbrechensbekämpfung« erfolgen.

20. Dezember. Tod Ludendorffs; Hitler ordnet Staatsbegräbnis an.

21. Dezember. Erste Weisung des Oberbefehlshabers der Wehrmacht, Reichskriegsminister Blomberg, zur Planung eines strategischen Angriffskonzepts auf die ČSR.

Wirtschaft/Soziales

30. Januar. Neues Aktionsgesetz führt in Aktiengesellschaften das »Führerprinzip« ein und entmachtet die Aktionärsversammlungen.

10. Februar. Gesetz zur Neuregelung der Reichsbank und der Reichsbahn ordnet beide direkt der Regierung unter.

17. März. Göring fordert in einer Rede vor Stahlindustriellen eine Eingliederung der österreichischen Stahlindustrie in die deutschen Rüstungsanstrengungen.

30. April. Durch den Rüstungsboom und die Arbeitsdienstpflicht sinkt die Zahl der Arbeitslosen erstmals unter eine Million.

25. Mai.–2. Juni. Inspektionsreise von Reichswirtschaftsminister Schacht, Vertretern der Wirtschaft und der Wehrmacht zur Überprüfung der ökonomischen Kriegsvorbereitungen.

20. Juni. Wehrsteuergesetz belastet alle nichteingezogenen Männer ab Jahrgang 1914 mit einer Geldabgabe.

24. Juni. Geheime »Weisung für die einheitliche Vorbereitung der Wehrmacht« konkretisiert die rüstungsstrategische Kriegsplanung bis in Details.

23. Juli. Verordnung zum Zusammenschluß von Bergbauunternehmen; daraufhin Gründung der mehrheitlich reichseigenen »Hermann-Göring-Werke«.

Herbst. Beginn systematischer »Arisierung« jüdischer Betriebe.

26. November. Entlassung Schachts als Reichswirtschaftsminister; Göring verwaltet das Ministerium bis zur Ernennung des neuen Ministers, Walter Funk, am 15. Januar 1938.

23. November. Geheimkonferenz deutscher und amerikanischer Industrieller und Generalkonsuln in den USA; Überprüfung der Möglichkeiten einer Annäherung Deutschlands und der USA auf antikommunistischer Grundlage; Empfehlung, gegen die isolationistische Politik der USA aufzutreten.

Winter. Die Sammlung des Winterhilfswerks bringt 1937/38 400 Millionen Reichsmark und im nächsten Winter 550 Millionen; davon stammen 80 bzw. 105 Millionen aus »Opfern von Lohn und Gehalt«, d. h. von aufgezwungenem Lohnrückhalt.

Kultur

15. Januar. Gründung der Adolf-Hitler-Schulen für Hitler-Jugend-Nachwuchs.

30. Juni. Erlaß zur »Aussonderung deutscher Verfallskunst zum Zwecke der Ausstellung«; Zahl der daraufhin beschlagnahmten Werke allein in Hamburg 1252, in Dresden 896 und Düsseldorf 900.
Gerhart Hauptmann, »Das Abenteuer meiner Jugend«.
Carl Orffs »Carmina Burana« in München uraufgeführt.
Hans Fallada, »Wolf unter Wölfen«.
Gustaf Gründgens wird Generalintendant der Preußischen Staatstheater in Berlin.

18. Juli. Eröffnung des »Hauses der Deutschen Kunst« in München mit »Großer deutscher Kunstausstellung«.

19. Juli. Eröffnung der Ausstellung »Entartete Kunst« in München; ab Sommer als Wanderausstellung.
Gründung der »Arbeitsgemeinschaft für deutsche Volkskunde« unter Leitung von Arthur Rosenberg.
Stiftung eines »Deutschen Nationalpreises für Kunst und Wissenschaft« über 100 000 Reichsmark, geteilt auf drei Personen; erster Preisträger Paul Ludwig für das »Haus der deutschen Kunst«.

8. November. Goebbels eröffnet die Ausstellung »Der ewige Jude« in München.
Film: »Der Herrscher« (Regie: Veit Harlan).
Film: »Urlaub auf Ehrenwort« (Regie: Karl Ritter).

1938

Politik

3. Januar. Forderung katholischer Bischöfe und Priester nach Glaubensfreiheit und Protest gegen Judenverfolgungen.

5. Januar. Namensgesetz zwingt Juden zur Annahme eines zweiten, »jüdischen« Vornamens.

7. Februar–2. März. Prozeß gegen Martin Niemöller; Verurteilung zu sieben Monaten Haft und anschließende Einweisung in das Konzentrationslager Sachsenhausen.

20. Februar. Hitler droht in einer Reichstagsrede Österreich und der ČSR mit einem Einmarsch deutscher Truppen zum »Schutz« deutscher Bevölkerungsteile.

13. März. Einverleibung des österreichischen Staatsgebiets in das des Deutschen Reiches; seither Name »Großdeutsches Reich«.

10. April. Volksabstimmung für Annexion des österreichischen Staatsgebiets; gleichzeitig Reichstagswahl.

19. April. Denkschrift des OKW »Die Kriegführung als Problem der Organisation«; Grundlage der Strategie der »totalen Kriegführung«.

21. April. Besprechung zwischen Hitler und dem OKW-Chef Keitel; strategische Festlegungen zur Zerschlagung der ČSR.

30. Mai. Genehmigung Hitlers für Angriffsplanung auf die ČSR; geheimer Angriffsbefehl für den 1. Oktober.

9. Juni. Zerstörung der Münchner Synagoge.

15. Juni. Verhaftung aller vorbestraften Juden, auch im Fall von Bagatelldelikten, in einer schlagartigen »Asozialen-Aktion«; ca. 1500 Verhaftungen und KZ-Einweisungen.

23. Juli. Einführung einer Kennkarte für Juden ab 1. Januar 1939.

25. Juli. Ungültigkeitserklärung von ärztlichen Approbationen bei Juden ab 30. September.

10. August. Zerstörung der Synagoge in Nürnberg.

17. August. Zwangsvornamen »Sarah« und »Israel« für Juden.

19. August. Hirtenbrief katholischer Bischöfe über den Kampf gegen Kirche und Religion in Deutschland.

25. August. Aufruf der KPD zur Aktionseinheit bei der Abwehr der Kriegsgefahr.

27.–29. August. Inspektionsreise Hitlers an den Westwallbauten; Beschleunigung der Arbeiten.

30. August. Bildung eines »Ministerrats für Reichsverteidigung«, der die militärischen, wirtschaftlichen und verwaltungsorganisatorischen Kriegsvorbereitungen koordinieren soll.

1. September. Halder löst Beck als Generalstabschef ab.

9./10. September. Hitler, Keitel, von Brauchitsch und Halder arbeiten Details der Angriffsplanung auf die ČSR aus.

Mitte September. Konservative Reichswehroffiziere um Beck, Halder und Oster planen Militärputsch gegen Hitler, geben den Plan aber nach Hitlers Erfolg auf der Münchner Konferenz wieder auf.

27. September. Jüdische Rechtsanwälte erhalten ab 30. November Berufsverbot.

27. September. Friedensliturgie der Bekennenden Kirche; letztes größeres Auftreten der Bekennenden Kirche; die evangelische Kirchenleitung distanziert sich zwei Tage später von der Friedensliturgie.

29./30. September. Münchner Konferenz.

1. Oktober. Wehrmacht besetzt das Sudetenland.

5. Oktober. Einziehung der Reisepässe von Juden; neue Pässe erhalten den Aufdruck »J«.

21. Oktober. Hitler gibt Geheimbefehl zur »Erledigung der Rest-ČSR«.

24. Oktober. Außenminister Ribbentrop fordert von Polen eine »Generalbereinigung«; Danzig soll dem Deutschen Reich angegliedert und durch einen exterritorialen Korridor verbunden werden.

28. Oktober. Ausweisung von 17 000 nichtdeutschen Juden und Zwangstransport nach Polen.

9.–11. November. Gelenkte Pogrome der »Reichskristallnacht«; 100 Morde, 25 000 Verhaftungen, Zerstörung von Synagogen, 7500 Geschäften und zahllosen Häusern.

12. November. Beschluß weiterer antisemitischer Maßnahmen zur Kennzeichnung und Isolierung der jüdischen Bevölkerung.

15. November. Ausschluß von Juden vom allgemeinen Schulbesuch.

24. November. Geheime Anweisung an das OKW, eine handstreichartige Besetzung Danzigs vorzubereiten.

28. November. Einführung von Wohnbeschränkungen für Juden.

4.–8. Dezember. Verbot für Juden zum Führen eines Kfz; Pensionskürzungen für Juden im Ruhestand; Verbot für Juden zum Benutzen öffentlicher Einrichtungen, Kinos und Badeanstalten; Verbot zum Betreten des Berliner Stadtkerns; Verweisung der Juden von Hochschulen und aus Bibliotheken und Museen.

13. Dezember. Erfassung und »rassenbiologische« Untersuchung von Zigeunern.

Jahresende. Am Jahresende befinden sich im KZ Dachau 18 000, in Buchenwald 19 600 und in Sachsenhausen 8300 Häftlinge; in den Jahren 1937 und 1938 starben in Buchenwald 819 Gefangene durch Mißhandlungen.

Wirtschaft/Soziales

19. März. Vierjahresplan für Österreich; Unterstellung der österreichischen Stahlindustrie unter die »Hermann-Göring-Werke«.

26. April. Verordnung über Anmeldung sämtlichen jüdischen Vermögens.

14. Juni. Verordnung über Registrierung und Kenntlichmachung jüdischer Gewerbebetriebe.

21. Juni. Goebbels kündigt auf einer Sonnenwendfeier in Berlin Maßnahmen zur Ausschaltung von Juden aus dem »deutschen Wirtschaftsleben« an.

8. Juli. Göring fordert von der Industrie »Bomber, die New York angreifen können«; nach einem Kriegssieg »gehört Deutschland der Markt der Welt«.

12. Juli. »Wehrwirtschaftlicher Neuer Erzeugerplan«; Fortschreibung der Rüstungsplanung.

12. November. Als »Sühneleistung« für das Attentat auf einen deutschen Botschaftsangehörigen in Paris wird der jüdischen Bevölkerung Deutschlands eine »Buße« von einer Milliarde Reichsmark auferlegt; außerdem Beschluß über endgültige »Arisierung« der deutschen Wirtschaft.

13. Dezember. Verordnung über Zwangsverkäufe jüdischer Gewerbe- und Handelsbetriebe.

Jahresende. Die deutsche Arbeitsfront erreicht als Zwangsorganisation 21 Millionen Mitglieder, ihre Presse eine Auflagenhöhe von 2635 Millionen Stück pro Jahr. 1937/38 nahmen elf Millionen an Fahrten der »Kraft-durch-Freude«-Organisation teil.

Kultur

Tod Ernst Barlachs in Rostock.
Nationalsozialistische Schulreform macht »Deutsche Oberschule« zur Haupt- und das Gymnasium zur Nebenform.
Verkauf des Kleinrundfunkempfängers für 35 Reichsmark.
Ehrenkreuz der deutschen Mutter für mehr als drei Kinder, in Gold für mehr als sieben Kinder.
Film: »Kameraden auf See« (Regie: Heinz Paul).
Film: »Pour le Mérite« (Regie: Karl Ritter).

1939

Politik

17. Januar. Aufhebung des Mieterschutzes für Juden.

24. Januar. Zentrale für jüdische Auswanderung geschaffen, die gegen hohe Geldbeträge Ausreise-Visa erteilt.

24. Januar. Auftrag an den Gestapo-Chef Heydrich, die »Endlösung der Judenfrage«, d. h. die physische Liquidierung der Juden, vorzubereiten.

30. Januar. Hitler prophezeit in einer Reichstagsrede im Falle eines Krieges die Vernichtung der jüdischen Rasse.

30. Januar. Verlängerung des Ermächtigungsgesetzes bis 1943.

1. März. Beginn des Mobilmachungsabschnitts 1939/40 mit dem Ziel, 2,76 Millionen Soldaten in einem stehenden Heer und eine Million in Reserve zu haben.

16. März. Einen Tag nach dem Einmarsch deutscher Truppen wird die Tschechoslowakei als »Protektorat Böhmen und Mähren« dem Deutschen Reich angegliedert.

23. März. Einmarsch deutscher Truppen ins Memelgebiet, das zu Litauen gehört, und Anschluß an das Deutsche Reich.

25. März. Jugenddienstpflicht.

3. April. Weisung Hitlers an das OKW zum Angriff auf Polen am 1. September in einem handstreichartigen Überfall.

10. April. Laut Gestapo-Akten befinden sich etwa 300 000 politische Häftlinge in Konzentrationslagern oder Zuchthäusern.

20. April. Truppenparade anläßlich Hitlers 50. Geburtstag demonstriert das bereitstehende militärische Angriffspotential.

15. Mai. Errichtung des Frauen-Konzentrationslagers Ravensbrück; bis Kriegsende werden dort 92 000 Frauen ermordet.

18. Mai. Streicher fordert im »Stürmer«, daß zur Lösung der »Judenfrage« die Liquidierung der Juden in der UdSSR anzustreben sei.

22. Juni. Fertigstellung der Angriffsplanung auf Polen durch das OKW.

28. Juni. Die deutsche Botschaft in Moskau schlägt der sowjetischen Regierung die »Normalisierung der Beziehung« vor.

22. August. Hitler legt den Angriff auf Polen auf den 26. August fest.

23. August. Nichtangriffspakt Deutschland–UdSSR; Geheimprotokoll über Teilung Polens.

25. August. Nach der unerwarteten Beistandserklärung Englands für Polen nimmt Hitler den Angriffsbefehl zurück.

26. August. Hitler gibt erneut Angriffsbefehl für den 1. September.

29. August. Deutschland fordert Polen ultimativ auf, bis zum 30. August müsse

ein Bevollmächtigter der polnischen Regierung in Berlin die Freigabe Danzigs, die Internationalisierung des Korridors und Sonderrechte für Deutsche in Polen zugestehen.

31. August. 12.30 Uhr – Angriffsbefehl Hitlers für die kommende Nacht 4.45 Uhr.

31. August. Fingierter Überfall auf den deutschen Sender Gleiwitz, der Polen angelastet wird.

1. September. Mit dem Beginn des Weltkriegs verstärkte Massenverhaftungen in Deutschland; Verbot zum Abhören ausländischer Sender.

9. September. Bildung des Reichssicherheitshauptamts unter Heydrich; Verschärfung des unkontrollierten Polizeiterrors.

27. September. Ende des Polenfeldzugs mit der Kapitulation Warschaus.

6. Oktober. Scheinfriedensangebot Hitlers an die Westmächte.

8. Oktober. Danzig, der Warthegau und ein weiteres Drittel des polnischen Staatsgebiets werden dem Deutschen Reich zugeschlagen.

9. Oktober. Hitler fordert zur Planung eines baldigen Angriffs nach Westen auf.

Oktober. Euthanasie-Befehl zur »Vernichtung lebensunwerten Lebens«; bis Kriegsende werden ca. 100 000 bis 275 000 (geschätzte Zahlen) Kranke, später auch Kriegs- und politische Gefangene ermordet.

12. Oktober. Erste Deportation von Juden nach Polen.

19. Oktober. Abschluß der Aufmarschplanung nach Westen durch das OKW.

8. November. Mißglücktes Attentat Elsers auf Hitler in München.

14. Dezember. Hitler gibt dem OKW Befehl zur Vorbereitung eines Überfalls auf Norwegen.

Wirtschaft/Soziales

7. Januar. Denkschrift Schachts und des Reichsbankdirektoriums an Hitler; Vorhersage eines Zusammenbruchs des Finanzsystems durch die Hochrüstung.

19. Januar. Ablösung Schachts als Reichsbankpräsident durch Funk.

13. Februar. Allgemeine Arbeitsdienstpflicht verordnet.

3. April. Streik in den schlesischen Skalley-Werken gegen eine Schichtverlängerung von acht auf neuneinhalb Stunden.

10. Juni. Erfolgreicher Streik von Westwallarbeitern bei Saarbrücken für soziale Verbesserungen.

25. Juli. Erfolgreicher Streik bei Blohm & Voss in Hamburg für Lohnverbesserungen.

27. August. Einführung einer Bezugsscheinpflicht für den lebenswichtigen Bedarf an Lebensmitteln, Textilien und Kohle; Butter ist bereits seit Herbst 1936 rationiert.

1. September. Bei Ausbruch des Krieges ist Deutschland hinter den USA die zweitstärkste Industrienation der Welt; der Rüstungsvorsprung gegenüber den Westmächten zusammen beträgt ca. 3:1 und ist erst ca. 1941 ausgeglichen.

4. September. Die Kriegswirtschaftsverordnung führt das Kriegsrecht in der Wirtschaft ein und sieht sogar die Todesstrafe vor.

1. November. Verfügung Görings zur Errichtung der »Haupttreuhandstelle Ost« zur Übernahme der polnischen Industrie und des staatlichen und privaten Vermögens.

14. November. Einführung der Reichskleiderkarte.

7. Dezember. Errichtung des »Ministeriums für Bewaffnung und Munition« unter Fritz Todt; höchste Zentralisierung staatlicher und industrieller Lenkungskompetenz für die gesamte Wirtschaft.

Kultur

15. März. Nach der Besetzung der ČSR durch deutsche Truppen Vertreibung vieler im Exil lebender Künstler; Bildung neuer Exilzentren in USA und Mexiko.

20. März. Vernichtungsaktion nichtgenehmer Kunst.

Juni. Sonderauftrag »Linz« durch Hitler zur Beschlagnahme aller wertvollen Kunstwerke in den besetzten Gebieten für eine »Weltkunstausstellung« in Linz; zum Kriegsende befinden sich 6755 der wertvollen Gemälde in Linzer Depots.

Jahresende. Von 1933 bis 1939 emigrieren oder werden vertrieben ca. 10 000 Wissenschaftler von internationalem Rang; dadurch Stagnation in der wissenschaftlichen Forschung und Versorgung.
Von 1933 bis 1939 verringert sich die Zahl der Hochschüler von 130 000 auf 70 000.
Ernst Jünger, »Auf den Marmorklippen«.
Ernst Wiechert, »Das einfache Leben«.
Versteigerung moderner Kunst aus deutschen Museen auf einer Auktion in Luzern; darunter allein 15 Hauptwerke von Lovis Corinth und sieben von Ernst Barlach.
Film: »D III 88« (Regie: Herbert Maisch).
Film: »Legion Condor« (Regie: Karl Ritter).
Film: »Robert Koch, der Bekämpfer des Todes« (Regie: Hans Steinhoff).

1940

Politik

8. März. Polizeiverordnung über die Kennzeichnung der polnischen Arbeiter im Reichsgebiet.

9. April. Deutscher Überfall auf Dänemark und Norwegen.

30. April. In Lodz wird das erste bewachte Ghetto für Juden errichtet.

10. Mai. Deutscher Angriff im Westen.

20. Mai. Errichtung des Konzentrationslagers Auschwitz.

Sommer. Bildung des Kreisauer Kreises um die Grafen Moltke und Yorck v. Wartenburg, der Überlegungen für eine Neuordnung Deutschlands entwickelt.

22. Juni. Waffenstillstand Deutschland-Frankreich.

9. Juli. Evangelische Denkschrift gegen die Tötung »lebensunwerten Lebens«.

31. Juli. Hitler zu seinen Oberbefehlshabern: »Rußland wird in fünf Monaten erledigt.«

11. August. Die katholischen Bischöfe protestieren gegen die Euthanasie.

22. Oktober. »Aktion Bürckel«: Judendeportationen aus Baden, der Pfalz und dem Saargebiet nach Südfrankreich; von dort 1942 nach Auschwitz.

18. Dezember. Weisung Hitlers zum Überfall auf die UdSSR.

Wirtschaft/Soziales

Februar. Verordnung Görings über die Enteignung aller land- und forstwirtschaftlichen Betriebe und Grundstücke in den okkupierten polnischen Gebieten. An Stelle der Besitzer, die entweder vertrieben oder nach Deutschland zwangsverpflichtet werden, treten umgesiedelte »Volksdeutsche«.

11. Februar. Wirtschaftsvertrag Deutschland–UdSSR.

Juni. Vertreter deutscher Konzerne entwickeln auf einer Tagung der Reichsgruppe Industrie Pläne für eine »Neuordnung der europäischen Wirtschaft« und die »Europäische Großraumwirtschaft«. Dabei sollen folgende Länder bevorzugt werden: Norwegen, Dänemark, Schweden, Finnland, Holland, Belgien, Luxemburg, Frankreich, England und auch der Balkan. Der IG-Farben-Konzern beansprucht 50 Prozent Kapitalbeteiligung an der französischen Farbstoffindustrie und schlägt vor, die gesamte französische Industrie zu beschlagnahmen, insbesondere aber die Farbstoffindustrie.
Das Oberkommando der Wehrmacht ordnet »baldigste Umsteuerung der Wirtschaft« auf einen möglichen Angriff auf Großbritannien an: Schwergewicht auf Luft- und Seerüstung legen; die Heeresstärke auf 120 Divisionen begrenzen, aber Panzerzahl verdoppeln (20 statt 10 Divisionen). Geplant wird u. a. die Entlassung von Arbeitskräften für Industrie und Landwirtschaft aus der Wehrmacht und die Ankurbelung der Verbrauchsgüterindustrie in großem Umfang.

Juli/August. Widerruf des im Vormonat angeordneten Rüstungsprogramms für den Angriff auf Großbritannien. Umorientierung auf die wirtschaftliche Vorbereitung eines Krieges gegen die UdSSR.

Oktober. Erneute Tagung des Großen Beirats der Reichsgruppe Industrie über »Gegenwartsfragen der deutschen Wirtschaft und die zukünftige Gestaltung der europäischen Großraumwirtschaft«.

November. Ein Memorandum des IG-Farben-Konzerns über die »Grundsätze zur Regelung der deutsch-französischen Beziehungen auf dem Farbstoffgebiet« wird der französischen Waffenstillstandsdelegation überreicht. Darin wird der Führungsanspruch (51 Prozent des Kapitals) in dem als deutsch-französische Gesellschaft zu gründenden Farbenmonopol für die IG-Farben gefordert.

Kultur

Beginn der 55 Rundfunkansprachen Thomas Manns über den Londoner Rundfunk (bis 1945).
Film: »Jud Süß«, antisemitischer Hetzfilm von Veit Harlan.
Film: »Bismarck« (Regie: Wolfgang Liebeneiner).
Dokumentarfilm: »Der ewige Jude« (Regie: Fritz Hippler).
Film: »Friedrich Schiller« (Regie: Herbert Maisch).
Film: »Operette« (Regie: Willi Forst).
Film: »Der Postmeister« (Regie: Gustav Ucicky).
Film: »Die Rothschilds« (Regie: Erich Waschnek).
Film: »Wunschkonzert« (Regie: Eduard von Borsody).

1941

Politik

11. Februar. Deutsche Truppen in Afrika.

Februar–April. Deportation von 72 000 Juden ins Warschauer Ghetto.

7. März. Erster Masseneinsatz von Auschwitz-Häftlingen in Industriebetrieben.

6. April. Deutscher Angriff auf Jugoslawien und Griechenland.

17. April. Heß schlägt Prügelstrafe für Polen und Juden vor.

10. Mai. Heß fliegt nach England.

12. Mai. Bormann Leiter der Reichskanzlei.

22. Juni. Überfall auf die UdSSR.

17. Juli. Der NS-Ideologe Rosenberg wird zum Reichsminister für die besetzten Ostgebiete ernannt; Erich Koch wird Reichskommissar für die Ukraine. Einsatzgruppen der SS, des SD und der Gestapo folgen den deutschen Heeresverbänden und führen im Rücken der Front Massenerschießungen an Juden und politischen Oppositionellen durch.

31. Juli. Göring beauftragt Heydrich mit der Evakuierung der europäischen Juden: Beginn der »Endlösung der Judenfrage«.

19. September. Einführung des Judensterns im Reich.

Juli–Dezember. Die Widerstandsorganisation Schulze-Boysen/Harnack nimmt Kontakte zu anderen Gruppierungen auf.

Wirtschaft/Soziales

Januar. Das Wirtschaftsrüstungsamt beim Oberkommando des Heeres bildet einen »Arbeitsstab Rußland« (späterer Deckname: Wirtschaftsstab Oldenburg) unter der Leitung Görings, der die ökonomische Ausbeutung der besetzten Gebiete und die unmittelbare »Sicherstellung« von geraubten Gütern vornehmen soll.

März. Gründung der Reichsvereinigung Kohle (RVK) auf Betreiben der Ruhrmontankonzerne (Präsidiumsmitglieder u. a. Flick und v. Bohlen und Halbach). Das RVK als Zwangskartell nimmt neuartige Funktionen wahr: Annahme und Verteilung von Aufträgen, Aufstellung eines Produktionsplans, Rationalisierung des Bergbaus, Beschaffung von Baumaterialien für Investitionsbauten u. ä., vor allem aber von Arbeitskräften (besonders ausländische Zwangsarbeiter und Kriegsgefangene).
Gründung der Kontinentale Öl AG (gegr. u. a. von der Wintershall-AG, der IG-Farben und einigen Großbanken). Mit Staatsgeldern finanziert, erhält die Gesellschaft für 99 Jahre das Monopol für Verarbeitung und Vertrieb allen Erdöls in den UdSSR.

August. Gründung der »Berg- und Hüttenwerksgesellschaft m. b. H. Ost«.
Zweck der Gesellschaft ist die Ausbeutung von Bergbau und Metallurgie in den besetzten Ostgebieten. Im Verwaltungsrat sitzen neben dem Vorsitzenden Pleiger, Flick, Poensgen und Krupp.

Kultur

Film: »Frauen sind doch bessere Diplomaten« (Regie: Georg Jacoby).
Film: »Heimkehr« (Regie: Gustav Ucicky).
Film: »Ich klage an« (Regie: Wolfgang Liebeneiner).
Film: »Kampfgeschwader Lützow« (Regie: Hans Bertram).
Film: »Ohm Krüger« (Regie: Hans Steinhoff unter Mitarbeit von Herbert Maisch und Karl Anton).
Film: »Quax, der Bruchpilot« (Regie: Kurt Hoffmann).
Film: ». . . reitet für Deutschland« (Regie: Arthur Maria Rabenalt).
Dokumentarfilm: »Sieg im Westen« (Regie: Svend Noldau, Fritz Brunscha).
Film: »Stukas« (Regie: Karl Ritter).

1942

Politik

20. Januar. Wannsee-Konferenz unter dem Vorsitz Heydrichs über Judendeportation und -ausrottung.

Ende Januar. Beginn von Deportationen nach Theresienstadt.

26. April. Hitler wird vom Reichstag als »Oberster Gerichtsherr« ausgerufen.
Wissenschaftler und Theologen des »Freiburger Kreises« arbeiten Pläne für eine Neugestaltung Deutschlands aus.

Frühsommer. Beginn der Flugblattaktionen der Studentengruppe »Weiße Rose« in München.

30./31. Mai. Der erste britische 1000-Bomber-Angriff vernichtet in 90 Minuten die gesamte Innenstadt von Köln.

Juni. »Generalstabsplan Ost« sieht vor, Teile der für rassisch minderwertig gehaltenen tschechoslowakischen, polnischen und russischen Völkerschaften auf verschiedene Weise aussterben zu lassen, um Platz für deutschen »Lebensraum« zu schaffen.

August–September. Verhaftung von über 500 Mitgliedern der Widerstandsorganisation Schulze-Boysen/Harnack. 55 Mitglieder werden zum Tode verurteilt.

16. September. »Umsiedlung« im Ghetto Lodz beendet (55 000 Opfer).

18. Oktober. Widerstandsorganisation »Rote Kapelle« aufgedeckt. 600 Mitglieder werden hingerichtet.

11. November. Sowjetische Offensive bei Stalingrad.

Wirtschaft/Soziales

Januar. Nach dem Scheitern des geplanten Blitzkrieges gegen die UdSSR wird in einem Geheimerlaß Hitlers eine Umstellung der deutschen Wirtschaft und Verwaltung »auf die neuen Kriegserfordernisse« für den »nunmehr erforderlichen totalen Einsatz« eingeleitet.

8. Februar. Speer Rüstungsminister.

21. März. Sauckel wird zum Generalbevollmächtigten für den Arbeitseinsatz ernannt. Sauckels Aufgabe besteht in erster Linie darin, die Verschleppung von Menschen aus den okkupierten Ländern zur Zwangsarbeit zu organisieren.
Die Zahl der ausländischen Zwangsarbeiter in Deutschland steigt von 0,3 Millionen im Mai 1939 auf 7,5 Millionen im September 1944.

April. Himmler befiehlt die generelle Umstellung des KZ-Systems auf Zwangsarbeit.
In den KZs wurde das faschistische System wirtschaftlicher Versklavung bis zum Exzeß betrieben. Oft bestand der »Nutzwert« eines Häftlings in einer von der SS bewußt knapp gehaltenen Spanne von wenigen Wochen oder Monaten (»Vernichtung durch Arbeit«).
Die Gesamtzahl der seit 1933 in KZs eingelieferten Menschen liegt bei ca. zehn Millionen.

Kultur

Hinrichtung des Bildhauers K. Schuhmacher, Mitglied der Widerstandsorganisation Schulze-Boysen/Harnack.
Hinrichtung des Malers F. Schulze, Mitglied einer Dresdner Widerstandsgruppe.
Film: »GPU« (Regie: Karl Ritter).
Film: »Der Große König« (Regie: Veit Harlan).
Film: »Die große Liebe« (Regie: Rolf Hansen).
Film: »Himmelhunde« (Regie: Roger von Norman).
Film: »Hochzeit auf Bärenhof« (Regie: Carl Froelich).
Film: »Wiener Blut« (Regie: Willi Forst).

1943

Politik

26. Januar. Hitler-Jugend als Luftwaffenhelfer.

27. Januar. Arbeitskräfte-Mobilisierung für Kriegseinsatz.

31. Januar–2. Februar. Kapitulation von Stalingrad.

Januar/Juli. Die KPD versucht über das illegal im Ruhrgebiet arbeitende ZK-Mitglied Wilhelm Knöchel mit Verbindungen zu Widerstandsorganisationen in Berlin, Bremen, Chemnitz, Frankfurt a. M., Hamburg, Hannover, Karlsruhe, Leipzig und Magdeburg die Voraussetzungen für eine operative Leitung der KPD in Deutschland zu schaffen.

3./4. Februar. Bei einer Flugblattaktion in der Münchner Universität fallen die Geschwister Scholl, Professor Kurt Huber und Christoph Probst in die Hände der Gestapo. Sie werden am 22. Februar hingerichtet.

18. Februar. Goebbels verkündet im Berliner Sportpalast den »totalen Krieg« und kündigt die Möglichkeit der Zwangsverpflichtung aller Männer vom 16.–65. Lebensjahr und aller Frauen im Alter von 17–45 Jahren an.
Verhaftungswelle in Mannheimer Großbetrieben. 19 Mitglieder der Gruppe Lechleitner werden zum Tode verurteilt.

26. März. Goerdelers Denkschrift zum Staatsstreich.

1. Juli. Die Juden im Reich werden dem Polizeirecht unterstellt.

22. Dezember. Einführung des NS-Führungsoffiziers.

Wirtschaft/Soziales

27. Januar. Sauckels »Verordnung über die Meldung von Männern und Frauen für Aufgaben der Reichsverteidigung«.
Die nichtberufstätige Bevölkerung (Männer vom 16.–65. Lebenjahr, Frauen, soweit sie keine Kinder haben, vom 16. bis 45. Lebensjahr) müssen sich nach Aufruf beim zuständigen Arbeitsamt melden.
Dieser Versuch, die nicht berufstätige Bevölkerung – vor allem die Frauen – für die Kriegswirtschaft heranzuziehen, hat kein wesentliches Ergebnis.
Der Erlaß wird von der Exekutive nur zögernd gehandhabt aus Furcht vor »Massenunzufriedenheit« und dem Bruch der Ressentiments gegen Frauenarbeit, die früher propagiert worden waren, obwohl der Verordnung in ähnliche Richtungen weisende Reden und Drohungen folgten (Goebbels' Sportpalast-Rede).

Mai. Gründung der Reichsvereinigung Eisen (RVE) zur Lenkung des Eisenerzbergbaus, der Eisenmetallurgie der Kalkindustrie etc. Im Vorstand u. a.: Krupp, Flick, Zangen, später H. G. Sohl für die Vereinigte Stahlwerke AG. Ende 1942 erreicht die Zahl der offiziellen Gründungen von sogenannten Ostgesellschaften und Ostfilialen unter Anteilnahme großer Banken und Konzerne mit vielen Hundert ihren Höhepunkt.

September. Hitlers »Erlaß über die Konzentration der Kriegswirtschaft«. Dem Reichsministerium für Bewaffnung und Munition werden wichtigste Funktionen des Reichswirtschaftsministeriums übertragen: »Die Zuständigkeit des Reichswirtschaftsministeriums auf dem Gebiet der Rohstoffe und der Produktion geht auf den Reichsminister für Bewaffnung und Munition über« (Speer-Ministerium).

Kultur

Film: »Besatzung Dora« (Regie: Karl Ritter).
Film: »Paracelsus« (Regie: G. W. Pabst).
Film: »Romanze in Moll« (Regie: Helmut Käutner).

1944

Politik

Januar. Zerschlagung des Kreisauer Kreises.

29. Januar. Bormann-Denkschrift über Zweitehe nach Kriegsende.

Mai. Bormann verbietet Einschreiten bei Lynchjustiz gegen alliierte Flieger.
Der Plan Rommels und Stülpnagels in Paris, Hitler festzunehmen und aburteilen zu lassen, mißlingt.

Juni. Minister Goebbels propagiert die »Wunderwaffen« V1 und V2 (Flügelbomben), um den Glauben an den Endsieg zu heben.

Juni. Durch Massenverhaftungen der Gestapo wird der Versuch zur Zusammenarbeit von Widerstandsgruppen unterbrochen, u. a. werden die Sozialdemokraten und Mitglieder des Kreisauer Kreises Julius Leber und Adolf Reichwein verhaftet.
1944 werden insgesamt über 5000 Widerstandskämpfer hingerichtet. Wegen Widerstand jeglicher Art gegen Faschismus und Krieg wurden ca. 310 000 Deutsche und Ausländer verhaftet oder deportiert.

20. Juli. Oberst v. Stauffenberg unternimmt einen Attentatsversuch gegen Hitler. Der gleichzeitig geplante Militärputsch der Gruppe um Wilhelm Goerdeler mißlingt ebenfalls. Stauffenberg und andere beteiligte Offiziere werden am selben Abend erschossen, der folgenden Terrorwelle der Gestapo fallen zahlreiche Hitler-Gegner zum Opfer.

6. August. 27 000 Juden aus Lagern östlich der Weichsel werden nach Deutschland deportiert.

7. August. Erster Volksgerichtshof-Prozeß gegen die Verschwörer des 20. Juli beginnt.

11. September: Amerikanische Truppen überschreiten die deutsche Grenze.

25. September. Letzte deutsche Abwehrmaßnahmen: Einberufung aller Männer zwischen 16 und 60 Jahren zum »Volkssturm«.

Oktober: Himmler befiehlt die Einstellungen der Judenvergasungen.

November: Eichmann deportiert 38 000 Juden aus Budapest in die KZs Buchenwald, Ravensbrück u. a.

26. November. Himmler befiehlt die Zerstörung der Krematorien in Auschwitz-Birkenau.

Kultur

Herbst. In seiner Eigenschaft als »Reichsbevollmächtigter für den totalen Kriegseinsatz« schließt Goebbels alle Theater, Kabaretts und andere kulturelle Einrichtungen.
Film: »Große Freiheit Nr. 7« (Regie: Helmut Käutner).

1945

Politik

9. Januar. Sowjetischer Durchbruch an der Weichsel.

24. Januar. Die Amerikaner überqueren bei Remagen den Rhein.

12. Februar. Aufruf von Frauen zum Volkssturm.

13./14. Februar. Großangriff alliierter Bomber auf Dresden.

März. Kürzung der Lebensmittelrationen und Einberufung des Jahrgangs 1929.

19. März. Hitler befiehlt die Zerstörung aller Militär-, Verkehrs-, Nachrichten- und Versorgungsanlagen (»Nero-Befehl«).

1. April. Ruhrgebiet eingekesselt.

2. April. Aufruf zum »Werwolf«.

15. April. Alliierte befreien KZ Bergen-Belsen.

16. April. Sowjetische Truppen erreichen die Oder.

21. April–1. Mai. Todesmarsch von 35 000 KZ-Häftlingen aus Sachsenhausen nach Mecklenburg. Rund 10 000 werden von der SS ermordet und sterben an Erschöpfung.

25. April: Treffen sowjetischer und amerikanischer Truppen bei Torgau.

28. April. Amerikanische Truppen befreien das KZ Dachau.

30. April. Hitler begeht Selbstmord. Dönitz bildet eine Regierung. KPD-Gruppe Ulbricht landet aus Moskau kommend bei Berlin.

4. Mai. Schacht und Frick in der Hand der Alliierten.

6. Mai. Frank und Neurath gefangengenommen, Funk, Keitel, Kaltenbrunner, Ley, Rosenberg, Krupp, Schirach, Ribbentrop verhaftet.

9. Mai. Bedingungslose Kapitulation Deutschlands. Ende des Krieges in Europa.

10. Mai. Theresienstadt befreit.

23. Mai. Verhaftung der Regierung Dönitz.

Wirtschaft/Soziales

Bilanz am 30. April 1945. Die Reichsschulden haben die Höhe von 426 Milliarden RM erreicht. Die gesamten Kriegskosten von deutscher Seite – abgesehen von Zerstörungen und Reparationen – belaufen sich einschließlich 125 Milliarden RM an offiziellen Zahlungen bzw. Guthaben der besetzten Länder auf 830–850 Milliarden RM. Allein im letzten Kriegsmonat April werden täglich rund 1,3 Milliarden aufgewendet. Bei Kriegsende sind Produktion und Verkehrswesen völlig gelähmt und zum großen Teil zerstört. Die Disproportionen zugunsten der Rüstungsindustrie erschweren einen Wiederaufbau. Deutschland steht vor der größten Wirtschaftskatastrophe seiner Geschichte.

Kultur

Uraufführung des Durchhaltefilms »Kolberg« (Regie: Veit Harlan) in der eingeschlossenen Festung La Rochelle. Prominente Schauspieler rufen dazu auf, bis zum letzten Mann für den »Endsieg« zu kämpfen.
Film: »Unter den Brücken« (Regie: Helmut Käutner).

Abkürzungsverzeichnis

ADGB	Allgemeiner Deutscher Gewerkschaftsbund
BDM	Bund Deutscher Mädel
BVP	Bayerische Volkspartei
DAF	Deutsche Arbeitsfront
DJ	Deutsches Jungvolk
DNVP	Deutschnationale Volkspartei
Gestapo	Geheime Staatspolizei
HAFRABA	Verein zur Vorbereitung der Autostraße Hansestädte – Frankfurt – Basel
HJ	Hitler-Jugend
KLV	Kinderlandverschickung
KdF	NS-Gemeinschaft »Kraft durch Freude«
KPD	Kommunistische Partei Deutschlands
KZ	Konzentrationslager
Napola	Nationalpolitische Erziehungsanstalten
NSBO	Nationalsozialistische Betriebszellen-Organisation
NSDAP	Nationalsozialistische Deutsche Arbeiterpartei
NSKK	Nationalsozialistisches Kraftfahrer-Korps
NSV	Nationalsozialistische Volkswohlfahrt
OKW	Oberkommando der Wehrmacht
RAD	Reichsarbeitsdienst
RKK	Reichskulturkammer
RM	Reichsmark
SA	Sturmabteilung
SD	Sicherheitsdienst der SS
SDS	Schutzverband Deutscher Schriftsteller
SPD	Sozialdemokratische Partei Deutschlands
SS	Schutzstaffel
WHW	Winterhilfswerk

Verwendete Literatur

Der alltägliche Faschismus. Frauen im Dritten Reich, Bonn 1981

Eberhard Aleff (Hrsg.), Das Dritte Reich, Hannover 1967 ff.

Johannes Beck/Heiner Boehncke/Werner Heinz/Gerhard Vinnai (Hrsg.), Terror und Hoffnung in Deutschland 1933–1945. Leben im Faschismus, Hamburg 1980

Heinz Boberach (Hrsg.), Meldungen aus dem Reich. Auswahl aus den geheimen Lageberichten des Sicherheitsdienstes der SS 1939–1944, Neuwied 1965

Karl Dietrich Bracher, Die deutsche Diktatur. Entstehung, Struktur, Folgen des Nationalsozialismus, Köln/Berlin 1970

Karl Dietrich Bracher, Wolfgang Sauer und Gerhard Schulz, Die nationalsozialistische Machtergreifung, Köln/Opladen 1960

Martin Broszat, Der Staat Hitlers, München 1965

Alan Bullock, Hitler. Eine Studie über Tyrannei, Frankfurt/M. 1964

Gordon A. Craig, Deutsche Geschichte 1866–1945, München 1980

Deutschland-Berichte der Sozialdemokratischen Partei Deutschlands (Sopade) 1934–1940, 6 Bde, (Neuausgabe), Frankfurt/M. 1980

Max Domarus (Hrsg.), Hitler. Reden und Proklamationen 1932–1945, 2 Bde, München 1965

Karl Dietrich Erdmann, Deutschland unter der Herrschaft des Nationalsozialismus 1933–1939, München 1980

Joachim C. Fest, Das Gesicht des Dritten Reiches, München 1980

Joachim C. Fest, Hitler. Eine Biographie, Frankfurt/Berlin/Wien 1973

Wolfram Fischer, Die Wirtschaftspolitik des Nationalsozialismus, Hannover 1961; ders., Deutsche Wirtschaftspolitik 1918–1945, Opladen 1968

Kurt-Ingo Flessau, Schule der Diktatur, München 1977

Harald Focke/Uwe Reimer, Alltag unterm Hakenkreuz, Reinbek 1979; dies., Alltag der Entrechteten, Reinbek 1980

Thomas Friedrich (Hrsg.), 1933. Ein Lesebuch, Berlin 1980

Hans-Jochen Gamm, Der braune Kult. Das Dritte Reich und seine Ersatzreligion, Hamburg 1962

Alfred Grosser (Hrsg.), Wie war es möglich? Die Wirklichkeit des Nationalsozialismus, München 1977

Max von der Grün, Wie war das eigentlich?. Kindheit und Jugend im Dritten Reich, Darmstadt/Neuwied 1979

Sebastian Haffner, Anmerkungen zu Hitler, 4. Aufl., München 1978

Franz Josef Heyen, Nationalsozialismus im Alltag, Boppard 1967

Adolf Hitler, Mein Kampf, München 1925

Walter Hofer, Der Nationalsozialismus. Dokumente 1933–1945, Frankfurt/M. 1957

Hans-Adolf Jacobsen, Der Zweite Weltkrieg. Grundzüge der Politik und Strategie in Dokumenten, Frankfurt/M. 1965

Hans-Adolf Jacobsen/Werner Jochmann (Hrsg.), Ausgewählte Dokumente zur Geschichte des Nationalsozialismus 1933–1945, Bielefeld 1961

Eberhard Jäckel, Hitlers Weltanschauung, Stuttgart 1981

Ursula von Kardorff, Berliner Aufzeichnungen. Aus den Jahren 1942–1945, München 1976

Arno Klönne, Hitlerjugend. Die Jugend und ihre Organisation im Dritten Reich, Hannover 1955

Werner Klose, Generation im Gleichschritt, Oldenburg 1964

Jürgen Kuczynski, Die Geschichte der Lage der Arbeiter in Deutschland von 1789 bis in die Gegenwart, Bd. II, 1, Berlin (DDR) 1953

Friedrich G. Kürbisch (Hrsg.), Dieses Land schläft einen unruhigen Schlaf. Sozialreportagen 1918–45, Berlin/Bonn 1981

Erwin Leiser, »Deutschland, erwache!«. Propaganda im Film des Dritten Reiches, Reinbek 1968

Timothy W. Mason, Sozialpolitik im Dritten Reich, Opladen 1977

Alan S. Milward, Die deutsche Kriegswirtschaft 1939–1945, Stuttgart 1966

George L. Mosse, Der nationalsozialistische Alltag. So lebte man unter Hitler, Königstein 1978

Der Nationalsozialismus, Bundeszentrale für politische Bildung (Hrsg.), Bonn 1980

Franz Neumann, Behemoth. Struktur und Praxis des Nationalsozialismus 1933–1944, Köln/Frankfurt/M. 1977

Wolfgang Paul, Der Heimatkrieg 1939 bis 1945, Esslingen 1980

Detlev Peukert und Jürgen Reulecke (Hrsg.), Die Reihen fast geschlossen. Beiträge zur Geschichte des Alltags unterm Nationalsozialismus, Wuppertal 1981

Klaus-Jörg Ruhl, Brauner Alltag. 1933–1939 in Deutschland, Düsseldorf 1981

Karlheinz Schmeer, Die Regie des öffentlichen Lebens im Dritten Reich, München 1956

David Schoenbaum, Die braune Revolution. Eine Sozialgeschichte des Dritten Reiches, Köln 1968

Dietrich Strothmann, Nationalsozialistische Literaturpolitik, Bonn 1963

Dieter Struss, Das war 1933 (1939, 1942, 1945), München 1980/81

Dörte Winkler, Frauenarbeit im »Dritten Reich«, Hamburg 1977

Hans-Joachim Winkler, Legenden um Hitler, Berlin 1961

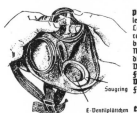

Auswechseln der Klarscheiben

Tragen in Bereitschaft

DM-Tragtasche

Werbeanzeigen in verschiedenen Zeitungen und Zeitschriften während des Zweiten Weltkrieges.

Impressum

CIP-Kurztitelaufnahme
der Deutschen Bibliothek

Alltag im Dritten Reich: so lebten d.
Deutschen 1933–1945 / Frank Grube;
Gerhard Richter. –
1. Aufl.
Hamburg: Hoffmann und Campe, 1982
    ISBN 3-455-08704-3

NE: Grube, Frank [Hrsg.]

1. Auflage 1982
Copyright © 1982 by Hoffmann
und Campe Verlag, Hamburg
Printed in Germany

Bildnachweis

(nach Bildnummern)
Titelfoto: Bildarchiv Preussischer Kultur-
besitz, Berlin
Vor- und Nachsatz: Archiv
Erich Andres, Hamburg, 38, 56, 87, 95,
127, 151
Archiv der Sozialen Demokratie/
Friedrich-Ebert-Stiftung, Bonn, 17, 19
Archiv Gerstenberg, Frankfurt/M., 21
Bavaria-Verlag, Gauting, 45, 72, 94, 99,
100
Bundesarchiv, Koblenz, 22, 47, 53, 59, 60,
62, 63, 66, 67, 68, 69, 78, 79, 80, 81, 83,
106, 115
Eupra-Press, München, 40, 82
Gerhard Gronefeld, München 46, 50,
119, 120
Hanns Hubmann, Kröning, 2, 5, 6, 7, 8,
14, 15, 24, 32, 34, 35, 51, 54, 74, 77, 98,
102, 103, 107, 108, 121, 129, 131, 132,
136, 137, 140, 143
Landesbildstelle Berlin, 18, 25, 41, 92
Sammlung Menningen, Lügde-Niese,
111, 112, 113
Bildarchiv Preussischer Kulturbesitz,
Berlin, 1, 3, 4, 9, 10, 11, 12, 13, 16, 27, 36,
37, 49, 64, 65, 71, 75, 76, 85, 117, 118,
133, 135, 138, 141, 142, 144, 145
Süddeutscher Verlag, München, 20, 23,
26, 28, 29, 30, 31, 33, 39, 43, 44, 48, 52,
55, 57, 58, 61, 70, 88, 89, 90, 91, 93, 96,
97, 101, 104, 105, 109, 110, 122, 123,
126, 146, 147, 148, 150
Ullstein Bilderdienst, Berlin, 42, 73, 84,
86, 114, 116, 124, 125, 128, 130, 134,
139, 149, 152

Quellennachweis

Die Dokumente und Abbildungen im
Text stammen aus den folgenden
Archiven:
Archiv Gerstenberg, Frankfurt/M.: S. 33
Archiv Menningen, Lügde-Niese: S. 61,
69, 128/129, 230/231
Bildarchiv Preussischer Kulturbesitz,
Berlin: S. 173, 175
Faschismus. Hrsg. v. der Neuen
Gesellschaft für Bildende Kunst und dem
Kunstamt Kreuzberg, Elefanten Press
Verlag, Berlin 1976: S. 37, 65, 84/85, 87,
106, 111
Landesbildstelle Berlin: S. 189, 191

Für die Chronik ab S. 217 ff. wurde auf
Zeittafeln in den folgenden Büchern mit
zurückgegriffen: Eberhard Aleff (Hrsg.):
Das Dritte Reich, Hannover 1963;
Faschismus, hrsg. von der Neuen
Gesellschaft für Bildende Kunst und dem
Kunstamt Kreuzberg, Berlin 1976.

Produktion:

Projektleitung:
Wolfgang Schuler
Redaktion:
Niko Hansen
Design:
Jan Buchholz und Reni Hinsch
Herstellung:
Peter Albers
Satz:
Alfred Utesch GmbH, Hamburg
Lithografie:
Otterbach Repro KG, Rastatt
Druck- und Bindearbeiten:
Richterdruck, Würzburg

Aus dem Lagerleben

Während der Vereidigung